De la même auteure

Déjà paru

- *Passionnément givrée*
- *Merveilleusement givrée*

ÉTERNELLEMENT GIVRÉE

Catalogage avant publication de Bibliothèque et Archives nationales du Québec et Bibliothèque et Archives Canada

Parily, Audrey, 1979-
Éternellement givrée

(Lime et citron)

ISBN 978-2-89074-791-3

I. Titre. II. Collection : Lime et citron.

PQ2716.A73E83 2011   843'.92   C2010-942554-5

Édition
Les Éditions de Mortagne
Case postale 116
Boucherville (Québec)
J4B 5E6

Distribution
Tél. : 450 641-2387
Téléc. : 450 655-6092
Courriel : info@editionsdemortagne.com

Tous droits réservés
Les Éditions de Mortagne
© Ottawa 2011

Dépôt légal
Bibliothèque et Archives Canada
Bibliothèque et Archives nationales du Québec
Bibliothèque Nationale de France
1er trimestre 2011

ISBN : 978-2-89074-791-3

1 2 3 4 5 – 11 – 15 14 13 12 11

Imprimé au Canada

Nous reconnaissons l'aide financière du gouvernement du Canada par l'entremise du Fonds du livre du Canada (FLC) et celle du gouvernement du Québec par l'entremise de la Société de développement des entreprises culturelles (SODEC) pour nos activités d'édition. Gouvernement du Québec – Programme de crédit d'impôt pour l'édition de livres – Gestion SODEC.

Membre de l'Association nationale des éditeurs de livres (ANEL)

Conseil des Arts
du Canada

Canada Council
for the Arts

Audrey Parily

ÉTERNELLEMENT GIVRÉE

ÉDITIONS DE MORTAGNE

REMERCIEMENTS

En mettant le point final à *Éternellement givrée*, je n'ai qu'une envie (en plus de sauter partout, tellement je suis heureuse et fière !), c'est de remercier celles qui m'encouragent, parfois même sans le savoir, à continuer mon chemin vers la réalisation de mes rêves.

Merci à vous, donc, notamment Annie, Emmanuelle, Caroline, Agathe et Sylvine pour vos encouragements et pour toutes vos idées.

Un merci rempli d'amour à ma mère, une femme que j'admire et dont j'aimerais suivre les traces.

Un chaleureux merci à toute l'équipe des Éditions de Mortagne, pour sa confiance et son enthousiasme. Un merci particulier à Carolyn et à Chloé · vos commentaires, conseils et suggestions m'ont été plus que précieux.

Et, pour finir, un énorme merci à toutes mes lectrices, sans qui cette aventure n'aurait pas été possible.

Sommaire

Dans les tomes précédents... Tam tam tam... (On imagine la musique de Beautés désespérées *pour accompagner ces quelques lignes. Oui, oui, tam tam tam sont les premières notes du feuilleton !)*

Chers nouveaux lecteurs, vous voici arrivés à la dernière partie de mes aventures et vous ne savez toujours pas qui je suis ? Pas de panique ! Isabelle Sirel se fera un plaisir de répondre à vos interrogations ! Vous savez déjà mon nom, les choses commencent plutôt bien. Mais qui est Isabelle Sirel ? Là est la question. Pour résumer, disons que je suis une jeune Française de vingt-huit ans, débarquée au Québec il y a quatre ans pour étudier à l'Université Laval. À l'époque, Maxim, mon colocataire, était mon meilleur ami et, tout en apprenant à survivre à l'hiver, j'accumulais les fiascos amoureux. À chacun de mes échecs, je me consolais sur son épaule et ce qui devait arriver arriva : nous sommes tombés amoureux l'un de l'autre. OK, ça, c'est la version courte parce que les choses se sont déroulées de manière beaucoup plus longue et tortueuse en réalité, Maxim et moi n'étant pas de fervents adeptes de la simplicité.

Quelques semaines après le début de notre relation, j'obtenais ma maîtrise et décrochais un poste de conseillère en ressources humaines. Tout allait donc parfaitement bien dans le meilleur des mondes. J'étais heureuse, amoureuse, jeune diplômée sur le marché du travail et décidée à passer ma vie au Québec, au grand dam de ma mère. Ah, c'est vrai ! Vous ne connaissez pas le docteur Sirel. Tant mieux pour vous ! Si je vous dis « contrôlante », ça vous allume quelque chose ? Elle est persuadée de toujours *tout* savoir mieux que moi. Remariée depuis deux ans, elle m'avait quelque peu laissé en paix le temps de savourer sa nouvelle condition d'épouse dévouée. Aujourd'hui, elle est installée avec Bertrand, la routine a repris ses droits et elle est redevenue égale à elle-même : exaspérante.

Du côté paternel, les choses ne sont guère mieux. Mon père et moi entretenons une relation assez distante. Quand j'étais enfant, il a quitté la maison sans dire un mot pour aller vivre avec sa maîtresse et la fille qu'ils venaient d'avoir. Je n'ai réussi à tourner la page que récemment. Nous nous sommes rapprochés depuis, mais nos échanges sont encore loin d'être affectueux. La seule personne qui ne me colle pas – ou plutôt ne me collait pas – de migraines, c'est Ophélie, ma demi-sœur, la fille de mon père et de Catherine, sa nouvelle femme. Vous suivez toujours ? Vous avez besoin d'un arbre généalogique ? Pas la peine. Concentrez-vous sur Maxim et moi car, même si j'ai bien failli détruire notre couple en commettant l'irréparable au début de notre relation, nous nous aimons d'un amour sincère et profond. C'est beau, hein ? Mais vous mourez d'envie de savoir ce que j'ai pu faire pour mettre en péril cet amour naissant, pas vrai ? Désolée, il fallait être là dès les premiers épisodes ! Appelez-moi Cruella, ah, ah, ah (rire démoniaque) !

Allez, je vous donne un indice : Maxim ne parle plus à sa mère depuis que celle-ci a abandonné sa famille pour s'installer à New York. Comme, de mon côté, j'avais renoué avec mon père, j'ai eu envie que Maxim fasse la même chose, mais sans lui demander son avis. Mauvaise idée. Très mauvaise idée. Nous avons néanmoins réussi à surmonter cette épreuve et nous avons eu droit à notre *happy end*.

J'ai alors pu laisser libre cours à ma passion de toujours : l'écriture. En un an, je suis parvenue à écrire et surtout terminer mon premier roman, que j'ai envoyé à cinq maisons d'édition. Quelques semaines plus tard, les Éditions Les écrits restent m'ont contactée pour m'annoncer qu'elles voulaient publier *Vodka-Canneberge sans glace* ! Je n'y ai pas cru jusqu'à ce que je voie mon livre en librairie. J'en ai pleuré de joie. J'étais si fière, si heureuse ! Mais, comme chacun le sait, le bonheur ne dure jamais longtemps (stupide, stupide, stupide règle ! Pourquoi le bonheur ne pourrait-il pas durer toujours ?) et la mer est soudainement devenue très agitée. Maxim s'est mis à travailler douze heures par jour, la promotion de mon roman m'accaparait moi-même beaucoup et puis... Et puis, il y a eu Ophélie. Ma sœur s'était installée chez nous pour un an et, à dix-neuf ans, elle avait des rêves plein la tête. Des rêves de grandeur. Elle nous a entraînés malgré nous à New York et, là-bas, les choses ont atteint un point de non-retour entre Maxim et moi. Je ne sais pas si c'est le fait de revoir sa mère, combiné à toutes les tensions et les non-dits accumulés entre nous, mais il m'a expliqué qu'il avait besoin de se retrouver seul pendant quelques semaines. Sa décision m'a brisé le cœur et c'est avec une peine immense que je me suis envolée pour la France trois jours plus tard, afin de promouvoir la sortie de mon roman là-bas.

Daniel, mon premier amour, a choisi ce moment-là pour réapparaître dans ma vie avec des révélations fracassantes (OK, peut-être que « fracassantes », c'est un peu fort, mais disons que je ne m'attendais pas à ce genre de révélations !) sur notre passé commun. La situation entre Maxim et moi s'est envenimée et nous avons fini par rompre. J'ai été anéantie comme jamais et j'ai décidé de ne pas rentrer au Québec pour une durée indéterminée. Je ne me sentais pas capable d'affronter la réalité de ma séparation avec Maxim.

Avec le temps, je me suis rapprochée de Daniel. Je savais qu'il recommençait à éprouver des sentiments pour moi, mais je préférais me fermer les yeux. Sa présence me réconfortait et je n'avais pas envie de creuser plus loin. Lui, en revanche, ne l'entendait pas de cette oreille et nous avons fini par nous embrasser. Le hic, c'est que Maxim a débarqué en France, chez moi, précisément le même soir. Il m'a avoué qu'il m'aimait toujours et qu'il voulait que je reprenne ma vie au Québec, avec lui. Je n'ai pas su quoi lui répondre. Je n'étais pas prête à replonger tête baissée dans notre relation. Pas à cause de Daniel, même si je commençais, moi aussi, à ressentir de nouveau quelque chose pour lui, mais parce que j'avais trop de questions, trop d'incertitudes, trop de souffrances non cicatrisées.

Quand Maxim a appris que je voyais à nouveau Daniel, il m'a accordé quarante-huit heures pour me décider : soit c'était Daniel, soit c'était lui. Ça m'a mise hors de moi et ne m'a vraiment pas aidée à voir plus clair dans mes sentiments. J'ai appelé Daniel et nous nous sommes vus. Il ne m'a pas donné d'ultimatum. Il ne m'a pas demandé de choisir entre Maxim et lui. Non. Il m'a expliqué que même s'il ne voulait pas renoncer à moi, il était prêt à accepter ma décision, quelle qu'elle soit. Ça m'a touchée au plus profond de moi et je l'ai embrassé.

Les choses en sont donc là. Daniel ou Maxim ? Ça a l'air tellement *glamour* dans les films, lorsque l'héroïne doit choisir entre deux gars. Tout le monde se dit : wow, elle en a, de la chance ! Eh bien, non, ce n'est vraiment pas une chance ! Je dirais même que c'est l'enfer !

Qu'est-ce que Maxim me cache ? Notre relation peut-elle fonctionner sur du long terme ? Et mes sentiments pour Daniel ? Sont-ils sincères ? Suis-je prête à tirer un trait sur Maxim ? Heureusement que je ne suis pas du genre à perdre facilement mon sang-froid...

Pff ! Vous m'avez crue ? Vous n'avez pas encore deviné que je suis sur le point d'exploser ? Que j'ai envie de hurler pour évacuer mes tensions et, surtout, mon incertitude ? Comment fait-on pour choisir lorsque deux chemins s'ouvrent devant nous ? Deux chemins qui nous attirent autant l'un que l'autre ? Moi qui suis la reine de l'indécision, je peux vous assurer que la catastrophe est imminente !

Bon, vous êtes prêts ? Je prends une grande inspiration et je plonge...

PREMIÈRE PARTIE

DÉCISIONS

Chapitre un

Décembre, le lendemain de la visite de Maxim

Cette fois, c'est officiel, je suis née sans le gène de la simplicité. Dans ma vie, tout doit être sujet à des questionnements, des prises de tête, des indécisions, sinon ce n'est pas drôle. Êtes-vous capable de vivre une existence tranquille et sans embûches, vous ? Moi, c'est clair : c'est non. À qui puis-je faire une réclamation ? À ma mère ? Oui, excellente idée !

J'ai embrassé Daniel hier après-midi. Pas d'un baiser qu'on donne à son amoureux dans une cour d'école à quatorze ans. Pas d'un baiser qu'on donne à un premier rendez-vous. Je l'ai embrassé d'un baiser que l'on ressent dans chaque fibre de son corps. J'avais presque oublié qu'on pouvait embrasser et être embrassée de cette façon. Cela faisait si longtemps. J'ai des sentiments pour Daniel. C'est un fait. Des sentiments très forts. Je l'ai senti pendant qu'on s'embrassait. Ou plutôt, je me le suis enfin avoué à moi-même. Le problème (gène de la complication, quand tu nous tiens !), c'est que j'aime encore Maxim. Comment entreprendre quoi que ce soit avec Daniel si je n'ai pas réglé mon passé ? Impossible. C'est d'ailleurs ce que je lui ai expliqué au parc hier. Il a compris. Maintenant, je dois me décider : ma relation avec Maxim est-elle *vraiment* finie ?

Pendant ces derniers mois, même si je refusais de l'admettre, je vivais avec l'intime conviction que notre séparation n'était que temporaire. Je savais que nous serions amenés à nous revoir, ne serait-ce que lorsque je serais retournée au Québec pour vendre ma voiture et récupérer mes affaires. Je savais aussi qu'une réconciliation risquait de découler de ces retrouvailles. Nous nous serions parlé. Pardonné. Des tas de choses auraient pu se produire. Aujourd'hui, ce scénario n'est plus envisageable. Il y a Daniel. Il y a mes sentiments pour Daniel. Et il y a Maxim et son ultimatum. Aujourd'hui, l'Univers me propose un choix multiple de scénarios et je suis complètement indécise.

> Avec qui Isa a-t-elle envie de construire sa vie ?

- Réponse A : Maxim

- Réponse B : Daniel

- Réponse C : Un chat

- Réponse D : L'Univers est en train de lui taper sur les nerfs avec son questionnaire.

Ah, ah ! Je vous laisse deviner ma réponse !

Bon, qu'est-ce que je fais ? Des idées, quelqu'un ?

Je crois qu'il faut que je parle à Maxim. J'y verrai plus clair ensuite. Je me lève et pars à la recherche du téléphone. Ma mère et Bertrand ne sont pas encore rentrés de leur week-end et je dois dire que je suis contente d'avoir été seule ces deux derniers jours. Ma mère aurait cherché par tous les moyens à savoir ce qui se passait. Elle aurait compris en voyant débarquer Maxim et ne se serait pas gênée pour décider à ma place. Je me demande quand même ce qu'elle ferait, elle, dans ma situation. Elle s'en sortirait avec brio, à n'en pas douter.

J'attrape le combiné sur la table du salon et compose le numéro de l'ami chez qui Maxim loge jusqu'à son départ. Une voix féminine me répond et je sens les griffes de la jalousie m'égratigner le cœur. Maxim n'était pas censé dormir chez *un* ami ? Un, comme dans : je suis bourré de testostérone et j'ai du poil au menton ? Et si, peiné et en colère à cause de Daniel, il avait décidé de m'oublier en couchant avec son hôte, qui se révèle, en fait, être une hôtesse ?

Devant mon silence, la jeune fille au bout du fil insiste :

– Allô ? Il y a quelqu'un ?

Je me racle la gorge.

– Euh... Oui, bonjour. Maxim est là ?

Et, par « Maxim est là ? », j'entends : « Maxim a-t-il dormi seul ? A-t-il refusé tes avances en te disant qu'il n'aimait que moi ? Peux-tu lui demander de sortir illico de ton appartement parce que je déteste l'imaginer près d'une autre fille que moi ? »

– Est-ce que c'est Isa ?

Au secours ! Maxim lui a parlé de moi ? Pourquoi ? En quel honneur ? Est-ce que c'était des confidences sur l'oreiller ? Et qu'a-t-il bien pu lui dire ? Je garde tant bien que mal mon calme et acquiesce d'un ton neutre :

– Oui.

– Oh, ce n'est pas de chance. Maxim a pris un taxi pour l'aéroport il y a moins de dix minutes. On a tenté de le retenir, mais il était vraiment décidé.

21

– On ?

Genre, plusieurs filles ?

– Oui, Julien et moi. Quand Maxim est arrivé hier, il n'avait pas trop le moral. On a un peu discuté et il nous a dit qu'il attendait un signe de ta part. Il était plutôt morose en partant. Tu pourrais peut-être le rattraper avant qu'il prenne son vol ?

Trop d'informations en si peu de mots. J'hésite entre sauter de joie et crier de rage. 1) Maxim ne se faisait pas consoler par deux jeunes filles sexy, mais par son ami Julien et sa blonde (*Yes !*). 2) Il a parlé de moi et de notre relation à deux inconnus alors qu'il refuse de me confier certaines choses (Hum...). 3) Il est parti pour l'aéroport sans même me laisser la chance de le revoir avant son départ (Je vais le tuer !!!). OK, il m'avait demandé de l'appeler, mais il aurait pu me faire un signe avant de sauter dans un taxi et de retraverser l'Atlantique. Je déteste son côté borné. Avec lui, ou c'est blanc ou c'est noir. Impossible d'ajouter du gris dans sa palette. Il m'a lancé un ultimatum hier et il l'a mis à exécution.

Je déglutis péniblement.

– Merci... pour l'information.

– De rien. Bon courage.

Oui, du courage, il en faut pour arriver à endurer Maxim et son sale caractère ! Je raccroche et secoue la tête. Qu'est-ce que je fais ? Je prends la voiture de ma mère pour essayer de parler à Maxim avant que son avion décolle ? Je le laisse s'envoler ? Je ne sais pas. Je ne veux pas d'une vie faite d'ultimatums. J'aurais aimé expliquer mes craintes à Maxim. J'aurais aimé qu'il les comprenne et les accepte. Je sais qu'il est

22

blessé, je sais que *je* l'ai blessé avec ma relation avec Daniel, je sais que j'aurais pu lui téléphoner plus tôt, je sais qu'il est en droit de partir. Mais j'aurais aimé qu'il reste.

Je voudrais recevoir un signe clair et précis maintenant ! Allô, bonne étoile ? Isa, à l'appareil. As-tu cinq minutes à m'accorder ?

Silence complet.

Enfin, presque. Ma petite voix intérieure semble avoir une opinion bien tranchée sur la conduite à adopter !

— *Arrête de faire l'enfant gâtée, Isa, et cours à l'aéroport ! Tu peux peut-être encore attraper Maxim.*

— *Non. Il a voulu me poser un ultimatum, qu'il en assume les conséquences ! Il y a un prix à payer pour chaque geste !*

— *Et toi ? Quel prix vas-tu payer ?*

— *Mon cœur est déjà brisé ; je ne crois pas qu'il puisse se briser en plus petits morceaux.*

— *Justement ! Comment veux-tu les recoller si tu laisses ta relation avec Maxim finir ainsi ?*

Je médite ces dernières pensées. Pourrais-je vivre avec le regret de ne pas avoir pu expliquer à Maxim ce que je ressens ? Pourrais-je tirer un trait sur nous deux dans ces conditions ?

Après une longue hésitation, je finis par attraper ma veste, mon sac et les clés de l'auto de ma mère. Même si ça me tue de l'admettre, ma petite voix a raison : je ne peux pas laisser

Maxim s'en aller sans qu'il m'ait reparlé après son ultimatum !
J'ignore le numéro de son vol, mais des départs pour Montréal,
ce soir, il n'y en aura certainement pas des tonnes.

En deux minutes, montre en main, je suis au volant, filant
à vive allure vers l'aéroport de Lyon. Une demi-heure plus
tard, j'arrive à destination. Heureusement pour moi, les voya-
geurs ne se bousculent pas encore en cette période de l'année
(Noël n'est que dans trois semaines) et l'aéroport n'est pas
très grand. Je me précipite jusqu'au panneau des départs et
l'examine avec attention. Il n'y a aucun vol pour Montréal.
L'avion de Maxim ne peut pas être déjà parti ?! Bon, je ne
panique pas et je réfléchis. Il n'y a pas de départ pour Montréal parce que les vols directs en partance de Lyon sont très
rares. Par où Maxim peut-il bien transiter pour rejoindre
Montréal ? Paris, Francfort, Londres, Amsterdam, Genève ?
Je parcours le tableau des départs une nouvelle fois. Aucun
vol en direction de Londres, Francfort et Genève avant deux
heures. Il ne reste donc que Paris et Francfort. Le vol pour
Francfort décolle dans vingt minutes, celui pour Paris dans
un peu moins d'une heure. Je me dirige vers le comptoir
d'enregistrement d'Air France. Prions pour que Maxim passe
par Paris. De toute façon, si c'est Francfort, il est trop tard :
l'embarquement est en cours et je ne réussirai jamais à lui
parler.

Je balaie du regard les files qui se trouvent devant moi,
mais personne ne ressemble de près ou de loin à Maxim.
J'inspire profondément et décide d'interroger une hôtesse
d'Air France au comptoir d'enregistrement.

– Passeport et billet, s'il vous plaît, me demande-t-elle.

– Je ne suis pas passagère. Je cherche quelqu'un et je
souhaiterais savoir s'il s'est enregistré pour le vol en direction de Paris.

L'hôtesse me dévisage, l'air perplexe.

– Ces renseignements sont confidentiels, mademoiselle.

– C'est vraiment important.

– Je regrette, je ne peux pas accéder à votre requête.

J'aurais dû entrer dans la police ! J'aurais pu avoir accès à tous les renseignements voulus ! Être auteure, ça me sert à quoi, hein ? Pas à dérider les hôtesses de l'air pour obtenir les informations dont j'ai besoin, en tout cas !

– Vous ne pouvez pas faire une exception ? C'est vraiment important. Vraiment.

– Mademoiselle, je ne peux pas vous aider, s'obstine l'hôtesse sur un ton de plus en plus sec qui m'irrite au plus haut point.

La compassion, elle ne connaît pas ? L'altruisme non plus ? Elle ne voit pas que je suis désespérée ? J'essaie donc de lui expliquer la gravité de la situation :

– S'il vous plaît, c'est une question de vie ou de mort !

Une question de vie ou de mort ? Je viens réellement de prononcer ces mots dans un aéroport, à une époque où le terrorisme est plus que présent dans les esprits de chacun ? J'aurais besoin d'un bon filtre automatique parfois ! Une bêtise sort de ma bouche ? Pas de problème. Un gros bip pour arranger tout ça !

L'hôtesse fronce les sourcils et je me vois déjà menottée et torturée par le sosie de Jack Bauer cherchant à me faire avouer mes projets d'assassinat du président américain avec un avion détourné quelques minutes après son départ de Lyon. Je m'empresse donc de préciser mes paroles :

— Évidemment, ce n'est pas une *vraie* question de vie ou de mort. C'est juste que...

— Mademoiselle, me coupe l'hôtesse, exaspérée, j'ai bien compris votre problème, mais je ne peux pas vous aider. Maintenant, je vais vous demander de libérer mon comptoir ; il y a des passagers qui désirent s'enregistrer.

Devant son air revêche, je choisis d'obtempérer. Visiblement, elle ne m'aidera pas. Je dirais même qu'elle serait plutôt ravie de me causer des ennuis. Je sors mon cellulaire de mon sac et compose le numéro de Maxim. J'ignore s'il a pris son téléphone portable avec lui. J'ignore même si celui-ci fonctionne en France, mais sait-on jamais, ma chance va peut-être se décider à tourner.

Hum. Non. Ce n'est pas pour aujourd'hui. Le répondeur de Maxim m'accueille plutôt froidement. Je lâche un soupir exaspéré et appelle Cécile et Antoine. Tant qu'à être dans les longues distances ! C'est Cécile qui décroche.

— C'est Isa.

— Ça va ? Tu as vu Maxim ?

— Oui, grosse surprise en rentrant chez moi vendredi.

— Je m'en doute. J'aurais voulu t'avertir, mais Antoine ne m'a raconté ce qui se passait qu'hier soir.

— C'était ça que Maxim cachait finalement ? Son voyage ici ?

J'entends Cécile grimacer à travers le combiné. (Oui, oui, ça s'entend !)

– Entre autres, répond-elle.

Je pousse un soupir et dis :

– Ne t'inquiète pas, je n'ai pas l'intention de me servir de toi pour en savoir plus sur la vie de Maxim.

Cécile et moi sommes amies depuis l'université. Elle croisait souvent Antoine lorsqu'elle venait à la maison. Quand celui-ci m'a avoué que Cécile lui plaisait, je n'ai pas résisté à l'envie de jouer les entremetteuses. Depuis, ils filent le parfait amour. C'en est à faire pleurer de jalousie les héroïnes de comédies romantiques ! Ils ont néanmoins dû faire face à quelques problèmes dernièrement, Antoine s'étant mis à disparaître plusieurs fois par semaine pendant des heures sans que Cécile sache où ni pourquoi. Quand elle le questionnait, il répondait invariablement que cela concernait son frère et qu'il ne pouvait pas lui en dire plus, Maxim lui ayant demandé d'être discret. Cécile essayait de se montrer compréhensive mais, plus le temps passait, plus voir Antoine lui fermer la porte sur quelque chose qui lui semblait important, quelque chose qui l'accaparait et le tracassait aussi, lui était difficile.

Cette histoire est maintenant derrière eux d'après ce que je comprends. Antoine s'est finalement décidé à tout raconter à Cécile, et je devine qu'il lui a expressément demandé de garder ça pour elle – c'est-à-dire loin des oreilles d'une certaine Isa. J'avoue qu'une partie de moi a très envie de l'interroger pour mieux comprendre ce qui s'est passé dans la tête de Maxim ces derniers mois. Pour savoir ce qu'il projette aussi. Il est resté tellement discret quand nous nous sommes vus, comme s'il voulait m'empêcher de l'atteindre émotionnellement. Je pourrais insister auprès de Cécile, la harceler jour et nuit sans relâche pour qu'elle me raconte tout, mais je ne le ferai pas. Je ne suis pas encore folle à ce point et il est hors de question que je me serve d'elle.

OK, j'avoue que je suis beaucoup moins en contrôle que ce qu'il y paraît ! En vérité, je bous à l'intérieur ! Je suis en colère contre Maxim parce qu'il me cache des choses, contre Antoine parce qu'il oblige Cécile à ne rien me dire et aussi un peu contre Cécile parce qu'elle a choisi de se ranger de leur côté. Mais je refuse de m'énerver. Je refuse d'exploser. C'est à Maxim de tout me raconter et s'il n'y arrive pas, c'est peut-être un signe que nous ne sommes pas faits pour être ensemble.

— Je me sens un peu mal à l'aise par rapport à la situation, reprend Cécile.

— Ne t'en fais pas, c'est vrai que je suis curieuse, mais je comprends ta position et j'imagine bien que ce n'est pas évident pour toi... Par contre, là, tout de suite, j'aurais besoin de connaître la compagnie aérienne de Maxim.

— Ne quitte pas, je vais demander à Antoine.

Je retiens mon souffle tandis que Cécile interroge Antoine. Faites que Maxim voyage avec Air France ! Faites que Maxim voyage avec Air France ! Je suis prête à m'acheter un billet pour entrer en salle d'embarquement et lui parler ! J'ai toujours rêvé de faire ça, d'ailleurs. Ça a l'air tellement romantique dans les films. Les héros se retrouvent, s'avouent qu'ils s'aiment et s'embrassent sous les applaudissements des gens autour. Bon, OK, c'est un peu quétaine – et cliché –, mais je ne dirais pas non si le destin me permettait de jouer cette scène ! Encore faut-il que Maxim ne soit pas déjà dans l'avion ! Ma chance va-t-elle enfin se décider à tourner ? Qu'est-ce que je pourrais croiser à part mes doigts ? Mes cheveux ?

– Isa ? Antoine ne se souvient pas du nom de la compagnie, mais elle doit être allemande parce que Maxim arrive à Montréal via Francfort.

Je sens mes épaules s'affaisser. Vraiment, la chance m'a abandonnée.

– Francfort ? Tu es sûre ?

– Oui, même si j'ai la sensation que ce n'est pas ce que tu aurais aimé entendre.

– En fait, je suis à l'aéroport. Je voulais voir Maxim, mais on dirait bien que je l'ai manqué. Merci quand même.

– J'espère sincèrement que vous allez réussir à vous réconcilier.

Ça semble mal parti. Je remercie de nouveau Cécile et retourne vers le panneau des départs, la gorge nouée. L'embarquement du vol de Maxim est terminé. Son avion décolle en ce moment même. Je n'ose pas imaginer dans quel état d'esprit il se trouve. Il doit m'en vouloir à mort. Moi aussi, je lui en veux d'être reparti ainsi, mais il a quand même parcouru tout ce chemin jusqu'à Lyon... pour rien. Il doit penser que je ne veux pas sauver notre relation. Est-ce que je veux la sauver ? Une partie de moi en a envie, mais l'autre espère beaucoup de ce qui naît avec Daniel. Donc, je me divise en deux, c'est ça ?

Je dépose mon front contre une fenêtre et regarde à l'extérieur. Je soupire et compose de nouveau le numéro de cellulaire de Maxim. Je refuse que nos retrouvailles houleuses de vendredi soient les derniers souvenirs de notre relation.

Je prends une courte inspiration après le bip et dis :

— Salut, c'est moi. Je suis à l'aéroport de Lyon. Je t'ai raté de peu. Quand j'ai téléphoné chez ton ami, tu étais déjà parti. J'aurais voulu qu'on se parle. S'il te plaît, rappelle-moi lorsque tu auras mon message. Je t'embrasse.

Je range mon téléphone dans la poche de ma veste et me dirige vers les stationnements. Il pleut dehors. Il fait froid. Je marche jusqu'à ma voiture, les yeux remplis d'eau. J'ai soudainement envie d'écouter des chansons déprimantes en boucle. Est-ce qu'un jour, je reviendrai ici prendre un aller simple pour le Québec ? Est-ce qu'un jour, j'irai rejoindre Maxim ?

Ce qui compte,
c'est d'avoir toujours quelque chose à attendre.

Didier Van Cauwelaert

Chapitre deux

J'ai l'impression de passer mon temps pendue au téléphone ces jours-ci. Quand je ne discute pas avec Lucie ou Ophélie, c'est avec Marie-Anne et Cécile. Ma vie amoureuse est devenue notre principal sujet de conversation. Bien sûr, elles veulent toutes savoir ce que j'ai décidé par rapport à Maxim et à Daniel. Grosse nouvelle : je suis toujours indécise !

Fidèle à son habitude, ma mère n'a pas attendu que je lui demande son avis pour me le donner. À force de m'entendre parler au téléphone, elle a réussi à recoller chaque pièce du casse-tête et m'a conseillé de prendre un peu de recul. Oui, merci, maman, j'y avais pensé aussi. J'essaie. Mais c'est difficile. C'est difficile parce que je suis impliquée émotionnellement avec deux hommes en même temps et que je n'aurais jamais cru que ça m'arriverait un jour. Du temps où j'accumulais les catastrophes amoureuses, je me bâtissais des scénarios d'amours impossibles, d'amours contrariés, d'amours à sens unique. Jamais l'idée d'avoir à choisir entre deux hommes ne m'était venue à l'esprit.

J'ai toujours pensé qu'on ne pouvait pas aimer deux personnes à la fois. Ce que je vis en ce moment me prouve le contraire. C'est certain que je n'aime pas Maxim et Daniel de la même façon. Ils sont tellement différents tous les deux. Ils n'habitent même pas le même continent ! Mais je ressens quelque chose pour chacun d'eux.

Maxim ne m'a pas rappelée. Je sais pourtant qu'il est bien arrivé à Québec. Deux jours se sont écoulés déjà et je n'ai toujours pas de nouvelles. Je ne comprends pas ce qui se passe dans sa tête. Il parcourt plus de six mille kilomètres dans le but de me parler et refuse ensuite de retourner mon appel ? Je ne suis plus capable de supporter son sale caractère ! Si ça continue, je vais lui proposer de changer son nom pour *Orgueil blessé* !

Je n'ai pas non plus de nouvelles de Daniel depuis notre baiser au parc. Il me laisse le temps d'y voir plus clair. Il est si compréhensif, si patient... Si seulement le brouillard sur mon cœur voulait bien se dissiper ! Trop de choses demeurent inachevées entre Maxim et moi pour que je puisse avancer.

J'attrape le téléphone sans fil posé sur mon bureau et compose mon (ancien ?) numéro à Québec. Maxim ne veut peut-être pas me parler, mais moi, j'en ai besoin.

– Allô ?

– C'est moi.

Maxim reste muet en entendant ma voix.

– Tu as eu mon message ?

– Oui.

Plus glacial que ça, tu meurs. L'iceberg qui a coulé le *Titanic* n'a qu'à bien se tenir face à sa froideur extrême ! Je ne me décourage pas pour autant et continue :

– J'ai vraiment été déçue de ne pas pouvoir te voir avant ton départ.

– Si tu n'avais pas attendu la dernière minute, on aurait certainement pu se parler, riposte-t-il sur un ton voilé de reproches.

– C'est pour ça que tu n'as pas retourné mon appel ? Pour me punir de ne pas avoir respecté ton ultimatum ? Tu as eu des semaines pour décider si oui ou non tu voulais donner une autre chance à notre relation et tu aurais voulu que je me décide en deux jours ?

Maxim reste silencieux un moment, puis finit par admettre :

– OK, j'avoue que je n'ai sans doute pas été très raisonnable.

Alléluia ! Une accalmie semble en vue ! J'en profite pour me glisser dans la brèche.

– Est-ce qu'on peut se parler à cœur ouvert ? Je n'étais pas prête vendredi, mais là, j'en ai besoin.

– Ce serait une bonne chose, effectivement.

Hum... Se parler à cœur ouvert semble plus difficile que ce que j'espérais. Par où commencer ? Je me mordille la lèvre quelques secondes avant de me lancer :

– Écoute, je ne veux pas que tu penses que je ne t'aime plus, parce que ce n'est pas vrai. Si je n'ai pas pu te donner ce que tu attendais quand tu es venu à Lyon, c'est parce que tu voulais tout, tout de suite. Ça allait trop vite pour moi, tu comprends ?

– Je comprends, Isa. Je sais que je t'en ai demandé beaucoup.

Maxim a l'air sincère et je sens la tension qui alourdissait mes épaules s'envoler.

– Pourquoi tu ne m'as pas rappelée ? Ce n'est pas un reproche. Je veux seulement savoir.

– J'étais en colère, déçu... Blessé aussi. J'avoue que lorsque les choses ne se déroulent pas comme je l'espère, j'ai tendance à mal réagir.

C'est la première fois depuis des mois que Maxim m'explique sincèrement ce qu'il ressent. Sans rancœur, sans animosité. J'aurais aimé qu'on puisse avoir cette conversation quand il était à Lyon. Mais peut-être que nous retrouver l'un en face de l'autre a rendu les choses plus compliquées. Parfois, le téléphone est la meilleure option.

– Je suis contente que tu le reconnaisses, contente que tu me le dises, surtout. Je te sentais si loin de moi à Lyon. Je sais que je devais l'être aussi, mais ton arrivée m'a vraiment prise au dépourvu.

– Oui, je m'en suis rendu compte.

Maxim soupire, hésite puis ajoute :

– Si je ne t'ai pas rappelée après avoir eu ton message, c'est aussi parce que je voulais prendre le temps de réfléchir à nous deux. Après ma visite à Lyon, je n'étais plus sûr de rien. Je voulais prendre la bonne décision concernant notre relation.

La tension dans mes épaules revient aussitôt. J'ai un mauvais pressentiment. Maxim poursuit :

– Isa, je pense que ce qu'il y a entre nous est trop compliqué pour être sauvé. Il y a eu trop de bouleversements, trop d'obstacles pour que tout redevienne comme avant.

J'essaie de maîtriser la vague d'émotion qui afflue à ses mots et dis :

– C'est certain que les choses ne redeviendront jamais comme avant, mais il y a deux jours, tout ce que tu désirais, c'était que je te redonne une chance. Tu as changé d'avis en si peu de temps ?

– Je crois que ce que je voulais n'était pas très réaliste. Nos vies ont pris deux chemins tellement différents. Tu es en France, avec ta famille, avec tes amis. Tu vis quelque chose, quoi que ce soit, avec Daniel. Tu as continué à avancer, et c'est normal. Ça ne me fait pas plaisir de savoir que tu as un autre homme dans ta vie, mais je ne peux pas te demander de quitter ce que tu as reconstruit. Ce serait égoïste. Parfois, je me dis que ce que tu as vécu au Québec avec moi, c'était juste... un entre-deux qui ne devait peut-être pas durer.

– Tu te trompes ! Je n'ai jamais pensé que ce qu'on vivait n'était que temporaire, mais peut-être que toi...

– Non, absolument pas, je...

Maxim s'interrompt et pousse un long soupir avant de reprendre :

– Isa, tout ce que je veux, c'est que tu sois heureuse, et je sais que tu doutes de pouvoir l'être avec moi.

Ma gorge se noue. Je tente de refouler les larmes qui me montent aux yeux et murmure :

35

– Peut-être, mais je ne sais pas si je pourrais être heureuse *sans* toi.

– Mais oui, tu le pourras. Si notre relation n'a pas marché, c'est certainement pour une raison.

– Tu es en train de m'expliquer que, selon toi, on n'était pas faits pour être ensemble, c'est ça ?

– Non... Écoute, Isa, pour te dire la vérité, j'ai vécu des choses pénibles ces derniers mois. Vraiment pénibles. J'étais... Je crois que je suis passé proche de...

– De quoi ? je demande alors que mon cœur s'arrête.

– De me détruire totalement.

Le sang se retire de mes joues. Maxim continue :

– J'ai sombré après notre rupture. Et pas qu'un peu. Je me détestais. Pour t'avoir fait souffrir, pour avoir saboté notre relation. J'en voulais au monde entier aussi. J'avais cette colère en moi, contre Louise, contre toi, contre tout le monde et je ne savais pas comment m'en débarrasser. Mais tu me connais, j'ai refusé d'affronter ce que je ressentais. Je m'abrutissais de travail la journée, et d'alcool le soir. Ce qui devait arriver arriva... Je me suis retrouvé au volant de ma voiture alors que je n'aurais pas dû. Je te rassure tout de suite, je n'ai frappé personne, j'ai eu de la chance, mais je me suis fait arrêter pour conduite avec les facultés affaiblies, et tu devines la suite. J'ai perdu beaucoup, en commençant par ma job. J'ai été forcé de prendre un congé sans solde de six mois. Ensuite, je suis passé en cour et j'ai plaidé coupable. J'ai été condamné à payer une amende et le juge a suspendu mon permis de conduire pour un an. Ce fut comme un électrochoc. Pas le fait de perdre mon permis ou de ne plus travailler, mais l'ensemble. Je me suis rendu compte de ce que j'avais fait de ma vie, et Antoine m'a donné le coup de fouet qu'il me fallait pour que je relève la tête et que j'entreprenne des démarches pour soigner ma dépression. Il a été très présent pour moi ; sans lui, j'aurais fait de grosses conneries.

Je reste sans voix en écoutant le récit de Maxim. Je ne m'attendais tellement pas à ça ! Je me doutais que son secret avait un rapport avec son travail, mais j'étais loin d'imaginer, ne serait-ce qu'un peu, tout ce qu'il avait traversé ces derniers mois. Comment aurais-je pu ? J'étais persuadée d'être la seule des deux à souffrir après notre rupture et, aujourd'hui, je m'aperçois que Maxim a vécu bien pire que moi.

– Je ne sais pas quoi te dire, je murmure la voix étranglée par l'émotion, je suis désolée que tu aies autant souffert.

– Ce n'est pas de ta faute, Isa. Ce que j'ai vécu, ce que je continue de vivre, c'est mon problème, pas le tien.

– Tu vas mieux maintenant ?

– Oui, même s'il me faudra encore du temps avant de retrouver un certain équilibre. Mais tu sais, tout n'a pas été négatif. J'ai longuement parlé avec mon père, avec ma mère, avec Antoine. J'ai demandé à ce qu'on ait de longues discussions en famille. J'avais besoin de comprendre pourquoi ma mère nous avait abandonnés. Ça a été dur, par moments, de me rendre compte de mes erreurs, mais ça m'a aussi permis d'opérer plusieurs changements dans ma vie. J'étais persuadé que notre couple était ce qui me manquait. Maintenant, je n'en suis plus très sûr. Je t'aime, Isa, s'il y a bien quelque chose qui ne changera jamais, c'est ça, mais je ne suis pas prêt à me réinvestir dans notre relation. Je croyais l'être, mais les récents événements m'ont prouvé le contraire. Je ne veux pas te faire souffrir de nouveau, je l'ai déjà trop fait. Je préfère te laisser la possibilité d'être heureuse sans moi.

Maxim s'interrompt, attendant une réaction, un mot, une phrase de ma part. Que lui dire ? Je ne sais pas. Je n'ai que des larmes à lui offrir. Il a peut-être raison. Nous avons peut-être détruit notre relation jusqu'au point de non-retour. Il y a tellement longtemps que je n'ai pas été heureuse. Tellement longtemps que Maxim ne l'a pas été. Et si nous nous rendions mutuellement malheureux ? On a peut-être eu tort de vouloir transformer notre amitié en amour. Est-ce possible d'aimer une personne, mais de ne pas pouvoir être avec elle ? On dirait que oui.

— C'est vraiment fini, alors ?

Maxim ne répond pas. Parfois, les mots n'ont plus de sens. Seul le silence a de l'importance.

— Tu vas tellement me manquer.

— Toi aussi, Isa. Tu ne peux pas savoir à quel point. Je suis désolé d'avoir mêlé Antoine et Cécile à tout ça mais, à l'époque, je ne pouvais pas supporter l'idée que tu apprennes ma dépression, mon arrestation et mon congé forcé. Tu étais si loin de moi, de ma réalité... Et puis, c'est dur pour l'orgueil de reconnaître ses faiblesses.

— Je comprends.

Je me sens tellement stupide. Dès que Cécile m'a envoyé ce courriel au sujet des cachotteries de Maxim, il ne m'a pas fallu plus d'une seconde pour supposer que ce qu'il dissimulait me concernait directement. Suis-je si égocentrique que ça ? Il faudrait vraiment que j'apprenne à être moins centrée sur moi-même. À moins m'apitoyer sur mon sort aussi. Maxim a vécu l'enfer pendant que moi, je développais des sentiments pour Daniel.

– Je m'en veux de ne pas avoir été là pour toi. J'aurais dû...

– Arrête, ne commence pas à te culpabiliser. On avait rompu, tu ne me devais plus rien. Tu as le droit d'être en colère contre moi pour tout ce qui s'est passé entre nous.

– Ça fait longtemps que je ne suis plus en colère... Et je suis contente qu'on se soit parlé.

– Moi aussi, même si j'aurais préféré tout te raconter quand on s'est vus à Lyon. Je ne m'en suis juste pas senti capable.

– Qu'est-ce que tu vas faire maintenant ? Peux-tu encore exercer la profession d'avocat avec ta condamnation ?

– Théoriquement oui, vu que ma condamnation n'a pas de lien avec mon travail. Je dois quand même attendre la décision du Barreau avant de recommencer à pratiquer... sauf que je n'en ai plus très envie. Je suis en congé sans solde jusqu'en mars, mais je ne pense pas que les associés aient l'intention de me réintégrer. Ce n'est pas plus mal, je peux enfin réfléchir à ma vie professionnelle et à ce qui me rendrait *vraiment* heureux.

Le silence s'installe de nouveau entre nous. Que nous reste-t-il à dire ? Au revoir ? En ai-je seulement envie ? J'aime Maxim, mais que faire avec ces sentiments ? S'il y a une chose que je refuse, c'est qu'on se refasse souffrir. Je ne veux pas revivre notre dernière année. Maxim est en pleine reconstruction personnelle. Il gère encore sa dépression et les conséquences qu'elle a eues sur sa vie. Ce n'est pas le moment de nous lancer dans quelque chose d'incertain. S'il m'avait expliqué ce qu'il a traversé ces mois passés quand nous nous sommes vus à Lyon, c'est ce que je lui aurais certainement dit. On ne s'engage pas dans une relation alors qu'on doit avant tout penser à soi. Maxim croyait pouvoir réussir les deux, continuer son travail sur lui-même et rebâtir notre couple. Il a finalement compris que c'était impossible. Avec tristesse, je murmure :

– Tu prendras soin de toi ?

– Bien sûr, ne t'inquiète pas.

– Tu crois vraiment qu'on fait bien de tirer définitivement un trait sur tout ce qu'on a vécu ?

Il fallait que je lui demande. Il le fallait. Je suis incapable de me contenter de mes hypothèses sur son incapacité à gérer en même temps sa dépression et mon retour dans sa vie. Je dois savoir clairement, précisément, ce qu'il en est, pour ne pas avoir de regrets ou d'espoirs.

Maxim soupire, cherchant la bonne réponse.

– Je crois qu'on s'aime, mais que c'est encore trop tôt pour nous.

Je me mords la lèvre, absorbant le choc. Oui. Peut-être. Ou alors, c'est trop tard. Il continue :

– Je ne peux pas te faire de promesses, Isa, et te dire que l'été prochain, j'irai mieux, que je serai prêt à redonner une chance à notre relation. Il peut se passer tellement de choses en six mois. Je veux que tu vives ta vie et que tu arrêtes de penser à moi. Je n'aurais jamais dû venir à Lyon. Je croyais être rendu là dans mon cheminement, je croyais qu'un mois de thérapie suffisait pour recoller chaque morceau de ma vie, j'étais naïf et je n'ai fait qu'empirer les choses. Je suis désolé... Je te souhaite sincèrement d'être heureuse.

J'avale la boule d'émotion qui me noue la gorge.

– Moi aussi, je te souhaite d'être heureux.

Nous restons encore un moment bercés par le silence. C'est si dur de se dire au revoir en sachant que, cette fois, c'est la fin. Il n'y aura plus de visites-surprises, plus d'attentes, plus d'espoirs. Maxim a été clair et je pense sincèrement que c'est le bon choix. Je l'entends respirer au bout du fil. Je ferme les yeux et me concentre sur cette infime partie de lui que je perçois encore. Au bout de plusieurs secondes, ou de plusieurs minutes, je ne sais pas, je finis par murmurer :

– Je vais raccrocher maintenant.

– D'accord.

Il n'y aura pas d'au revoir officiel. Je ne le dirai pas. Je n'y arrive pas. Je décolle le téléphone de mon oreille, le ramène devant moi et appuie sur *off*.

*   *

*

Je n'ai jamais compris pourquoi l'amour devait être la plus belle chose au monde tout en étant la plus doulou-reuse. C'est toujours parce qu'on aime qu'on souffre. Et pour-tant, on continue. Encore et encore. Si j'avais su dès le début comment ma relation avec Maxim allait se terminer, est-ce que je l'aurais moins aimé ? Je ne sais pas. Aimer en ne se donnant qu'à moitié, ce n'est pas vraiment aimer. J'ai quelques regrets, c'est vrai, mais je ne regrette pas d'être tombée amou-reuse de Maxim et de l'avoir aimé comme je l'ai aimé. Il a été mon bonheur pendant des mois, des années même, et ça ne s'échange pas contre un peu moins de souffrance. J'aurais voulu qu'on se batte plus fort pour sauver notre couple, le faire

41

renaître. Une partie de moi se rebelle contre cette décision empreinte de facilité, mais je suis lasse. Je n'ai plus la force de me battre, et Maxim non plus.

Il y a des histoires qui ne sont pas faites pour être vécues éternellement. La majorité, en fait. Mais on les vit quand même. Même si elles ne durent pas, elles nous rendent heureuses un certain temps, et je crois que c'est l'essentiel. Ce que Maxim a vécu me fend le cœur, mais il doit penser à lui et je dois penser à moi. Notre relation est terminée, et je finirai bien par l'accepter un jour.

Reste à savoir ce que je vais faire maintenant. Me plonger la tête la première dans une relation avec Daniel pour atténuer la douleur que je ressens ? Non. Certainement pas. Mais j'avoue que lorsque j'aurai fait mon deuil de ma relation avec Maxim, je laisserai une chance aux sentiments que Daniel et moi partageons.

Lorsque tu poursuivras ton bonheur,
des portes s'ouvriront où tu ne pensais pas en trouver ;
et où il n'y aurait pas de porte pour un autre.

Joseph Campbell

Dans la tête de Maxim

Oublier Isa. Tirer un trait sur notre relation. Passer à autre chose. Ouais. C'est ma décision, je sais, et je pense toujours que c'est ce qu'il y a de mieux à faire, mais franchement, ces mots ne veulent rien dire pour moi. C'est vraiment ça, la définition d'une rupture ? Oublier la femme qu'on aime et ce qu'on a vécu ensemble ? Je ne crois pas, non, même s'il va quand même falloir que j'apprenne à vivre sans elle. La question est : comment ? Comment imaginer une vie entière sans elle ? Isa est la seule à voir en moi au-delà des barrières. Elle voit l'homme que je suis. L'homme que je peux devenir. Elle a, ou plutôt elle avait, cette foi inébranlable en moi. Même quand je lui ai expliqué ma descente aux enfers des derniers mois, elle ne m'a pas jugé. Et c'est en partie grâce à elle si j'ai pu régler ce que j'avais à régler avec ma famille. Je pensais vraiment être prêt à me réinvestir dans notre relation. Je n'aurais jamais pris l'avion pour Lyon sinon. Ce n'était pas un coup de tête. C'était mûrement réfléchi. Je me sentais capable de rendre Isa heureuse.

Ce voyage ne s'est tellement pas déroulé comme je l'espérais ! J'aurais peut-être dû la prévenir de mon arrivée, mais je n'avais pas envie qu'elle me dise de ne pas venir. Elle l'aurait peut-être fait, d'ailleurs, étant donné les circonstances.

Isa et Daniel ? J'avoue que je n'en suis pas encore revenu. Je ne sais pas si c'est ça qui a déclenché ma réaction ou si c'est le fait de sentir qu'elle était réticente à me donner ce que j'attendais, mais je suis retombé dans mes vieilles habitudes : j'ai exigé, j'ai refusé de comprendre, je me suis retranché derrière mon orgueil. C'est en réfléchissant à tout ça, dans l'avion et une fois à Québec, que je me suis rendu compte que, non, je ne suis pas prêt à revivre avec Isa. On commettrait les mêmes erreurs. Je dois d'abord penser à moi.

Ça a été dur de lui raconter ma vie des derniers mois, de lui expliquer au téléphone ce que je ressentais. C'est bizarre, quand je suis allé la voir en France, c'était elle qui se montrait plus prudente, plus réticente aussi, à l'idée de redonner une chance à notre relation. Maintenant, c'est moi qui préfère jouer cette carte. Ce n'est pas le bon moment pour nous. Ce moment se présentera-t-il dans un avenir rapproché ? J'en doute. Isa va rester en France, et plus j'y pense, plus je suis convaincu que c'était ce qui devait se passer. Même si elle ne le disait pas, je sentais bien qu'elle trouvait dur par moments d'être loin de sa famille et de ses amis d'enfance. Ce n'est pas évident, l'expatriation. Et ce n'est peut-être pas fait pour durer toujours.

Je dois regarder vers l'avant maintenant. Mon avenir professionnel est plein d'interrogations et c'est sur ça que je dois me concentrer. Sur ça et sur ma thérapie.

Isa restera la première femme et la seule que j'ai aimée. Mais notre vie ensemble est terminée.

Chapitre trois

Suis-je la seule à trouver Noël éreintant ? Depuis que j'ai passé l'âge de m'émerveiller devant ce gros bonhomme barbu qui dépose des paquets sous le sapin de tout le monde en une nuit, je trouve Noël fatigant. Il faut réfléchir pendant des heures à des idées de cadeaux originaux qui, de toute façon, atterriront sur eBay à peine déballés. Arpenter des magasins bondés et dépenser son argent durement gagné pour essayer de faire plaisir à des gens qu'on n'est même pas sûr d'apprécier. Se résigner à prendre trois kilos à cause des repas gargantuesques qu'il faudra avaler en compagnie de personnes ennuyeuses. Pourquoi personne ne s'est jamais dit : « OK, on arrête, ça ne mène à rien, fêtons Noël autrement. Passons nos vacances uniquement avec ceux que nous aimons. Arrêtons de consommer follement pour rien. » ?

Peut-être que, lorsque je serai maman, la perspective de voir les yeux de mes enfants briller en découvrant les cadeaux du père Noël changera ma vision des fêtes de fin d'année. En attendant, je me cacherais sous la couette jusqu'au 26 décembre si je pouvais ! Je ne suis pas vraiment à plaindre, cela dit. Ma mère se charge d'offrir quelque chose de ma part aux fils, aux belles-filles (mégère numéro un et mégère numéro deux) et aux petits-enfants de Bertrand. Je crois qu'elle a eu un peu peur de certaines de mes idées. Peur totalement injustifiée, je tiens à le préciser. Qu'y a-t-il de mal à offrir aux belles-filles de Bertrand des pyjamas chauds et moelleux, blancs avec des taches noires, rappelant, au choix, les vaches ou les dalmatiens ? C'est ludique et confortable, et, en prime, ça dériderait ces deux mégères. Ma mère n'a néanmoins pas eu l'air d'apprécier mes trouvailles et m'a expressément ordonné de ne rien acheter à la famille de Bertrand. Pff ! Elle peut bien critiquer mes idées. L'année dernière, elle a acheté une lampe en forme de chat égyptien à mégère numéro un !!!

Enfin, au moins, je peux me concentrer sur les cadeaux de ceux qui me sont chers. J'hésitais à acheter quelque chose à Daniel. Je ne voulais pas lui envoyer un mauvais message du genre : je suis prête à me jeter dans tes bras. Mais j'ai envie de lui faire un cadeau et j'ai décidé de suivre cette envie. Nous ne nous sommes pas revus depuis notre baiser au parc. Parfois, j'ai peur qu'il se lasse, qu'il rencontre une autre fille et décide que je suis vraiment trop compliquée pour lui. Je serais triste si ça arrivait, mais je l'accepterais. J'ai besoin de ce temps en tête à tête avec moi depuis ma rupture avec Maxim – deux semaines déjà – et je ne veux surtout pas précipiter les choses entre Daniel et moi. Nous avons néanmoins convenu de nous revoir le lendemain de Noël. Je l'ai invité à la maison, sachant que ma mère et Bertrand ne seront pas là de la journée. Je ne sais pas trop ce qui va se passer, mais je refuse de me poser des milliers de questions. Il se passera ce qui se passera. Point.

Je rassemble mes affaires, j'enfile mon manteau et je descends attendre Lucie dehors. Nous devons chacune terminer nos achats de Noël. Lucie cherche un cadeau pour ses parents, moi pour Bertrand et pour Daniel.

Je m'entends bien avec mon beau-père. J'aime son calme, sa sérénité, même quand ses petits-enfants crient à tue-tête pendant des heures. Il ne juge pas mes choix non plus – même si je me doute qu'il aimerait bien que je me trouve un appartement pour qu'il puisse vivre de nouveau seul avec ma mère. Moi aussi, je rêve de recouvrer mon indépendance. Chaque chose en son temps.

Quoi qu'il en soit, j'ai déjà ma petite idée pour son présent. Il adore la chasse et je pense qu'un livre sur le sujet devrait lui plaire. Pour Daniel, en revanche, je navigue en plein brouillard. C'est bien beau de décider de lui acheter un cadeau, encore faut-il trouver le bon ! J'aimerais quelque chose de personnel, mais pas trop non plus, et qui lui fasse plaisir. C'est tellement difficile de choisir un cadeau pour un homme !

Pour les femmes, une panoplie d'options s'offre à vous : des produits de beauté, des bijoux, de la lingerie, des accessoires de mode, des vêtements, du parfum, des livres, des CD, des DVD, des gadgets informatiques, des articles de cuisine ou de décoration... Essayez d'offrir un vase ou un bougeoir, aussi joli soit-il, à un homme et vous m'en redonnerez des nouvelles. Non seulement mes possibilités sont donc plus que restreintes, mais en plus, le cadeau que je choisirai devra faire passer le bon message à Daniel ! Bref, comme je le disais tout à l'heure, Noël, c'est éreintant !

Lucie s'arrête à ma hauteur et je grimpe dans sa voiture. Je commençais à geler. Mon corps a dû oublier qu'il a survécu à quatre hivers québécois.

– Tu crois qu'il va y avoir du monde au centre commercial ?

– À quelques jours de Noël ? s'exclame Lucie. Tu rigoles ?

Je grimace à l'idée de devoir jouer des coudes pour avancer dans les allées des magasins.

– Ouais, t'as raison. Des idées de cadeaux pour tes parents ?

– Une machine expresso. Ils en parlent depuis longtemps. Et toi ? Des idées pour Daniel ?

– Pas vraiment. J'aimerais quelque chose qui lui fasse comprendre que je tiens à lui, mais que je ne suis pas encore prête à me lancer dans une relation.

– Tu en demandes trop aux objets, Isa !

J'étire mes lèvres en une moue dépitée.

– Oui, tu as sans doute raison.

Je soupire et jette un œil aux passants dans la rue. Tous pressent le pas sans prêter attention aux décorations de Noël qui illuminent la ville. La neige me manque, mine de rien. C'est tellement beau, un Noël blanc. Je me demande ce que Maxim fait pour les fêtes. Est-ce qu'il les passe avec Antoine et Cécile ? A-t-il décoré notre appartement ? Cherche-t-il des cadeaux pour sa famille ?

– Tu penses à Maxim, hein ?

Je sursaute et lance un regard interrogateur à Lucie.

– Comment tu le sais ?

– Je te connais. Tu as ce petit air triste qui danse sur ton visage.

– C'est dur de ne pas penser à lui. Tu ne peux pas t'imaginer.

Chaque fois qu'un souvenir, une pensée, une émotion me reviennent à propos de lui, je me force à les chasser. J'espère qu'un jour, je n'aurais plus à faire d'efforts et que tout ce qui concerne Maxim sera enfermé à clé dans un petit tiroir de ma mémoire. Et si ce jour pouvait arriver avant que Daniel et moi ayons atteint l'âge de la retraite, ce serait bien apprécié !

– Il n'y a que le temps qui pourra arranger les choses, Isa.

– Oui, c'est ce que je me répète. Mais je n'arrête pas de réfléchir à ce qu'il a vécu, à ce qu'il vit encore. La dépression, l'alcool, l'arrestation, la mise à pied, ça fait tellement de choses en si peu de temps. Je m'inquiète pour lui.

– Il est fort et bien entouré. Il a toutes les cartes en main pour s'en sortir.

– Tu imagines un peu si j'étais repartie au Québec avec lui ? On se serait encore plus déchirés. Ça aurait été un autre beau gâchis !

– Tu n'en sais rien.

– Oui je le sais, et lui aussi en est convaincu. Il aurait quand même pu y penser avant de prendre l'avion pour venir chambouler ma vie !

– Tu es incroyable, toi ! s'exclame Lucie, incrédule. Il n'y a même pas trente secondes, tu disais t'inquiéter pour lui et maintenant tu lui en veux ?

– Eh bien, oui, je navigue entre deux émotions contraires ! En tout cas, je me félicite d'avoir écouté mon instinct, qui me criait de ne pas accepter de retourner au Québec avec Maxim.

– Tu as bien raison. Il faut toujours écouter son instinct, sinon on le regrette...

– J'aimerais tellement qu'on soit déjà en été et que toute cette histoire soit loin derrière moi !

– Je suis certaine que ça va arriver plus vite que tu l'imagines.

– Je l'espère.

– Et Daniel, qu'est-ce qu'il pense de tout ça ? Il est prêt à attendre que tu aies oublié Maxim ?

– Je ne sais pas trop. On ne s'est pas beaucoup parlé depuis notre baiser au parc. Parfois, je me dis qu'il a peut-être envie de passer à autre chose. Je ne le blâmerais pas. Qui a envie de se lancer dans une relation avec une fille qui vient juste de rompre avec son ex ?

– Un gars qui retombe amoureux de son premier grand amour.

Je jette un œil à Lucie, surprise par sa réplique.

– Tu crois que Daniel retombe amoureux de moi ?

– Pas toi ?

– Je ne sais pas. Peut-être.

Je ne suis pas stupide. Je me doute que Daniel a des sentiments pour moi ; tout ce qu'il fait, tout ce qu'il me dit le prouve. Mais est-il vraiment en train de retomber amoureux ? Curieusement, je sens mon cœur se réchauffer à cette idée. J'ai tellement aimé Daniel quand j'avais dix-huit ans qu'une partie de moi n'a qu'une envie : revivre ces sentiments. L'autre, malheureusement, peine à oublier Maxim.

– En tout cas, conclut Lucie, fais attention à ne pas le blesser, ni à te blesser au passage.

Je hoche la tête en silence tandis qu'elle gare sa voiture dans le stationnement bondé du centre commercial. Toute la population lyonnaise a décidé de faire ses achats de Noël ici, un lundi soir. J'ai déjà la migraine. Espérons que trouver le cadeau idéal pour Daniel ne prendra pas trop de temps !

*   *

*

Finalement, j'ai arrêté mon choix sur un lecteur CD et tourne-disque permettant de convertir les 33 et 45 tours en format MP3 et de les stocker sur une clé USB ou une carte mémoire. Daniel m'a dit plusieurs fois qu'il possédait une montagne de vinyles hérités de son père, mais qu'il n'avait pas de platine adéquate pour les écouter. C'est maintenant chose faite et j'ai vraiment hâte de lui offrir mon cadeau.

Je m'assois à mon bureau, allume mon ordinateur et découvre un message d'Ophélie dans ma boîte.

D'Ophélie à moi :

« *Objet : Joyeux Noël en avance !*

Salut, ma sœur !

Comment ça va ? Pas trop stressée par le tourbillon des fêtes ? Moi, j'adore l'ambiance de Noël ici : la neige, les décorations, la musique, c'est féérique. Olivier et moi passons des heures à arpenter les rues du Vieux-Québec et du quartier Saint-Roch. Cette ville va vraiment me manquer une fois de retour en France...

Car oui, c'est décidé ! Je tente le concours de l'École des beaux-arts de Paris ! J'envoie mon dossier fin janvier et, si je suis acceptée, je devrai réussir des épreuves orales pour valider mon inscription au printemps. Je vais rester au Québec en attendant. Je ne pourrais plus travailler au restaurant parce que mon visa aura expiré, mais mes ventes à la galerie de Louïse me permettront de vivre jusqu'à mon départ. Je vais certainement commencer une nouvelle collection de tableaux après les fêtes. J'ai hâte !

Olivier aussi a pris sa décision : il me rejoindra en France après la fin de sa dernière session, en avril, avec un permis de travail d'un an. Vive les accords favorisant la mobilité des jeunes de moins de trente-cinq ans entre la France et le Québec ! Je suis tellement excitée par ces projets et mes parents, eux, sont rassurés : leur fille fera des études supérieures. Hourra !

Parlant de mes parents, ils sont arrivés hier soir. Ça fait du bien de les voir. Je me rends compte à quel point ils m'ont manqué. Nous allons fêter Noël dans un chalet près du mont Sainte-Anne et, ensuite, nous partons quelques jours dans Charlevoix. De belles journées en perspective ! Je veux emmagasiner le plus de souvenirs possible avant de rentrer en France.

Et toi, le Québec ne te manque pas trop ? Je suis triste que Maxim et toi n'ayez pas réussi à arranger les choses, mais j'espère que ta relation avec Daniel te redonne le sourire. Tu me manques ! Gros becs !

Ophélie

PS : Papa t'embrasse ! Il aimerait bien te voir à son retour en France !

Je referme mon ordinateur, envahie par une soudaine mélancolie. J'aimerais tellement être avec Ophélie en ce moment et profiter des paysages enneigés, du fleuve et de Charlevoix. Je ne m'étais jamais vraiment rendu compte que je ne devais pas seulement faire le deuil de ma relation avec Maxim, mais aussi celui de ma vie au Québec. Parfois, je me demande si j'ai pris la bonne décision en restant en France après ma rupture avec Maxim. Les deux étaient tellement indissociables dans mon esprit à l'époque. Je ne me voyais pas vivre là-bas sans lui. Aujourd'hui, je commence à faire la différence et à me dire que si ma relation avec Maxim est finie, celle que j'ai avec le Québec ne l'est peut-être pas forcément.

La fin d'une vie n'est rien à côté de la fin d'un amour.

Marie-Claire Blais

Chapitre quatre

Daniel et moi avons rendez-vous dans une heure, chez moi, comme prévu. Ce qui ne l'était pas, en revanche, c'est la présence de la famille de Bertrand. Ma mère et lui devaient passer la journée chez des amis, mais leur sortie a été annulée. Ma mère en a donc profité pour inviter les deux fils de Bertrand, leurs femmes et leurs enfants. Super ! Comme si la veillée de Noël n'avait pas été suffisante ! Moins je vois les deux mégères et mieux je me porte ! Je me demande ce qui les dérange tant chez moi. Le fait que je refuse de rentrer dans un conformisme qui m'étouffe, mais qui leur est si cher ? Le fait que je fasse mon propre chemin et tente de réaliser mes rêves ? Elles n'ont pas arrêté de me bassiner avec leur vie de famille, leurs enfants, leur maison. Pour elles, il n'y a que ce schéma-là de valable et, si quelqu'un le rejette, elles balancent leur mépris sans essayer de voir plus loin que le bout de leur nez.

Je ne rejette pas leur modèle. Je veux tout ça, moi aussi. Je veux une personne avec laquelle construire ma vie, des enfants, une maison, mais je souhaite aussi laisser une place importante à mes rêves. Je veux écrire, découvrir, m'enrichir personnellement et intellectuellement, et je ne vois pas ce qu'il y a de mal à ça. Je sais bien que ma situation n'est pas idéale. J'ai vingt-huit ans, bientôt vingt-neuf, et j'habite avec ma mère et mon beau-père ! Ça ne m'enchante pas, mais ce n'est que transitoire. Une fois que j'aurai trouvé un travail, je pourrai louer un appartement et reconstruire ma vie. En attendant, j'encaisse les remarques perfides des mégères numéro un et deux sur ma jeunesse qui s'envole, mon horloge biologique qui tourne et mon inconstance amoureuse (*sic*).

Dans ces conditions, quand j'ai su qu'elles seraient à la maison, je n'avais plus du tout envie que Daniel vienne. C'était sans compter sur ma mère, qui a insisté pour qu'il s'arrête le temps de prendre un café. Elle m'aurait carrément pris le téléphone des mains pour l'inviter directement si je l'avais laissée faire ! Je suis sûre que lorsqu'elle me regarde, elle voit une petite fille de huit ans avec des tresses à la Fifi Brindacier. Quoi qu'il en soit, Daniel a accepté avec plaisir de se joindre à nous. Je lui ai dit qu'il n'était pas obligé, mais il n'a pas voulu refuser l'invitation de ma mère.

Ce n'était vraiment pas comme ça que j'avais imaginé nos « retrouvailles » ! J'espère juste que Daniel ne me demandera pas ensuite de l'accompagner chez sa mère. Une demande en mariage avec ça ? J'ai quand même hâte de le revoir. Il me manque, mine de rien. Je me suis habituée à ses textos quotidiens pleins de tendresse.

La sonnerie de l'interphone retentit et je me raidis. Je ne sais pas trop à quoi m'attendre. Les mégères se sont toujours montrées très polies avec Maxim, mais elles ne se gênaient pas, ensuite, pour critiquer son côté « Je n'ai pas envie de socialiser et je ne me forcerai pas ! » Maxim peut être souriant, accueillant et volubile en compagnie de ceux qu'il aime, mais impénétrable et blasé avec ceux qui l'indiffèrent, comme les belles-filles de Bertrand. Je quitte le salon pour répondre à Daniel. J'ai l'impression d'être télétransportée une dizaine d'années en arrière, au moment où je présentais mon premier copain officiel – qui s'avérait être Daniel – à ma mère. Après une trentaine de secondes, il apparaît sur le pas de la porte. Mon cœur s'accélère. J'avais oublié qu'il m'attirait autant. Je retiens mon souffle tandis qu'il dépose un baiser sur ma joue. Je craignais un peu de me sentir gênée en le revoyant ou que lui le soit – vu le contexte –, mais je n'ai qu'à croiser son regard pour comprendre que tout ira bien.

Nous passons au salon et Daniel se présente lui-même à tout le monde. Il peut être tellement charmeur quand il veut. Il arrive à mettre son interlocuteur dans sa poche en un seul sourire et peut tenir une conversation sur à peu près n'importe quel sujet. Inutile de dire que les deux mégères sont impressionnées par sa prestance et sa culture, et que je ne peux m'empêcher de jubiler ! Je sais que je ne devrais pas entrer dans leur jeu ou me laisser démonter par leurs remarques, mais c'est assez jouissif de les voir tomber sous le charme de Daniel.

Ma mère aussi semble l'apprécier. Je crois qu'elle avait gardé en tête l'image du jeune homme un peu fuyant qu'elle croisait parfois à la maison quand nous étions ados. Il n'était pas très engageant à l'époque. Ma mère sait-elle qu'elle peut être très impressionnante, surtout pour un garçon de dix-huit ans ? Sans compter que Daniel était parfaitement conscient qu'elle n'était pas enchantée que sa fille ait commencé sa vie sexuelle. Les choses sont différentes aujourd'hui. Je suis adulte, responsable (que celui qui vient d'échapper un éclat de rire moqueur soit pendu haut et court sur la place publique !), et Daniel, beaucoup plus sûr de lui. Je tiens néanmoins à préciser que même si ma mère ne l'avait pas apprécié, ça n'aurait rien changé. Depuis quand a-t-elle un droit de regard sur l'homme que je dois ou ne dois pas fréquenter ? On n'est plus dans les années cinquante !

Après être restés suffisamment longtemps pour ne pas paraître impolis, Daniel et moi partons souper dans un restaurant du Vieux-Lyon. Nous passons une excellente soirée.

Nous rions, discutons et rions encore. Je me sens bien avec lui. Toutes mes émotions négatives s'envolent en sa présence. Il est mon antidépresseur ! Non. Il est plus que ça, même si je ne sais pas encore vraiment quoi.

Ce n'est qu'en revenant que je me décide à lui offrir son cadeau. La famille de Bertrand étant partie, j'apporte le paquet au salon et le dépose sur le divan.

– Je sais qu'on n'a pas abordé l'idée de s'offrir des cadeaux pour Noël, mais j'ai eu envie de te faire plaisir.

Daniel me regarde avec un sourire dans les yeux :

– Moi aussi, j'ai un cadeau pour toi.

– Ah, ah, les grands esprits se rencontrent !

– Qui ouvre le sien le premier ?

– Vas-y, toi. J'espère qu'il te plaira !

Impatient de découvrir ce que je lui ai acheté, Daniel déchire l'emballage et pose les yeux sur la boîte en carton contenant le lecteur.

– Tu m'as parlé plusieurs fois des vieux vinyles de ton père et je me suis dit que tu aimerais pouvoir les écouter.

Daniel me regarde, à la fois surpris que je me rappelle ce détail et touché par mon geste. Il me serre dans ses bras et me remercie.

– C'est vraiment un beau cadeau, Sab. Vraiment. Noël, c'est toujours une période délicate pour moi. On dirait que l'absence de mon père est plus difficile pendant ces moments-là.

Je me mordille la lèvre.

– Oh ! J'espère que mon cadeau n'a pas empiré les choses.

– Non, au contraire.

Je suis toujours un peu mal à l'aise quand Daniel évoque le décès de son père. J'ignore ce qu'on ressent quand on perd un parent si jeune et qu'on doit grandir en sachant qu'il ne sera pas là dans les bons comme dans les mauvais moments. Je l'écoute me raconter quelques souvenirs d'enfance, heureuse de partager ça avec lui. Il sort ensuite une boîte de la poche de sa veste et me la tend.

– C'est à ton tour.

Je devine tout de suite que c'est un bijou. J'ouvre l'écrin en velours et découvre un pendentif représentant la province de Québec accroché à une chaîne en or. Je reste un moment sans voix. Je ne m'attendais pas à ça !

– Je sais que le Québec a été une partie importante de ta vie, commence Daniel. Je me doute que beaucoup de personnes, beaucoup de choses là-bas te manquent, et je me suis dit que ce pendentif te permettrait de te sentir un peu plus proche de tes souvenirs.

– C'est l'un des plus beaux cadeaux qu'on m'ait faits.

– On dirait qu'on est bien tombés tous les deux, alors.

Je hoche la tête en silence. Daniel me passe la chaîne autour du cou et je caresse le pendentif des doigts.

– Est-ce que tu fais quelque chose pour le 31 décembre ? demande-t-il subitement.

Prise au dépourvu, je balbutie :

– Euh... je ne sais pas encore. Pourquoi ?

– Ma mère a un condo à la montagne. Mon frère et sa copine y sont en ce moment. Je compte aller les rejoindre et je me suis dit que tu aimerais peut-être venir avec moi et passer le jour de l'An là-bas.

– Oh... tu pars quand ?

– Après-demain.

Hum. J'avoue qu'aller à la montagne et changer d'air me tente beaucoup, mais revoir Guillaume, le frère de Daniel, rencontrer sa copine et passer quelques jours avec eux, je ne sais pas si c'est une bonne idée. Je tiens à ne pas brûler les étapes. D'un autre côté, peut-être que je me prends trop la tête et que je devrais me contenter de vivre sans tout le temps me poser des tas de questions.

– Je ne veux pas te mettre mal à l'aise avec ma proposition, reprend Daniel. Si tu préfères rester à Lyon, il n'y a aucun problème.

– Non... J'aimerais bien t'accompagner.

– Tu es sûre ?

Je souris et confirme :

– Affirmatif. Mais je te préviens, je suis une calamité sur des skis !

Eh oui ! C'est qu'il me manque le gène de l'équilibre en plus du gène de la simplicité, voyez-vous ! Je devrais assigner ma mère en justice pour tous mes gènes manquants ou défectueux.

— Pour ma part, je suis un très bon prof et je suis sûr qu'en à peine deux jours, tu pourras descendre des pistes noires !

J'éclate de rire en m'imaginant ces pistes de la mort.

— OK, je ferais mieux de réserver un lit à l'hôpital tout de suite, ou carrément un cercueil !

— Mais non, ça va être super, tu vas voir. Si tu veux inviter des amis pour la fête du 31 décembre, n'hésite pas. Je passe te prendre lundi en fin de matinée et on part ensuite, ça te va ?

— Parfait.

Daniel me sourit.

— Je suis content que tu sois là, je veux dire que tu sois restée en France.

Je souris à mon tour.

— Moi aussi.

La beauté n'est pas dans les choses,
elle est dans nos yeux.

Bernard Noël

Chapitre cinq

J'adore l'ambiance des villages de montagne, mais un peu moins quand toute la population d'Europe s'y retrouve, comme maintenant. Le condo de la mère de Daniel se trouve à Villard Reculas, l'un des domaines skiables de l'Alpe d'Huez, à mille cinq cents mètres d'altitude. Plus de deux cent quarante kilomètres de pistes de ski s'étendent à travers ces montagnes, et on peut même apercevoir le mont Blanc à certains endroits.

Je serais vraiment excitée à l'idée de dévaler les pentes si je savais skier. Cet endroit est un paradis pour n'importe quel skieur chevronné. Pour une fille qui n'a pratiqué ce sport que deux ou trois fois ces dernières années, au Relais, une petite station de Lac-Beauport, ça l'est un peu moins. Pas que je n'apprécie pas la beauté des lieux, mais mon esprit est trop occupé à se poser des tas de questions du genre : Et si je me casse une jambe, où est l'hôpital le plus proche ? Et si je fonce dans un gamin de huit ans et que je le blesse, est-ce que les médias vont parler de moi comme d'un danger public sur skis ? Et si je tombe vingt fois lors d'une descente de piste verte – une piste pour débutants ! –, quelqu'un prendra-t-il des photos à mon insu pour les mettre sur Internet et se moquer de moi avec des milliers d'internautes ? J'étais tellement prise par mes questions sur le trajet que Daniel m'a demandé si je regrettais d'être venue. Je lui ai assuré que non. Je suis contente d'être avec lui, un peu moins à l'idée de monter sur des skis.

Une fois à destination, nous avons retrouvé Guillaume et Sandrine, sa copine, qui se trouvaient déjà sur place. Guillaume a deux ans de moins que Daniel. Ils se ressemblent beaucoup physiquement, mais Guillaume est un peu plus grand. Il déplace aussi beaucoup plus d'air. Il déborde d'énergie et a toujours envie de tenter quelque chose de nouveau. Sandrine, elle, est légèrement plus calme.

Daniel et moi avons déposé nos affaires et nous nous sommes rendus directement dans un magasin de location de skis avec Guillaume et Sandrine. C'est là que je me suis rappelé que nous devons écrire noir sur blanc notre taille et notre poids pour avoir droit à une paire de skis. Et ma taille de brassière avec ça ? La longueur de mes jambes ? Mes zones érogènes préférées ? Un peu énervée par cette intrusion dans mon intimité, j'ai enfilé mes bottes et, deux minutes plus tard, j'étais fin prête. Nous sommes ensuite allés acheter notre forfait pour la journée et nous avons pris place dans la file du télésiège.

Ça m'a toujours stressée de monter là-dedans. Ils devraient mettre une sonnerie qui indiquerait quand s'asseoir. Ce serait vraiment pratique. Je n'ai pas manqué mon coup, cette fois-ci, mais je ne garantis rien pour les prochaines fois. Et puis, heureusement que j'étais avec Daniel, sinon je n'aurais pas même pensé à rabaisser la barre de sécurité. Je me serais envolée à je ne sais combien de mètres du sol, sans protection. Je n'ose pas imaginer la catastrophe qui en aurait résulté. Mais tout est bien qui finit bien, et me voici en train de survoler la montagne, avec une vue plongeante sur la station. Le vent ne souffle pas, le soleil brille sans aveugler et le ciel est d'un bleu limpide. Je laisse échapper un soupir de satisfaction. J'ai l'impression de sentir le poids que je porte sur mes épaules depuis plusieurs semaines s'alléger. Oublié, le stress ; oubliée, la peine ; oubliée, la colère ; oublié, le fait que je vais devoir dévaler une piste verte certes, mais bondée. J'apprécie le moment présent, chose que je ne fais que très rarement.

– Tu es prête ? me demande Daniel. On arrive bientôt.

Je sens mes muscles se raidir. OK, Isa, tu es capable de descendre du télésiège sans te ramasser sur la neige, la tête la première. Tu peux le faire. Dès que tu sens tes skis toucher le sol, tu fléchis les genoux, tu te mets en position et tu te laisses porter par le mouvement. Je prends une profonde inspiration et glisse mes bâtons sous mes bras. Au bout de quelques secondes, mes skis entrent en contact avec la neige. Je me redresse et me penche en avant afin de rejoindre la piste, quand, soudain, je me sens décoller du sol. Ma veste, ma capuche, ou je ne sais trop quoi, est restée accrochée au télésiège et celui-ci m'entraîne avec lui. Il s'apprête à continuer son trajet et à retourner à son point de départ alors que je suis toujours suspendue ! Je vais mourir, c'est sûr ! Ma veste va se déchirer et je vais faire une chute de plusieurs mètres. Au secours ! Je ferme les yeux et hurle le nom de Daniel. Je dois être rouge de peur et de honte. Tous les skieurs me regardent, effarés, et j'attends que ma vie défile sous mes yeux. C'est ce qui se produit peu avant la mort, non ? J'attends, mais rien ne vient. Pardon ??? Je n'ai pas assez vécu, je n'ai rien accompli de mémorable pour qu'aucun de mes souvenirs ne daigne se rappeler à moi ? Je n'ai même pas droit à une rétrospective de mes meilleurs moments ? Pff !!!

Soudain, je sens quelqu'un m'agripper les jambes et me tirer vers le bas. Je rouvre les yeux et m'aperçois que le télésiège est arrêté.

– Mademoiselle, essayez de bouger un peu pour vous libérer.

Je jette un œil vers le sol et mon regard rencontre celui de mon sauveur : un employé qui a stoppé cet engin maléfique et qui tente maintenant de me décoincer. Daniel est là, lui aussi. Après un grand mouvement d'épaule, je finis par me décrocher et j'atterris dans la neige. Alléluia ! Mon sauveur m'aide à me relever et à me dégager du chemin pour que le télésiège puisse reprendre sa route. Tout le monde m'observe et murmure. Tout. Le. Monde. Que ce soit les skieurs déjà sur la piste ou ceux bloqués à deux cents mètres du sol et qui gèlent à cause de moi. Creusez un trou et laissez-moi m'enfouir la tête dedans, s'il vous plaît !

– Ça va ? me demande Daniel.

– Oui, j'ai eu un peu peur, mais ça va maintenant. Par contre, je viens de vivre la honte de ma vie !

– Ne pense pas à ça.

– Mouais. J'espère juste que je n'ai pas abîmé mon sac.

– Quel sac ?

Je lui montre mon sac sur mon épaule et Daniel me fixe, interdit.

– Mais qu'est-ce que tu fais avec ça ?

– J'avais besoin de mon portefeuille pour payer la location des skis. Et puis, j'ai mon téléphone portable dedans et mon baume à lèvres.

Daniel semble atterré.

– Tu sais que c'est certainement ton sac qui est resté accroché au télésiège ?

Je fronce les sourcils.

– Tu crois ?

– Mais oui, Sab ! On ne monte pas dans un télésiège avec un sac à main et on ne descend pas les pistes avec non plus !

– Désolée, mais moi, j'ai toujours fait du ski avec mon sac. Je le coince sous l'épaule avec mon bâton de ski. Tiens, comme ça, regarde.

Je joins l'acte à la parole pour que Daniel puisse comprendre ce que je lui raconte. Il promène son regard de mon sac à mon visage plusieurs fois avant d'éclater de rire. Il se retrouve pratiquement plié en deux. Les gens se retournent de nouveau vers nous. Je suis sûre qu'une camisole de force va nous attendre en bas de la piste !

– Je suis contente de voir que je te fais rire, je lance, un peu vexée.

– Sab, franchement, tu es incroyable ! Il n'y a que toi pour faire un truc pareil ! Tu aurais pu prendre un sac à dos, ça aurait été moins pire.

Alors que nous arrivons près de Guillaume et de Sandrine, Daniel recommence à rire de plus belle en se tenant les côtes. Sans réfléchir, je lui donne un coup de sac sur les fesses.

– Eh ! Vas-tu arrêter de te moquer de moi, là ?

– Je... suis... désolé, hoquette-t-il, toujours hilare.

– Qu'est-ce qui se passe ? demande Guillaume.

– Sab a l'habitude de faire du ski avec son sac à main ! explique Daniel avant d'être de nouveau pris d'un fou rire.

Guillaume et Sandrine me fixent avec de grands yeux. Je grimace et déclare mi-figue, mi-raisin :

– Eh oui ! Moi, ma devise, c'est jamais sans mon sac !

*　　*

*

Je sors de la douche et m'enroule dans une serviette. Finalement, la journée ne s'est pas si mal passée. La première descente a été difficile. Daniel a eu la gentillesse de m'attendre et de me donner quelques conseils de base. J'ai ainsi pu trouver un semblant d'équilibre et de contrôle, et après deux pistes vertes, je l'ai obligé à rejoindre Guillaume et Sandrine sur des pistes rouges et noires. Je sais combien ça peut être tannant de faire du ski avec une quasi-débutante quand on se débrouille comme un pro. Une fois seule, j'ai décidé d'éviter de me laisser démonter par les gamins de huit ans qui glissent à vive allure sans aucune conscience du danger, et je me suis concentrée sur ma position et ma vitesse. Ça m'a assez bien réussi puisque je n'ai pas fait de chutes majeures. Je me suis quand même un peu ennuyée. J'ai hâte que Lucie et Justin arrivent ! Ils viennent passer trois jours avec nous et seront là pour la soirée du Nouvel An. Lucie étant aussi nulle que moi en ski, je pense qu'on va plutôt se dorer au soleil pendant que les autres iront risquer leur vie sur les pistes de la mort. Il faudrait que je lui demande si elle trouve bizarre de skier avec son sac à main.

J'enfile mon pyjama et je sors de la salle de bains. J'hésite quelques secondes – OK, plusieurs minutes – et je décide de rejoindre Daniel dans le salon avant d'aller me coucher. Installé sur le divan-lit, vêtu de son seul *boxer*, il semble perdu dans la lecture d'un manuscrit. Je m'approche de lui et m'installe sur un des bras du sofa. Il relève la tête et me lance un regard amusé.

– Tu avais peur d'avoir froid ?

Je baisse les yeux sur mon pyjama en polaire rose et blanc. Disons que je n'ai pas pris ma tenue de nuit la plus sexy... Elle me recouvre des pieds à la tête – capuche incluse –, et le rose me confère un air assez juvénile. J'avoue que je n'ai pas réfléchi en le glissant dans mon sac. J'ai pensé montagne = froid = pyjama chaud. J'aurais peut-être dû aller plus loin dans mon raisonnement et me souvenir que je n'allais pas dormir sur le balcon ! J'aimerais tellement être une de ces femmes sexy à n'importe quel moment du jour ou de la nuit, même vêtue d'une longue chemise de grand-mère, pas maquillée et les cheveux en bataille. Dans une autre vie, peut-être ! J'espère juste que Daniel ne m'associera pas à cette tenue pour toujours ! Je le regarde et plaisante :

– Tu aurais préféré que je me balade en nuisette transparente devant Guillaume ?

– Eh, eh, bon point !

Je m'assois plus près de Daniel et murmure :

– Je suis contente d'être là.

– Moi aussi, je suis content que tu sois là.

Mon cœur s'accélère légèrement tandis que nos regards se rejoignent. Nous restons un moment ainsi, silencieux. J'ai tellement envie de lui à cet instant précis. Il m'électrise. Sans vraiment m'en rendre compte, je m'approche de lui et dépose ma bouche contre la sienne. Je n'ai plus le goût de me retenir. De contrôler ce que je ressens. De penser rationnellement. Je veux être avec Daniel et j'en ai assez de tout ce qui gravite autour de nous. Il glisse une main derrière mon dos et je me love contre lui. Nos souffles deviennent plus courts, nos baisers plus profonds. Le temps semble nous entourer d'une bulle de protection contre le monde. Je ne pense à rien d'autre qu'à mes sens en alerte. Je caresse la peau nue de Daniel mais, au bout de quelques minutes, celui-ci m'interrompt. Il se recule et murmure :

— Arrête. Je ne veux pas que les choses se passent comme ça entre nous.

Je me redresse et tente de reprendre le contrôle de mes émotions. Daniel enchaîne :

— On avait convenu de ne pas brûler les étapes et je crois qu'on devrait s'en tenir à cette décision.

Je pousse un long soupir et dis :

— J'en ai marre que ma relation avec Maxim ou ce que je ressens pour lui m'empêche de vivre.

— Je comprends, Sab, mais je tiens à ce qu'on prenne notre temps.

Un peu vexée – et très déçue –, je demande :

— Et ce sera quand, le bon moment ? Dans une semaine ? Un mois ? Trois ?

— Je n'en sais rien. Je n'ai pas de date précise. Je veux juste que tu sois plus libre émotionnellement. Je suis conscient qu'une partie de toi restera toujours attachée à Maxim et je m'en accommode. On a chacun son passé. Mais pour l'instant, je ne te sens pas prête.

– Et si je me sens prête, moi ?

– Je te dirais qu'au fond de toi, tu sais que tu ne l'es pas.

OK, il a peut-être raison, mais franchement, je n'ai pas besoin qu'on me protège et encore moins qu'on décide à ma place ! C'est un *turn-off* complet. Je sais que c'est moi qui ai demandé à Daniel de me laisser du temps pour y voir plus clair dans mes sentiments et que c'est maintenant moi qui insiste pour que les choses aillent plus loin entre nous. Je suis un peu pénible, hein ? Contradiction, quand tu nous tiens ! J'aurais aussi pu tomber sur un gars – genre Samuel, un de mes ex – qui aurait profité de moi. J'aurais regretté d'avoir couché avec lui le lendemain et je n'aurais eu que mes regrets pour me consoler. Daniel n'est pas comme ça et je m'en réjouis. Mais je ne peux m'empêcher d'être déçue par ce qui ne se passera pas ce soir.

Je prends quelques minutes pour accepter sa décision et finis par admettre :

– Tu as raison, ce n'est sans doute pas encore le bon moment pour nous. Mais j'aimerais qu'on continue à se voir après les fêtes.

– Bien sûr qu'on va continuer à se voir, Sab.

Rassurée et prête à patienter jusqu'à ce que les choses deviennent plus simples entre nous, je pose mes yeux sur le manuscrit que lisait Daniel. Histoire de changer de sujet, je lui demande :

– C'est le dernier chef-d'œuvre d'un de tes auteurs ?

– Non, c'est un roman recommandé par notre comité de lecture. Je dois l'évaluer.

– Ça parle de quoi ?

– D'une rupture amoureuse.

Hum ! Je crois que je m'y connais à ce sujet !

– Comment tu fais pour évaluer un manuscrit ?

– Ça t'intéresse ?

– Oui, beaucoup. Tout ce qui touche à l'écriture m'intéresse. J'ai vécu l'édition en tant qu'auteure et j'avoue que j'aimerais bien découvrir l'autre côté de la médaille.

– Tu risques de regretter de m'avoir demandé ça. J'adore parler de mon travail et tu vas devoir m'écouter toute la nuit.

Je lance un clin d'œil espiègle à Daniel.

– C'est correct. Je m'enfuirai dans ma chambre quand j'en aurai marre.

Le seul péché est de ne pas se risquer pour vivre son désir.

Françoise Dolto

Chapitre six

Je sais que ce que je m'apprête à dire est un lieu commun des plus éculés, mais tant pis, je me lance (après tout, je fais ce que je veux, hein !) : le temps passe à une vitesse incroyable. Je ne peux pas croire qu'une nouvelle année viendra déjà pointer le bout de son nez dans à peine cinq heures ! Je vous épargnerai mon interprétation personnelle de *Hier encore*, de Charles Aznavour, mais je n'en pense pas moins. J'ai l'impression de faire des bonds dans le temps à chaque clignement des yeux. Pouf ! Je viens au monde et je crie parce que j'ai froid. Pouf ! J'ai cinq ans et je veux la maison de Barbie. Pouf ! J'en ai seize et je m'habille tout en noir. Pouf ! J'en ai dix-huit et je vis ma première histoire d'amour. Pouf ! J'en ai vingt-cinq et je débarque au Québec. Pouf ! J'en ai vingt-six et Maxim m'avoue qu'il est amoureux de moi. Pouf ! J'en ai vingt-huit et je suis à la montagne avec Daniel en train de préparer, en grandes pompes, l'arrivée d'une nouvelle année. Pouf ! Pouf ! Pouf ! Ça ne s'arrête jamais !

Cette nouvelle année m'apparaît à travers une paire de lunettes embuées. De quoi seront faits les prochains mois ? Il faut que je trouve un travail, un appartement, que je me réinvente. Je suis déjà fatiguée rien que d'y penser !

— Eh oh, la Terre appelle la Lune !

Je sursaute, relève la tête et rencontre le regard de Lucie de l'autre côté de la table de la cuisine. Occupée à préparer les canapés au foie gras, je me suis tellement laissé emporter par mes pensées que j'en ai oublié Lucie.

– La minuterie du four vient de sonner, m'indique-t-elle.

Je me retourne et sors mon gâteau aux marrons* du four avant de le déposer sur le comptoir. Des bribes de conversation et une musique de fond nous parviennent du salon. Une dizaine de personnes, essentiellement des amis de Guillaume et de Sandrine, se sont déplacées jusqu'ici pour fêter le Nouvel An avec nous. Comme prévu, Lucie et Justin sont arrivés hier et repartirons demain soir. Je suis heureuse qu'ils soient là. Justin s'est tout de suite entendu avec Daniel. Il est très doué en ski et il adore se mesurer à d'autres. Daniel et lui s'en sont donc donné à cœur joie sur les pistes noires, pendant que Lucie et moi nous adonnions à notre activité préférée : discuter en profitant de l'air de la montagne. Le tableau idéal.

– Tu es distraite, ce soir, remarque Lucie. Qu'est-ce qui se passe ?

Je hausse les épaules.

– Rien. C'est la perspective de la nouvelle année, j'imagine.

– Je te connais mieux que ça. Je vois bien que quelque chose te tracasse.

Je prends le temps de disposer harmonieusement les canapés de foie gras dans une assiette avant de répondre :

---

* Cadeau de Noël : la recette se trouve à la fin !

74

– Ce n'est pas grand-chose. C'est seulement que je me sens un peu mêlée dans mes sentiments. Il y a deux jours, j'avais très envie que les choses aillent plus loin entre Daniel et moi et aujourd'hui, je n'arrête pas de penser à Maxim. Je me demande ce qu'il fait, avec qui il est, s'il va bien, s'il pense à moi. Il me manque, en fait.

– C'est normal, Isa, tu ne l'oublieras pas du jour au lendemain.

– Oui, je le sais, mais je suis tannée de passer d'une émotion à l'autre. J'aimerais juste arrêter d'être triste ou inquiète pour lui et pouvoir me concentrer sur ce que je ressens pour Daniel.

– Ça arrivera, laisse-toi le temps, mais je ne crois pas que tu doives t'empêcher de ressentir quoi que ce soit. Si tu es triste, vis cette émotion, n'essaie pas de la contrôler. Tu pourras passer plus facilement à autre chose ainsi. Si tu te forces à oublier ta peine, elle va revenir te frapper dans le dos au moment où tu t'y attendras le moins, et ça fera encore plus mal.

Je regarde Lucie et finis par sourire. Elle a raison. Comme toujours. Ça ne sert à rien de contrôler ce qu'on ressent, ce n'est pas de cette façon qu'on guérit d'une peine d'amour. On a beau prendre une décision et se convaincre que c'est la bonne, tout ne s'arrange pas pour autant d'un coup de baguette magique. Il faut passer par une certaine période d'adaptation. Le meilleur ne peut être qu'à venir, pas vrai ?

– Allez, viens, je lance à ma meilleure amie, allons prendre part à la fête !

* *
*

Rien de tel que les succès des années quatre-vingt pour chasser ce qui me tracasse et me pousser à me déhancher comme une folle sur la piste de danse. Ah non, c'est vrai, je ne suis pas sur la « piste de danse » du salon, mais sur la table basse, un verre de Cosmopolitan à la main (on ne change pas une recette gagnante !) et je m'égosille sur *Born to be alive*, de Patrick Hernandez.

> *Time was on my side*
> *When I was running down the street*
> *It was no bind bind bind*
> *A suitcase and an old guitar*
> *It's all I need to occupy*
> *A mind like miiiiiiiiiiiiine*

Serais-je un petit peu pompette ? Peut-être bien ! Allez, avec moi !

> *Yes we were born born*
> *Born to be alive*
> *Born to be alive*
> *Yes we were born born*
> *Born to be aliiiiiiiiiiive*

C'est bien vrai, ça ! On naît pour vivre pleinement, pas pour regarder passer sa vie, sinon ça n'en vaut pas la peine ! OK, ce n'est pas le temps pour les grands débats philoso-phiques, je suis trop occupée à me déhancher ! Youhou ! Minuit ne va pas tarder à sonner et tout le monde est déchaîné. Après des petites bouchées nous ayant ouvert l'appétit – je ne connais rien d'aussi bon que le foie gras –, nous nous sommes installés autour de la table pour déguster une délicieuse raclette avec un assortiment de charcuteries. Une fois repus, nous avons poussé les meubles et monté le son de la chaîne hi-fi. L'ambiance est devenue de plus en plus festive et, l'alcool aidant certainement, je me suis sentie transportée. J'adore quand la musique résonne au même rythme que les battements de mon cœur. J'adore quand ceux qui m'entourent sont envahis de la même ferveur que moi.

Bon, j'avoue que je suis celle chez qui la ferveur est la plus... exubérante, disons, mais ça fait du bien de se laisser aller de temps en temps, de profiter de la vie. On court, on court, on court, et on ne s'arrête jamais. Mon objectif pour la nouvelle année sera d'essayer d'apprécier l'instant présent. *Carpe diem* sera ma devise : une invitation à saisir le jour et à le déguster comme un fruit savoureux. N'est-ce pas exactement ce qu'il me faut ?

Un autre succès des années quatre-vingt envahit les enceintes de la chaîne hi-fi et je continue de chanter. On fait dans les souvenirs, ce soir ! Je cherche Daniel des yeux et lui crie de venir me rejoindre. Il s'approche de moi et je lui attrape la main. J'essaie de l'obliger à monter sur la table avec moi, mais il me tire vers lui.

— On va briser la table, Sab !

— Ce n'est pas grave ! C'est la fête, ce soir !

— Tu diras ça à ma mère !

Mon Dieu, qu'il peut être rabat-joie ! Il n'était pas comme ça avant ! Je lâche sa main, mais il me retient.

— Viens ! J'ai envie de danser avec toi.

Sans me laisser le temps de répliquer, Daniel me saisit par la taille, me soulève et m'attire à lui. Je proteste vigoureusement :

— Eh ! C'était ma chanson !

Daniel me regarde avec amusement.

— Tu es vraiment soûle.

J'avale d'un trait le reste de mon Cosmopolitan et m'exclame :

— Non, je ne suis pas soûle ! Je suis seulement d'excellente d'humeur !

Je jette un œil à ma montre et m'écrie :

— Que quelqu'un allume la radio, c'est bientôt l'heure du décompte !

Guillaume s'exécute et de la musique techno envahit la pièce. On dirait bien que la station est en direct d'une boîte de nuit. D'ailleurs, au bout de quelques minutes, la voix du D.J. se fait entendre. Minuit sera là dans trente secondes ! C'est idiot, mais je sens une vive émotion monter en moi à l'idée de changer d'année. Je serre la main de Daniel. Le décompte final commence et tout le monde crie :

— Dix ! Neuf ! Huit ! Sept ! Six ! Cinq ! Quatre ! Trois ! Deux ! Un ! Bonne année !

Je ferme les yeux et dépose ma bouche sur celle de Daniel. Elle est chaude et sucrée. Comme lors de notre premier baiser. Je me colle contre lui. Son corps épouse le mien, comme si nous étions deux morceaux d'un casse-tête. Mes jambes flageolent, mais ce n'est pas à cause des Cosmopolitan.

— Dan ?

— Hum ?

– J'ai envie de toi !

Daniel sourit contre mes lèvres.

– L'alcool te fait vraiment dire n'importe quoi.

Je proteste avec ma voix de gamine de dix ans :

– Non, je sais ce que je veux !

– Désolé, mais je n'abuse pas des filles qui ne sont pas en possession de tous leurs moyens, aussi tentatrices soient-elles.

– Pff !

Daniel m'embrasse de nouveau. Une douce chaleur glisse dans mes veines. OK, ce n'est peut-être pas une bonne idée de faire l'amour maintenant, alors que nous avons décidé, d'un commun accord, d'attendre. OK, je suis peut-être un peu soûle, mais j'en avais vraiment envie. D'ailleurs, je n'ai pas dit mon dernier mot !

– Dan ?

– Non, ma diablesse, on ne fera pas l'amour ce soir.

Je lui tire la langue et il éclate de rire. Ah, les hommes ! Quand on veut, ils ne veulent pas et quand on ne veut pas, ils regrettent qu'on ne soit pas plus entreprenantes ! C'est. Trop. Nul.

– Pff ! Ce n'est pas ce que j'allais te demander de toute façon !

– Qu'est-ce qu'il y a ?

– Est-ce que tu m'aimes ?

Ahem... C'est vrai que l'alcool fait disparaître nos inhibitions. *Toutes* nos inhibitions. Je ne l'avais pas vu venir, celle-là. Mon cerveau m'a joué un tour ! Je voulais m'amuser un peu, taquiner Daniel, le séduire, mais pas lui demander *ça* ! Il reste un moment sans réaction. Il semble plus que dérouté par ma question directe et sans préambule. On le serait à moins. Finalement, il éclate de rire, me prend dans ses bras et s'exclame :

– T'es vraiment soûle !

Euh... Oui, peut-être. N'empêche que je dispose encore d'assez de clairvoyance pour me rendre compte que Daniel a habilement éludé ma question. Ah, les hommes ! Lucie apparaît tout à coup à mes côtés. Daniel me lâche et se tourne vers son frère, non loin de là. Mon amie et moi nous serrons l'une contre l'autre.

– Bonne année, Isa ! s'écrie-t-elle, aussi enivrée que moi.

– Bonne année, ma belle !

– Viens ! Il est temps d'ouvrir le champagne et de manger ton gâteau !

De l'alcool ? Encore ? Pourquoi pas ! C'est la fête, après tout ! Ce n'est pas le temps des questions. La nouvelle année est là et ma devise aussi : *carpe diem* !

Rien n'a plus de valeur qu'aujourd'hui.

Johann Wolfgang Von Goethe

DEUXIÈME PARTIE
DANIEL

Chapitre sept
Janvier, deux semaines plus tard

Carpe diem, c'est un super concept. Non. Vraiment. C'est totalement dans le vent. Rempli de magnifiques promesses. « Vous allez conjuguer le bonheur au présent, vous sentir vivant et maître de votre destinée. »

Ouais. Moi, je veux bien, mais pour que ce concept soit vraiment efficace, il faudrait nous livrer son mode d'emploi avec ! Franchement, je crois que vivre au jour le jour n'est possible que si on est riche, qu'on a un mari qui nous vénère, qu'on partage son temps entre la coiffeuse et l'esthéticienne et que se préoccuper du lendemain passe en second, vu que l'avenir semble tout tracé et, surtout, doré. Là, oui, on peut savourer le moment présent sans penser à autre chose. En revanche, quand on vit ma vie, accomplir cet exploit relève du miracle ! Mon existence est un vaste chantier en reconstruction. Et si j'entends bâtir quelque chose de solide et de joli, je me vois dans l'obligation d'établir des plans et donc de voir plus loin que le jour présent. C'est difficile de ne pas se projeter dans l'avenir quand on a des rêves. Sans compter que ma mère se charge avec joie de me rappeler les incertitudes qui planent au-dessus de ma tête.

« Qu'est-ce que tu comptes faire de ta vie, Isabelle ? Écrire une chronique hebdomadaire, c'est bien beau ; seulement, ça ne paie pas le loyer ! Laisse-moi t'aider à trouver un travail, sinon tu ne vas jamais t'en sortir ! » Merci pour le vote de confiance, maman ! J'apprécie ! Il n'y a que toi pour avoir autant foi en moi ! Je me passerais bien de ses doutes concernant ma capacité à reconstruire ma vie !

Bon, il est vrai que je cherche un travail depuis plusieurs semaines, et ce, sans succès. Apparemment, la crise économique frappe de plein fouet le secteur des ressources humaines. Je m'ennuie du Québec et de sa pénurie de main-d'œuvre, là où les recruteurs rivalisent d'ingéniosité pour attirer et garder les jeunes diplômés dans leurs entreprises. Ici, ce sont plutôt les demandeurs d'emploi qui doivent se démarquer des autres pour être embauchés. Je suis d'accord pour essayer de me démarquer, mais comment faire ? Relancer les employeurs par téléphone les énerve parce qu'on les dérange. Qu'est-ce qu'il me reste ? Leur proposer une danse du ventre sexy ?

Heureusement, je dispose encore de mes économies et je vais bientôt toucher mes droits d'auteur pour la publication de *Vodka-Canneberge sans glace*. Je ne suis pas à plaindre. Par contre, je crois que j'envisagerais des mesures extrêmes si je devais de nouveau dépendre financièrement de ma mère. Est-ce qu'ils embauchent, dans le milieu du crime organisé ? Les choses ont beau se dérouler pour le mieux, habiter chez ma mère et Bertrand n'est pas une partie de plaisir. Passer d'une vie commune avec l'homme qu'on aime à un retour chez maman et beau-papa, c'est plus qu'affligeant. Et évidemment, en France, il ne faut pas espérer louer un appartement sans avoir un poste permanent dans une entreprise rentable*.

---

* Eh oui, mesdames, messieurs, louer un appartement relève du parcours du combattant dans l'Hexagone ! Si on n'a pas un salaire décent, un poste permanent et parfois même quelqu'un qui se porte caution, il ne nous reste plus que nos yeux pour pleurer !

Je garde néanmoins le moral. Après tout, il y a bien pire que ma situation. Cela dit, je ne sais pourquoi, j'ai la sensation que quand on en vient à se raccrocher à ce genre de pensées, c'est qu'on n'est pas loin du bord du gouffre ! Je devrais peut-être abandonner mon fameux *carpe diem* pour un autre concept. Le positivisme ne serait pas mal. L'optimisme aussi. Chacun connaît des revers de fortune dans la vie. L'essentiel, c'est de ne pas se laisser abattre. La force des hommes se révèle dans leur manière d'affronter l'adversité.

Wow ! Je me donne des frissons avec mes préceptes du nouvel âge ! J'arrête ! Il est temps d'aller préparer le souper, de toute façon. J'aime cuisiner ; ça me détend. Et puis, c'est ma façon d'éviter de me sentir comme une gamine qui attend que sa maman lui demande de se mettre à table.

Une demi-heure plus tard, mon repas mijote sur le feu. Ma mère apparaît dans la cuisine. Comme d'habitude, elle est très élégante et personne ne pourrait deviner en la voyant qu'elle vient de passer plus de dix heures dans un hôpital à opérer des patients ou à s'en occuper. Elle n'a pas les traits tirés. Elle n'a pas de cernes. Elle est toujours parfaite. C'est très énervant, d'ailleurs !

— Tu es devenue la cuisinière attitrée de la maison, dis-moi ? me lance-t-elle en guise d'introduction.

— Bonsoir à toi aussi, maman.

— Toutes ces années d'études pour en arriver là, continue-t-elle sans même me prêter attention. Quelle perte de temps !

Bon, les hostilités sont ouvertes. Après seulement dix secondes, montre en main, en ma présence. Elle s'améliore. Je considère rapidement les armes de combat qui s'offrent à moi et choisis d'y aller avec l'ironie.

— Ça tombe bien que tu en parles parce que je voulais t'annoncer que je comptais justement briguer ce poste de cuisinière. Par contre, je dois t'avertir que mes tarifs sont assez élevés, je ne sais pas si tu pourras te permettre une telle dépense.

— Arrête un peu, Isabelle, je n'ai pas envie de rire.

OK. L'ironie ne marche pas. Ce n'est pas grave. Allons-y avec une autre arme : le changement de sujet.

— Est-ce qu'on attend Bertrand pour manger ?

— Non, il a eu une urgence à l'hôpital... Pour en revenir à toi, j'ai une bonne nouvelle.

Je reste un moment sans réaction. Pourquoi n'a-t-elle pas commencé par ça ? Elle ne peut pas s'empêcher de me critiquer d'abord. C'est presque instinctif chez elle !

— Je suis tout ouïe.

Ma mère dépose son sac sur une chaise de la cuisine, tentant certainement à faire durer le suspense, puis dit :

— Tu te souviens, l'automne passé, je t'avais proposé de travailler dans le service du personnel de l'hôpital. Comme tu voulais essayer de trouver quelque chose en rapport avec l'écriture, je n'avais pas donné suite. Maintenant que tu cherches dans ton domaine d'études, j'ai pris la liberté de parler de toi à Sébastien Morin, le chef du service, et il a justement un poste à pourvoir. Tu seras en charge de la gestion des effectifs, du suivi des carrières des employés et de la gestion du temps. C'est un contrat de cinq mois pour commencer. Étant donné que l'hôpital est public, tu ne pourras pas avoir de poste permanent à moins de passer un concours de l'administration, mais ne t'inquiète pas, il y a des contractuels qui sont chez nous depuis des années. Ce contrat n'est donc qu'un début. Tu as un entretien demain, une simple formalité, et tu commences lundi prochain.

Ah, ma mère ! Elle ne changera jamais ! Toujours à tenter de contrôler ma vie. Je devrais peut-être l'emmener voir un psy, histoire qu'elle comprenne les raisons qui la poussent à décider pour moi. Je ne suis pas ingrate. Je reconnais qu'elle essayait de m'aider en transmettant mon CV au directeur des ressources humaines de l'hôpital où elle travaille. Je reconnais aussi qu'elle est douée : elle m'apporte sur un plateau d'argent un emploi qui semble intéressant. Le problème, c'est que de nombreux détails me titillent ! Le premier, c'est que ma mère n'a pas jugé bon de me prévenir qu'elle allait parler de moi à Sébastien Morin. Le deuxième, c'est qu'avant même de voir avec moi, elle lui a confirmé que j'acceptais le poste qu'il me propose. Le troisième, c'est qu'elle semble absolument convaincue que je n'aurais jamais réussi à dénicher un emploi seule. Ma mère ne comprendra jamais que je veux me débrouiller et réussir par moi-même. Elle ne comprendra jamais que je refuse d'être « la fille de... » qui se fait recommander pour avoir un travail. Il y aura toujours un énorme fossé entre elle et moi.

Tout en essayant de conserver une voix posée et calme, je dis :

— Je suis très touchée par ton geste, mais je ne suis pas sûre d'avoir envie de travailler à l'hôpital avec toi.

Ma mère balaie mon objection d'une main.

— Voyons, tu n'es pas une interne ou une résidante, tu ne travailleras pas avec moi.

– Ce n'est pas ce que je voulais dire : tu aurais dû me prévenir avant d'engager des démarches qui me concernent.

– Oh, tu ne vas tout de même pas refuser un excellent poste sous prétexte que tu es froissée ? N'en parlons plus, d'accord ? Accepte en souriant mon aide.

Ma mère se relève et s'apprête à quitter la pièce, notre discussion étant close pour elle, mais je la retiens par le bras. Elle se retourne et me lance un regard exaspéré. Je décide de ne pas me laisser impressionner et j'explique :

– J'ai besoin de réfléchir quelques jours avant d'accepter ce poste.

– Réfléchir à quoi ? Tu préfères continuer à jouer les cuisinières pour moi ?

– Arrête avec ça. Je dis juste que...

– Quoi ? Que tu veux refuser un travail parce que c'est moi qui te l'ai trouvé ? Si je ne m'abuse, tu cherchais quelque chose dans les ressources humaines, non ? Alors, où est le problème ?

Je m'appuie contre le comptoir de la cuisine en soupirant. Est-ce uniquement mon orgueil qui me pousse à décliner son offre ? Oui, je suis énervée parce que ma mère a agi derrière mon dos, mais, au bout du compte, j'ai un boulot et, vu la conjoncture du marché du travail actuel, je sais que j'aurais du mal à en trouver un autre rapidement. Autant, dans ce cas, accepter celui que ma mère me propose, car qui dit boulot dit rémunération et qui dit rémunération dit possible recherche d'appartement à moi. De plus, je serai en mesure de payer mon loyer sans avoir à puiser dans mes économies ou dans mes futurs droits d'auteur.

Je lève les yeux vers ma mère qui attend toujours une réponse.

– OK, c'est bon, j'irai rencontrer ton directeur du personnel demain et je prendrai le poste qu'il me propose.

Ma mère reste un moment à me dévisager.

– Pourquoi ai-je l'impression que tu me fais une faveur ? C'est quand même un comble ! Je te trouve un travail et on dirait que tu attends des remerciements de ma part parce que tu l'as accepté.

– J'apprécie ton geste, mais je continue de penser que tu aurais dû m'avertir avant de parler de moi à Sébastien Morin.

– Qu'est-ce que ça aurait changé ? lance ma mère, les sourcils froncés.

Le vent se lève. La tempête se prépare. Je l'affronte ou je tente de l'esquiver ? Pour ma mère, il est clair que je m'offusque pour une broutille.

– Le fait même que tu ne comprennes pas pourquoi ton comportement m'horripile est une indication très nette du problème de notre relation ! Tu n'as plus le droit de prendre les décisions pour moi !

– Je suis ta mère ! proteste-t-elle comme si cela justifiait tout.

– Mais j'ai presque vingt-neuf ans ! Je suis en âge de prendre mes décisions. Quand vas-tu te rentrer ça dans la tête ?

– Quand tu prendras des décisions sensées. Ce qui ne semble pas être une de tes qualités en ce moment.

Euh... Je rêve ?!? Finalement, je crois que la tempête se dirige droit sur notre maison. Enfilez votre gilet de sauvetage et accrochez-vous ! Les femmes et les enfants d'abord !

– Je peux savoir ce que tu entends par là ?

– Tu as besoin d'un dessin ? Regarde comment tu as dévasté ta vie en quelques mois !

– Pardon ?

– Isabelle, tu avais une vie au Québec. Un appartement, un travail, des amis, un avenir. Je ne dis pas que j'étais contente de te savoir si loin, mais, au moins, tu réussissais et ça me suffisait. Il a fallu qu'une peine d'amour surgisse pour que tu te retrouves sans rien ! Tu as tout quitté parce que Maxim a mis un terme à votre relation. C'était très sensé comme comportement. Très mature.

L'ironie et les sarcasmes de ma mère me donnent envie de hurler.

– De quel droit juges-tu mes décisions ? Est-ce que tu sais par quoi je suis passée après ma séparation avec Maxim ?

– Oui, je le sais, j'ai vécu la même chose ! Ton père m'a quittée, mais j'ai tenu bon, je n'ai pas laissé ma vie s'écrouler.

– Mais je ne suis pas comme toi ! Et je suis désolée de ne pas l'être, mais c'est comme ça ! J'avais besoin de temps avant de pouvoir... Oh puis, non, je n'ai pas à me justifier devant toi ! C'est ma vie, tu comprends ? Ma vie ! Et j'en fais ce que je veux ! Moi qui croyais que tu me soutenais, je me suis bien fait avoir !

La colère fait doucement place à l'amertume et à la peine dans mon cœur. Si ma mère n'arrive pas à se remettre de la déception de ne pas avoir eu la fille qu'elle espérait tant avoir, moi aussi, je dois faire le deuil d'une mère aimante et compréhensive. D'une mère qui serait presque une confidente.

– Je t'ai soutenue ! poursuit-elle, convaincue de ses propos. Et je te soutiens encore. C'est bien pour ça que je t'ai trouvé ce travail, pour que tu puisses reconstruire ta vie.

Son ton est tellement condescendant qu'il me hérisse les poils et je dois me retenir de ne pas tout casser sur mon passage.

– Je n'ai pas besoin de toi ! Je. N'ai. Pas. Besoin. De. Toi. Est-ce que c'est clair ?

– Oh si, Isabelle ! Tu as besoin de moi !

– Non ! Et c'est là, en fait, le fond du problème ! Tu critiques mes décisions pour te donner l'illusion qu'un guide m'est nécessaire ! Mais j'ai une grande nouvelle pour toi : non seulement tu te rapproches beaucoup plus de l'image d'un tyran que de celle d'un guide, mais en plus, c'est en partie parce que je voulais échapper à ta domination que je suis partie vivre au Québec ! Eh oui ! J'ai mis des kilomètres entre nous en espérant que tu arrêterais d'essayer de contrôler ma vie, mais ça n'a presque jamais marché ! Il fallait toujours que tu aies ton mot à dire sur ce que je faisais ou que tu me lances une remarque acerbe à la moindre occasion ! « Isabelle, pourquoi Maxim et toi n'achetez-vous pas une maison ? Il est temps de devenir adulte ! Isabelle, pourquoi n'écrirais-tu pas un roman un peu plus sérieux pour le prochain ? Isabelle, est-ce que Maxim et toi songez à fonder une famille dans un avenir rapproché ? Tu auras bientôt trente ans... ! » Est-ce que je vais devoir m'exiler dans un monastère en Inde pour que tu arrêtes d'agir ainsi ? Dis-moi ce que je dois faire parce que là, j'en ai assez et je suis prête à tout !

Je termine ma tirade à bout de souffle. Ma mère, elle, est livide. Je me sens soudainement coupable de lui avoir balancé ce que j'avais sur le cœur sans préavis. J'agis souvent comme ça. Je garde tout en moi jusqu'au point de non-retour, où je finis par exploser.

Lorsque ma mère reprend la parole, sa voix est légèrement éraillée. Elle toussote plusieurs fois avant de pouvoir énoncer clairement :

– Quand tu auras des enfants, tu pourras te permettre de juger mon comportement. En attendant, dis-toi que je n'arrêterai jamais de vouloir ce qui est le mieux pour toi.

Elle ne me quitte pas des yeux. Ce que je lui ai avoué l'a vraiment touchée. Cela dit, je devine qu'elle est encore persuadée d'avoir raison. Pour elle, son comportement est légitime et rien ne la fera changer d'avis.

– Maman, tu dois comprendre que ce que tu estimes bon pour moi n'est pas forcément ce que je veux. Et comme il s'agit de ma vie, c'est à moi que doit revenir le choix final. Même si tu penses que je fais une erreur. Oui, c'en était peut-être une de ne pas retourner au Québec, mais j'avais besoin de passer par là. Je ne te demande pas de comprendre mon choix, je te demande juste de l'accepter. Et je te demanderai aussi de ne plus me mettre devant le fait accompli quand tu interfères dans ma vie. Comment tu réagirais si je t'annonçais que j'ai modifié ton planning de la semaine prochaine à l'hôpital et que tu n'as pas le choix de t'y plier ?

– Je ne dirais rien si c'est fait dans le but d'améliorer la gestion de mon temps.

Je lance un regard on ne peut plus sceptique à ma mère.

– Désolée, je ne te crois pas.

Ma mère hausse les épaules, puis soupire, lasse tout à coup :

– Écoute, Isabelle, j'ai entendu tes reproches, je les ai intégrés. Qu'est-ce que tu veux que je te dise ? Évidemment que ça ne me fait pas plaisir de savoir que tu t'es expatriée au Québec à cause de moi.

– En partie seulement.

– Soit. En partie. Il n'en reste pas moins que tu as choisi une solution extrême pour t'éloigner de moi et que ce n'est pas si facile à accepter. Mais une chose est sûre : je refuse que cela se reproduise. Si tu dois repartir au Québec ou ailleurs, ne le fais pas à cause de moi. Je ne changerai pas, pas à mon âge, je te le dis sans détour, mais je peux néanmoins essayer de me montrer un peu plus à l'écoute de tes besoins. C'est tout ce que je suis capable de te proposer pour l'instant.

J'observe ma mère avec douceur. Ça lui coûte de me dire tout ça, je le vois bien. Je sais qu'au fond d'elle, elle ne désire que mon bonheur. Elle a juste une façon bien à elle de me le montrer. Une façon qu'elle se dit prête à faire évoluer, et j'ai envie de la croire. Notre discussion de ce soir n'aura, en définitive, pas été vaine.

Lentement, je laisse apparaître un sourire et dis :

– Eh bien, c'est un début.

Le sourire d'une mère cache souvent une croix
et puis, aimer, n'est-ce pas s'oublier ?

Gabrielle Paquin-Grandbois

93

Chapitre huit

Je n'ai toujours pas reparlé à Daniel de la question que je lui ai posée, et qu'il a habilement esquivée, lors de la soirée du Nouvel An. Je n'ai jamais trouvé un moment plus adéquat – comprendre : sans être sous l'influence de l'alcool – pour lui redemander ce qu'il ressent pour moi. Il tient à moi, c'est indéniable, tout comme je tiens à lui. Mais est-ce qu'il m'aime ? Comment sait-on quand un homme est amoureux si celui-ci reste discret sur ce qu'il ressent ? Maxim a été amoureux de moi pendant des mois sans que je m'en aperçoive. On ne peut pas dire que je sois une fille très perspicace.

– *Hum, je ne te le fais pas dire ! Ça n'a jamais été ton fort de déceler les sentiments des autres à ton égard et encore moins d'en parler !*

– *Chère petite voix intérieure, je te signale que j'ai demandé à Daniel s'il m'aimait, le 1er janvier !*

– *Tu étais complètement soûle, ça ne compte pas ! Il faut que tu le lui redemandes !*

– *Non, merci. Pas comme ça, à froid, sans crier gare. Et puis, je n'ai pas envie qu'il me demande en retour si moi, je l'aime.*

Eh oui ! Autant je meurs d'envie de savoir ce que Daniel ressent pour moi, autant je ne sais pas encore très bien ce que moi, j'éprouve. Même si j'adore être avec lui, je pense encore souvent à Maxim, à ce qu'il fait et avec qui. On s'est écrit pour se souhaiter une bonne année, d'ailleurs. Il semble aller mieux et ça m'a rassurée.

— *Pourquoi tiens-tu autant à savoir si Daniel t'aime, dans ces conditions ? Par vanité ? Arrrrrrgh !! Laisse tomber ! Je vais gérer les choses comme je l'entends, un point c'est tout !*

— *Bon, et comment comptes-tu faire ça ?*

— *Demander de l'aide à mon ami Google !*

Et toc ! Je suis sûre qu'elle ne s'y attendait pas à celle-là ! Je lance mon navigateur, mais hésite un instant. Est-ce une bonne idée de surfer sur Internet au travail ? Et si mon ordinateur était muni d'un espion destiné à enregistrer toutes mes activités non professionnelles ? Je me mordille la lèvre, puis finis par hausser les épaules. Je n'aurais pas recours à Internet si je ne m'ennuyais pas autant !

Je travaille à l'hôpital depuis maintenant deux semaines et je dois dire que je ne fais pas grand-chose de mes journées. Dans ces conditions, il me faut m'occuper comme je le peux, n'est-ce pas ? C'est à croire que Sébastien Morin a créé ce poste uniquement pour moi, dans le but de faire plaisir à ma mère !

J'entre donc l'adresse de Google dans mon navigateur, réfléchis à la bonne formulation et inscris « reconnaître un homme amoureux » dans la case de recherche. Plus de cent cinquante-quatre mille résultats s'affichent sur mon écran. On dirait bien que je ne suis pas la seule à me poser cette question ! Je clique sur le premier site de la liste et j'atterris sur la page d'un magazine féminin. Un dossier entier a été consacré aux signes qui prouvent sans conteste l'état amoureux de celui qui partage notre vie. Je parcours les différentes déclarations, parfois en hochant la tête, parfois en grimaçant.

Pour celles que ça intéresse, la combinaison d'un ou des comportements suivants suffit à attester l'amour de notre bien-aimé :

- *Un homme amoureux regarde sa dulcinée avec passion, tendresse, affection et désir. Si nous ne sentons pas l'amour rayonner dans ses yeux quand il les plonge dans les nôtres, c'est mal parti.*

Pff ! N'en demandons pas trop aux regards, s'il vous plaît ! Personnellement, si j'essaie de faire passer toute cette gamme d'émotions à travers ce qui ne sont franchement que deux globes oculaires, au mieux j'ai l'air de me concentrer pour ne pas m'endormir, au pire, je louche. Quant à savoir si Daniel me regarde avec amour, oui, peut-être bien. Proposition suivante...

- *Un homme amoureux nous fait une place dans sa vie.*

Quelle révélation ! Un homme qu'on ne voit que tous les trois mois, c'est certain qu'il n'est pas amoureux. En tout cas, pas de nous ! *Next, please* !

- *Un homme amoureux se taille une place dans notre vie.*

C'est quoi cette obsession de la place mutuelle dans la vie de l'autre ? Ce n'est gage de rien. Nous pouvons très bien partager la vie de quelqu'un sans qu'il soit question d'amour pour autant. Personne n'a jamais été avec un homme ou une femme en attendant de... ? Démonstration terminée. CQFD. Cela étant, je dois reconnaître que Daniel m'ouvre grand les portes de sa vie et que c'est plutôt moi qui freine les choses.

- *Un homme amoureux nous soutient dans les moments difficiles.*

Ah, enfin quelque chose de sensé ! Si un homme s'enfuit aux premières difficultés, effectivement, on peut se permettre de douter de la force de son amour. D'ailleurs, c'est en grande partie parce que Daniel a fait et continue de faire preuve de patience à mon égard que je me sens si merveilleusement bien avec lui.

Long soupir exprimant tout un tas d'émotions que je ne saurais décrire, la liste étant trop longue et trop ambiguë. Je me demande si je ne tourne pas volontairement toute mon attention vers les sentiments de Daniel à mon égard pour éviter de me poser des questions sur les miens. Je crois que j'ai encore du mal à accepter les changements survenus dans ma vie, y compris en ce qui concerne l'homme qui la partage. Si j'avoue aimer Daniel, est-ce que ça veut forcément dire que je n'aime plus Maxim ? Suis-je prête à accepter qu'il ne reste que des souvenirs entre celui-ci et moi ?

Ah, si seulement mon travail à l'hôpital m'accaparait davantage, je cogiterais moins ! Contrairement à ce que la majorité des gens imagine, ce n'est pas génial d'être payé à se tourner les pouces. Le temps passe avec une lenteur désespérante. Seul point positif, j'ai un carnet rempli d'idées pour l'écriture de mon deuxième roman.

J'ai définitivement écarté la possibilité de composer une suite à *Vodka-Canneberge sans glace* pour me concentrer sur un roman pour adolescents. Je ne sais pas si c'est Daniel qui me rappelle mon adolescence, mais les intrigues qui me viennent en tête ont presque toujours rapport avec les ados, Internet, leurs relations amoureuses, leur vie sexuelle, etc. Pour l'instant, tout ça n'est qu'à l'état de projet, mais j'espère pouvoir développer une de mes nombreuses idées bientôt.

J'appréhende quand même ce retour à l'écriture. Et si je me retrouvais devant une page définitivement blanche ? Et si les mots refusaient de sortir correctement, formant un amas gluant de bêtises, de phrases mal construites ou de clichés sans nom ? Et si je n'étais destinée qu'à être l'auteure d'un seul roman ?

Bon, cette fois, c'est sûr, je cogite beaucoup trop ! Je ne peux pas continuer à m'ennuyer sept heures et demie par jour. La première semaine, j'ai fait beaucoup de lectures concernant les procédures d'embauche et la gestion des carrières, lectures souvent interrompues par certains collègues de ma mère m'ayant connue enfant ou adolescente et souhaitant voir ce que j'étais devenue. J'avais l'impression d'être une attraction vivante, mais ils ont tous été vraiment accueillants. Ma mère est très respectée, très admirée aussi, par ceux qui la côtoient. Mais ça, je le savais déjà.

Ma deuxième semaine de travail touche maintenant à sa fin et, à part me familiariser avec le logiciel de gestion de la paie, je n'ai rien fait de concret. Mes collègues sont sympas, mais ils sont très pris par leurs tâches (qu'ils ont en abondance, eux) et n'ont pas le temps de s'occuper de moi. Sébastien Morin non plus. Bien sûr, il vient me voir de temps en temps pour me demander si tout va bien. Je lui réponds toujours avec un sourire. Peut-être que les choses iront mieux la semaine prochaine. On passe toujours par un temps d'adaptation quand on commence un nouveau travail. Pour le moment, il est temps de partir. Le week-end vient officiellement d'ouvrir ses portes, et Daniel et moi avons rendez-vous à Paris ce soir.

* *
*

Je ne me lasse pas de Paris. D'ailleurs, je crois qu'il est impossible de se lasser de cette ville. Elle possède tant de visages différents qu'on peut passer sa vie à découvrir un nouveau quartier ou une nouvelle ambiance. Daniel et moi avons soupé dans un restaurant du Quartier Latin avant de retourner chez lui. Nous avons beaucoup parlé, comme d'habitude. Nos sujets de conversation sont inépuisables. Nous pouvons discuter de tout. De choses intimes – même si plusieurs aspects de notre relation restent dans l'ombre – à la littérature, en passant par les voyages, la gastronomie, la philosophie. Tout comme moi, Daniel se pose des tas de questions sur l'amour, l'amitié, le deuil, et, à nous deux, nous inventons les théories les plus folles sur le sens de la vie. Nous sommes d'ailleurs en train de disserter sur l'importance du travail depuis une heure.

Assis sur le divan du salon, deux verres de vin disposés sur la table basse, nous essayons de déterminer les raisons qui poussent les êtres humains à travailler et à se réaliser dans le travail. On a beau parfois pester parce qu'on doit se lever et aller au bureau, passer ses journées à ne rien faire n'est franchement pas très épanouissant. S'ennuyer dès sa deuxième semaine de travail à son nouveau poste non plus. J'avale une gorgée de vin et soupire :

– Tu as de la chance d'avoir un boulot qui te passionne.

– Toi aussi, Sab, proteste Daniel. Tu écris.

– C'est vrai que ça me passionne, mais ça ne me fait pas vivre. J'aime la gestion des ressources humaines et le management, mais ça ne me fait pas vibrer comme l'écriture. Et pourtant, si je devais écrire à temps plein, je finirais par trouver ça monotone. J'adore évoluer dans le monde que je crée, avec mes personnages mais, au bout d'un moment, côtoyer de vrais êtres humains me manque. Je crois que je cherche encore mon équilibre.

Daniel ne répond pas tout de suite. Il me regarde d'un air songeur.

– Je me demande si ce qui te manque, ce n'est pas de découvrir une autre facette de l'écriture.

Je fronce les sourcils, cherchant à savoir où il veut en venir.

– Quelle facette ?

– L'autre soir, quand on était à la montagne et que je te parlais de mon travail, j'ai senti que ça t'intéressait réellement. Tu m'écoutais avec de grands yeux, comme si je te racontais une histoire captivante.

– C'est parce que ton travail a l'air super !

– Qu'est-ce que tu dirais d'en apprendre davantage, mais de l'intérieur ?

– Comment ça ?

– On cherche une lectrice de manuscrits chez nous et, plus j'y pense, plus je me dis que ce poste pourrait te plaire.

Je sens l'excitation me gagner. Une excitation que je n'avais pas connue depuis un moment. Lire des manuscrits ? Je n'y avais jamais songé. Pourtant, je suis déjà plus qu'emballée à cette idée. Découvrir les romans d'autres auteurs, les évaluer, se laisser transporter par les pages et, en prime, être payée ? Je ne pouvais pas rêver mieux.

– Tu es sérieux ?

– Bien sûr.

– Et qu'est-ce que j'aurais à faire précisément ? Lire et ensuite rédiger des fiches de lecture sur les forces et les faiblesses des manuscrits ?

– Exactement. Ça ne serait pas à temps complet par contre, ce qui veut dire que tu devras sûrement garder ton boulot à l'hôpital pour avoir une rentrée d'argent intéressante chaque mois.

– C'est parfait comme ça ! je m'écrie, surexcitée. Ma mère ne se tapera pas une syncope en apprenant que j'ai quitté le poste qu'elle m'a trouvé et je pourrais lire les manuscrits le soir ou les fins de semaine !

Je dois me retenir pour ne pas sauter au cou de Daniel. Celui-ci semble heureux de me voir aussi enthousiaste.

– Alors, c'est dit, je parlerai de toi à mon patron.

L'angoisse et le stress arrivent au galop.

– Tu crois qu'il voudra m'engager ? Je n'ai jamais été lectrice de manuscrits. Je ne sais même pas si je serai capable de faire ça en toute objectivité.

– Tu lis beaucoup, tu écris toi-même, je suis persuadé que tu parviendras à reconnaître un manuscrit intéressant quand tu en verras un.

La foi de Daniel en mes capacités me réchauffe le cœur. Ça me pousse à me dépasser. À repousser mes limites. Je n'avais jamais remarqué combien c'est important d'avoir à nos côtés quelqu'un qui croit profondément en nous. Cette confiance fait tellement de bien ! Surtout avec une mère comme la mienne, qui doute même de ma capacité à attacher mes lacets toute seule !

– Si ça marche, poursuit Daniel, et que le travail te plaît, ça pourra sans doute déboucher sur un poste d'assistante de production, voire d'éditrice junior. Tu suivrais ainsi toutes les étapes du livre, de son acceptation à la publication et à la promotion.

– Arrête, je pense que je vais hurler tellement je suis excitée ! J'ai tellement aimé travailler avec mon éditrice en tant qu'auteure que je suis vraiment impatiente de passer de l'autre côté.

– Ne t'emballe pas trop vite, c'est juste un poste de lectrice pour l'instant, me prévient Daniel, légèrement dépassé par mon ravissement. Et il faut que mon patron soit d'accord.

– Je sais, je sais ! Ne t'en fais pas ! Merci d'avoir pensé à moi !

Je m'approche de Daniel et dépose ma bouche sur la sienne. S'ensuit un long baiser qui m'éveille les sens. Daniel murmure alors avec taquinerie :

– Eh bien, la plupart des filles sont heureuses quand leur copain leur offre un bijou ou un parfum, toi c'est un travail !

– Parce que ce que tu m'offres est encore mieux !

Il sourit et nous nous embrassons de nouveau. C'est la première fois que Daniel me dit qu'il se considère comme mon copain. Mon chum. Et je me rends compte que c'est ce que je souhaite : que notre relation soit clairement établie. Je prends une courte inspiration et demande :

– Tu te rappelles la question que je t'ai posée au Nouvel An ?

Daniel me lance un regard espiègle.

– Je pensais que tu n'oserais jamais aborder de nouveau le sujet.

– Ce n'était pas si évident, tu sais.

– Je sais.

Je m'éclaircis la voix, un peu gênée par ce qui s'en vient, et murmure :

– Alors, est-ce que tu veux discuter de... notre relation ?

– Oui.

– OK. Et... Euh... On commence par où ?

– Est-ce que je peux te poser une question ?

– Bien sûr.

– Est-ce que tu penses encore à Maxim ?

Je savais qu'un jour ou l'autre, Daniel finirait par m'interroger à ce sujet, et je suis contente qu'il ait attendu le moment où ma réponse nous conviendrait à l'un comme à l'autre. J'ai beaucoup réfléchi à mes sentiments dans le train qui m'amenait à Paris, aujourd'hui. Je devrais plutôt dire que je me suis enfin autorisée à ouvrir cette fenêtre de mon cœur qui donne sur ce que je ressens pour Daniel. Je l'ai ouverte et j'ai laissé celle qui donne sur mon amour pour Maxim se refermer. Ça m'a pris du temps parce que je me raccrochais à un passé qui m'a rendue tellement heureuse. Mais Maxim et moi avons pris une décision en décembre dernier et je dois vivre avec. Je dois avancer, regarder plus loin, et plus loin, il y a Daniel, notre relation et tout ce qu'elle a de beau à offrir.

D'une voix basse, je réponds donc :

– De moins en moins. Je me rends compte que si je pense à lui, c'est surtout parce que je m'inquiète à cause de tout ce qui lui est arrivé ces derniers mois et des conséquences que ces événements auront sur sa vie à long terme. Mais c'est sa vie et elle n'est plus mêlée à la mienne... J'ai l'impression d'avoir enfin accepté ce fait. Je m'autorise à passer à autre chose. Durant ces derniers mois, même quand j'étais à Lyon physiquement, une grande partie de moi était encore au Québec, avec Maxim. Aujourd'hui, je suis totalement en France et ça fait du bien. Ça ne veut pas dire que le Québec ne me manque pas ou que je ne suis pas triste parfois, mais ça va mieux. Vraiment mieux.

Après le jour de l'An, j'ai écouté le conseil de Lucie : j'ai arrêté de contrôler mes émotions et de tout garder en dedans. J'ai laissé libre court à ma tristesse, à ma colère, à mes regrets, et puis ça a fini par passer. Chaque jour, j'étais un peu moins triste. Un peu moins en colère. Les regrets s'estompaient. À présent, je suis plus sereine. J'ai intégré dans ma tête et dans mon cœur la fin de ma relation avec Maxim. Les choses se sont passées comme elles se sont passées. Point. Il est là-bas, je suis ici et la vie continue. Je sais que certains moments de peine ou de nostalgie m'attendent encore à un carrefour, mais je ne les redoute plus. Je saurai les affronter.

Je me suis souvent demandé ces dernières semaines si ma relation avec Daniel était une façon pour moi d'oublier Maxim, si ce n'était qu'une relation de transition. C'était pour cette raison que je voulais qu'on prenne notre temps avant de s'engager dans quoi que ce soit ensemble. Maintenant, je sais que ce que je ressens pour lui n'est pas passager. Mes sentiments sont profonds, sincères, et si je devais faire un choix entre Maxim et Daniel, à présent, je choisirais Daniel.

– Je suis content que tu me dises tout ça. Je ne savais pas trop où tu te situais par rapport à notre relation.

– Et toi ? Tu te situes où ?

– Ai-je vraiment besoin de te le dire ?

– Je me suis tellement trompée sur les sentiments des autres à mon égard par le passé que je n'ose plus trop me fier à mon intuition.

– Qu'est-ce qu'elle te murmure, ton intuition ?

– Que tu tiens à moi, mais je ne sais pas si...

– Je t'aime, Sab, depuis des semaines. Depuis même avant qu'on s'embrasse au parc.

Mon cœur bat la chamade. Ça a l'air tellement simple, pour Daniel, de parler de ses sentiments pour moi. Et effectivement, quand on y pense, c'est simple. C'est même la plus belle chose du monde : dire à quelqu'un qu'on l'aime. Les hommes ne se prennent pas la tête comme nous. Ou comme moi, plutôt. Toutes les femmes ne sont pas aussi compliquées que moi, Dieu merci pour elles ! Et si je me laissais, moi aussi, entraîner dans ce monde de simplicité ?

Daniel ne me quitte pas des yeux. Il m'aime et j'ai tellement envie de m'enivrer de lui. Lentement, je m'approche pour l'embrasser. Mon corps est tendu de désir. Je hume son odeur tandis qu'une chaleur si familière me chatouille les reins. Mes mains courent sur sa peau, ses mains sur la mienne. Rien d'autre ne compte à part nous deux. Rien. Ma bouche contre la sienne, je murmure :

– Je t'aime aussi, tu sais.

Daniel sourit contre mes lèvres.

– Maintenant, oui.

Ça doit être ça, le bonheur. Je ferme les yeux et comprends soudainement le sens de l'expression *carpe diem*.

Le premier amour est éternel,
le temps ne passe pas, c'est le principe amoureux.

Camille Laurens

Chapitre neuf

De moi à Cécile et à Marie-Anne :

« *Objet : Des nouvelles de votre portée disparue !*

Salut les filles,

Je sais, je sais, je ne vous ai pas donné de nouvelles depuis le 1er janvier et je suis vraiment désolée. Je ne me cacherai pas derrière l'excuse classique du « j'étais débordée et je n'ai pas vu le temps s'écouler », même si c'est un peu ce qui s'est passé. Mais, promis, je ne vous laisserai plus jamais dans un silence total pendant presque six semaines !

J'espère que vous allez bien. Vous me manquez tellement, vous n'avez pas idée. Je m'ennuie souvent de ma vie au Québec. J'aime ma vie ici et j'aime Daniel, mais c'est difficile de me dire que je ne revivrai plus jamais à Québec. Si j'ai tiré un trait sur Maxim, c'est loin d'être le cas en ce qui concerne ma vie là-bas. Enfin, j'imagine que le temps fera son œuvre...

Je travaille dans le service du personnel de l'hôpital de ma mère depuis un mois déjà. Les journées sont longues mais, grâce à Daniel, je travaille aussi comme lectrice de manuscrits dans sa maison d'édition et j'adore ça. J'adore découvrir des romans à l'état brut. J'ai l'impression d'avoir accès à quelque chose que personne n'aura jamais. C'est fascinant de voir comment d'autres auteurs construisent une intrigue ou bâtissent des personnages. Je sais que je peux réaliser ce genre d'analyse avec des romans déjà publiés, mais je trouve beaucoup plus captivant de le faire sur des manuscrits d'inconnus. Ça m'inspire même pour un nouveau roman. Affaire à suivre...

Je vous embrasse fort.

Isa xxx

De Marie-Anne à moi :

« *Objet : RE : des nouvelles de votre portée disparue !*

Eh bien, eh bien, j'étais prête à alerter Interpol et à le lancer à tes trousses ! Je t'imaginais aux prises avec des extraterrestres décidés à faire des expériences sur toi ! Rassurée de lire que c'était ta nouvelle histoire d'amour, ton nouveau travail et ta nouvelle vie qui t'ont empêchée d'écrire un petit courriel à tes amies.

Voilà, c'était la minute culpabilisation du jour. Je suis méchante, hein ? Sérieusement, je suis contente de savoir que tout va bien et que tu es heureuse. Tu as eu plus que ta part de peine ces derniers mois. Après ces temps de grisaille, tu mérites de voir le soleil frapper à ta porte. J'espère juste que tu viendras bientôt passer quelques semaines à Québec. Les choses ne sont plus les mêmes depuis que tu es partie.

Tu sais, je me dis que si ta vie ici te manque, tu devrais peut-être envisager de la reprendre. Daniel n'aurait pas envie de venir s'installer au Québec par hasard ? On n'est plus à un « maudit Français » de plus ou de moins ! Je plaisante, bien sûr. Pour le côté « maudit Français », pas pour l'idée de revenir ici. Ça ne serait peut-être pas une mauvaise idée d'en parler à Daniel. En tout cas...

Je ne sais plus si je te l'ai dit, mais je ne vois plus Alexandre. Il a une nouvelle blonde. J'avoue que ça m'a fait un petit choc quand je l'ai su. Il ne retournait pas mes appels depuis un bout, mais je ne me doutais pas que c'était parce qu'il commençait une relation avec une autre fille ! Il a fini par m'envoyer un courriel – quel courage ! – pour m'expliquer qu'il ne pouvait pas passer sa vie à m'attendre et qu'il s'était rendu compte qu'on ne revivra jamais ce qu'on a vécu. Il a décidé de donner une chance à cette fille qu'il venait de rencontrer et je n'ai plus eu de nouvelles depuis.

J'avoue qu'il me manque, mais je ne me sentais pas capable de lui donner ce qu'il attendait. Je ne suis pas prête à être en couple pour l'instant, j'en ai la conviction. Je trouve tellement dommage que l'expression « je suis seule » soit devenue si négative avec le temps. Quand je vais souper au restaurant, la serveuse me demande toujours sur un ton empreint de compassion si je désire une table pour une personne. Elle me plaint ! Je suis bien dans mes souliers et c'est l'essentiel, non ? En tout cas...

Tu me manques et je te dis à très bientôt xxx

Marie-Anne

PS : Tu n'as pas intérêt à me laisser encore sans nouvelles pendant un mois, sinon j'envoie un tueur à gages pour te retrouver !

111

De moi à Marie-Anne :

« Objet : RE : RE : Des nouvelles de votre portée disparue !

Salut, ma célibataire préférée !

Je suis vraiment déçue d'apprendre qu'Alexandre a une nouvelle blonde et que vous ne vous réconcilierez pas. J'y croyais dur comme fer, mais j'étais peut-être la seule. Tant mieux si tu te sens bien dans ton célibat, je t'admire beaucoup en fait. Je n'ai jamais été vraiment heureuse célibataire. J'aimerais avoir ta force, ton indépendance. Il faudrait que j'arrête d'associer bonheur à relation amoureuse. Oui, l'amour rend heureux, mais il n'y a pas que ça dans la vie ! Et heureusement ! Cela dit, je dois bien t'avouer que je suis sur mon nuage depuis quelques semaines et que c'est en grande partie grâce à Daniel. J'ai l'impression d'avoir de nouveau dix-huit ans. J'ai envie de faire des tas de folie, comme partir sur un coup de tête en Italie ou nager nue dans une piscine. (Euh, privée, la piscine, ne poussons pas le bouchon trop loin !) Je me sens légère et c'est rafraîchissant comme sensation.

Je pense venir au Québec vendre ma voiture et récupérer quelques-unes de mes affaires en juin. Daniel et moi en avons parlé deux ou trois fois, et il a très envie de m'accompagner pour découvrir ce pays qui m'a touchée en plein cœur. C'est vrai que pour l'instant, je ne suis pas encore tout à fait sûre de vouloir construire ma vie en France, mais demander à Daniel de tout quitter pour déménager dans un pays qu'il ne connaît même pas, je ne pourrais pas. C'est une décision très personnelle de s'installer loin de ceux qu'on aime. Une décision difficile aussi. Et il ne faut en aucun cas la prendre pour faire plaisir à quelqu'un. Enfin, on verra bien ce que l'avenir me réserve ! Peut-être que Daniel tombera en amour avec le Québec et ne voudra plus en repartir !

Gros becs, ma belle !

Isa

De Cécile à moi :

« Objet : RE : Des nouvelles de votre portée disparue !

Salut, Isa,

Contente d'avoir de tes nouvelles et de te savoir heureuse. Un nouveau chum, un nouveau travail, on dirait que tu es totalement plongée dans ta nouvelle vie maintenant.

Ici, tout va bien. La petite crise qu'Antoine et moi avons traversée est derrière nous. D'après ce qu'Antoine m'a dit, Maxim t'a expliqué ce par quoi il est passé après notre retour de New York. Je suis soulagée qu'il t'ait tout raconté. Je me sentais vraiment mal à l'aise d'être au courant de certaines choses sur lui, alors que toi, tu ne l'étais pas. Je comprends pourquoi il voulait qu'Antoine reste discret sur ce qu'il traversait. C'est dur pour un homme, et encore plus pour un homme comme Maxim, d'avouer qu'on perd pied, qu'on est en train de tout perdre et qu'on a besoin des autres pour sortir d'une période difficile.

Es-tu encore en contact avec lui ou avez-vous décidé de couper les ponts ? Il semble réellement plus serein, tu sais, et ça fait plaisir à voir.

113

Antoine t'embrasse. J'espère qu'on pourra tous passer un peu de temps ensemble bientôt. Et j'avoue que j'aimerais bien rencontrer Daniel.

Prends soin de toi. xxx

Cécile

De moi à Cécile :

« Objet : RE : RE : Des nouvelles de votre portée disparue !

Salut, Cécile,

Moi aussi, j'ai très très hâte de passer du temps avec vous. Comme je l'ai écrit à Marie-Anne, il y a de fortes chances pour que je vienne au Québec en juin, peut-être avec Daniel. Je te tiens au courant dès que mon (notre ?) billet est acheté !

Concernant Maxim, on s'est échangé des vœux de bonne année début janvier, sans plus. J'étais assez inquiète par rapport à son arrestation et à sa dépression, mais il m'a rassurée. Je suis contente de lire qu'il remonte la pente. Je ne suis plus en colère ou déçue par rapport à ce qui s'est passé entre nous. Je n'éprouve plus de rancœur, mais je ne suis pas non plus certaine de vouloir continuer à avoir de ses nouvelles pour un certain temps. Je t'avoue que ça me ferait quand même quelque chose d'apprendre qu'il a une nouvelle blonde. C'est une chose de l'imaginer, d'essayer de l'accepter, d'essayer d'être heureuse pour lui, c'en est une autre de se le faire confirmer.

Il me manque parfois. Souvent, je repense à nos discussions jusqu'à trois heures du matin, au beau milieu de la cuisine de notre appartement. En plus d'être mon chum, il était aussi mon meilleur ami. Même si j'aime Daniel, je ne retrouve pas avec lui la complicité que j'avais avec Maxim. Je sais que c'est normal : on ne peut pas avoir la même relation avec tout le monde. Mais je trouve ça triste d'avoir perdu ce lien amical en même temps que notre lien amoureux. On ne redeviendra jamais amis, mais j'avoue qu'un jour j'aimerais qu'on recommence à s'appeler de temps en temps. En attendant, je poursuis joyeusement mon chemin !

Je t'embrasse et j'embrasse (chastement) Antoine !

Isa xxx

*Il y a des secrets qu'une femme
ne peut confier qu'à une femme,
des secrets de sensibilité.*

Jean Ethier-Blais

115

Chapitre dix

La présentation aux parents, c'est une étape que j'ai toujours redoutée dans les relations amoureuses. Dans ces moments-là, je me transforme en boule de nerfs et je ne manque jamais une occasion de mettre les pieds dans le plat. Ça n'a d'ailleurs pas loupé ce midi. En arrivant chez Susanne, la mère de Daniel, il a fallu que je commence mon entrée en matière par un beau lapsus ! Alors que nous nous installions dans le salon, j'ai voulu la complimenter sur la décoration de sa maison. Je savais par Daniel qu'elle avait tout refait elle-même deux ans plus tôt et je trouvais le résultat magnifique. J'avais même du mal à reconnaître la maison dans laquelle je passais plusieurs heures par semaine lorsque j'étais ado. Malheureusement, mon compliment a pris une tournure plus qu'inattendue. En plein milieu de ma phrase, ma langue a fourché et je me suis entendue dire :

– Vous avez vraiment bien décolleté. J'aime beaucoup.

Un silence s'est abattu le temps que je comprenne ce que je venais d'énoncer. Je me suis sentie devenir écarlate. Qui prononce le mot décolleté au lieu de décorer à part moi ?! Et pourquoi ces deux mots se ressemblent-ils autant phonétiquement ? Comble de malchance, Susanne portait effectivement un décolleté. Rien d'indécent, mais j'ai cru que j'allais me liquéfier de honte. Et si elle pensait que je jugeais sa façon de s'habiller ? Heureusement, elle a pris mon lapsus avec humour et ça m'a détendue. Nous avons même passé un excellent moment.

Susanne et moi nous connaissions déjà, bien sûr, mais à dix-huit ans, je ne faisais que la croiser. Notre relation se résumait à des « bonjour, comment allez-vous, très bien, merci, à bientôt » et ça me convenait. Déjà à l'époque, je craignais de devoir affronter une belle-mère surprotectrice qui me trouverait indigne de son fils. Avec Maxim, je n'avais pas ce problème étant donné sa relation avec Louise. Avec Susanne, je n'étais pas certaine de ce qui m'attendait après toutes ces années, et c'est donc avec une légère appréhension que j'ai accompagné Daniel chez elle ce midi. Appréhension vite dissipée car, en plus d'être une excellente cuisinière, Susanne est aussi charmante, accueillante, chaleureuse et toujours souriante.

À dix-huit ans, je la trouvais un peu stricte parce qu'elle refusait de me laisser dormir chez elle avec Daniel. Aujourd'hui, je comprends un peu mieux son point de vue. Moi-même, je ne sais pas comment je réagirai le jour où mon fils ou ma fille me demandera la permission de dormir avec l'élu(e) de son cœur sous mon toit. Je crois que ma réaction ressemblera plus à une explosion volcanique qu'à une bénédiction ! Des bougies avec ça ? Un joueur de harpe ?

Vers seize heures, Daniel et moi avons décidé de profiter du soleil de l'après-midi en nous baladant le long de la Saône. J'ai remercié Susanne pour son invitation et elle m'a répondu qu'elle espérait me revoir bientôt. Elle est tellement à l'opposé de l'image que je me faisais des belles-mères. C'est à croire qu'il y a eu une erreur dans la distribution des rôles et que ma mère a hérité de celui, ingrat, de marâtre : intransigeante et critique ! Je n'aurais pas aimé l'avoir pour belle-mère ; d'ailleurs, je plains Daniel !

Après avoir quitté Susanne, Daniel et moi avons pris le métro pour nous rendre dans le Vieux-Lyon, près du fleuve. Le printemps est à nos portes.

– À quelle heure part ton train ce soir ?

– Vingt et une heures, répond Daniel.

Je pousse un soupir puis lance, mi-sérieuse, mi-rieuse :

– Tu ne voudrais pas rester et t'accorder une semaine de congé par hasard ?

Il m'est de plus en plus pénible de raccompagner Daniel à la gare le dimanche soir ou de prendre le train qui me ramène à Lyon, lorsque c'est moi qui monte à Paris. J'aimerais pouvoir passer plus de deux ou trois jours d'affilée avec lui. Même si on s'appelle chaque soir, ce n'est assurément pas la même chose.

– À la dernière minute, ça risque d'être difficile, mais ce n'est pas l'envie qui me manque, je t'assure.

Je souris du sourire de l'enfant s'apprêtant à franchir un interdit en connaissance de cause.

– Dans ce cas, je suis sûre qu'à nous deux, nous allons arriver à trouver une excuse plausible pour que tu puisses rester à Lyon un peu plus longtemps.

Daniel réfléchit un instant et tente un compromis :

– Je pourrais prendre mon vendredi plutôt. Ce n'est pas une semaine de congé, mais je ne peux pas m'absenter davantage ; j'ai des impératifs au bureau.

Déçue, je me force néanmoins à faire bonne figure.

– Je comprends. Tout le monde ne s'ennuie pas à son travail comme moi. Je suis sûre que si je disparaissais pendant une semaine, personne ne s'en apercevrait... En tout cas, trois jours ensemble, ce serait déjà génial.

– Qu'est-ce que tu dirais si on partait quelque part dans le sud ?

– Dans le sud ? je répète en fronçant les sourcils, intriguée.

– J'aimerais rencontrer ton père, en fait.

Daniel a le don pour les surprises. Je ne m'attendais pas à ça. Rencontrer mon père ? Oui, pourquoi pas ? C'est la suite logique des choses. Daniel a toujours voulu que je le lui présente, même quand nous avions dix-huit ans. Il n'a jamais compris pourquoi j'avais coupé tout lien avec lui. J'ignore si j'ai eu tort ou raison d'agir comme je l'ai fait. J'ai sans doute été un peu excessive, mais j'étais comme ça à l'époque : entière. Je n'ai pas pu supporter d'apprendre que si mon père m'avait abandonnée pendant plusieurs mois, c'était parce qu'il avait eu une autre fille avec une autre femme que ma mère. Alors, quand il est revenu dans ma vie, désirant recommencer à jouer son rôle de parent, je l'ai repoussé. Indéfiniment. Au point, peut-être, d'avoir endommagé notre relation de manière irréversible.

Nous n'avons jamais réussi à trouver un semblant de complicité. Nous ne nous connaissons plus. Nous ne savons pas quoi nous dire. Ça me rend triste par moments, surtout lorsque je pense au lien qui nous unissait quand j'étais enfant. Comment reconstruire une relation qui a été brisée trop tôt ?

– C'était une idée comme ça, Sab, murmure Daniel devant mon silence. On n'est pas obligés d'y aller si tu ne veux pas.

– Ce n'est pas que je ne veux pas. C'est juste que ça risque d'être assez tendu comme visite. Une fois que mon père et moi avons échangé les politesses d'usage, du style « alors, quoi de neuf ? », il ne nous reste plus grand-chose à nous dire.

– Raison de plus pour passer un peu de temps avec lui et essayer de changer ça.

Je pèse rapidement le pour et le contre avant de me décider :

– Je l'appellerai ce soir et je lui demanderai s'il est disponible la fin de semaine prochaine.

– Je ne veux surtout pas te forcer la main, tu sais.

Je regarde Daniel avec tendresse.

– Je sais.

J'ai envie de voir mon père et je crois que ça me ferait du bien. J'appréhende un peu nos retrouvailles, bien sûr – la dernière fois que nous nous sommes vus, c'était à Noël, il y a déjà plus d'un an –, mais Daniel sera là. Il faut que j'arrête d'enfouir ma tête dans le sable et de penser que les choses vont s'arranger d'elles-mêmes. Je dois faire plus d'efforts et essayer de rebâtir ma relation avec mon père. Je dois essayer... jusqu'à ce que j'y arrive.

*   *

*

En arrivant chez moi, après avoir raccompagné Daniel à la gare, je décide de fouiller dans mes placards, à la recherche de mes vieux journaux intimes. Je me sens envahie d'une inexplicable nostalgie. Je ne sais pas si c'est l'idée de rendre visite à mon père bientôt ou d'avoir revu Susanne, mais je n'ai pas arrêté de penser à mon adolescence, sur le trajet jusqu'à la maison.

Quand ma mère a emménagé chez Bertrand et vendu notre maison, elle m'a demandé si elle pouvait jeter certaines de mes affaires datant de mon enfance et de mon adolescence. J'ai dit au revoir à mes Barbie décolorées, mes magazines écornés et mes vêtements issus de ma période fausse gothique sans trop d'états d'âme. J'ai cependant tenu à ce qu'elle garde mes journaux intimes. Je n'avais plus les clés des petits cadenas, mais ils n'ont pas résisté bien longtemps à mes coups de ciseaux.

Je sors une boîte à chaussures de mon armoire et retire le couvercle. Je saisis le premier journal.

Année 1994. Je ne vois plus mon père depuis presque un an. J'ai réussi à lui faire comprendre que, non, je ne passerai pas la moitié de mes vacances scolaires chez lui. Je ne sais pas trop ce qu'il ressent. Est-il déçu, triste, en colère ? S'en fiche-t-il ? Préfère-t-il se concentrer sur sa nouvelle vie et sur Ophélie ? Je me posais beaucoup de questions à l'époque et je choisissais toujours les pires des réponses. Encore aujourd'hui, j'ignore si je lui ai vraiment manqué durant toutes ces années où l'on ne s'est pas vus.

Année 1997. J'ai revu mon père et je suis encore plus en colère qu'auparavant. Je n'arrive pas à me défaire de ce sentiment. Même mon style d'écriture, nerveux et vif, s'en ressent. Je suis heureuse, cela dit. Je suis amoureuse, et Daniel est fantastique.

C'est vraiment étrange de se replonger dans ce que j'ai écrit une dizaine d'années plus tôt. J'ai presque l'impression de lire la vie d'une autre personne. Pourtant, je ne pense pas avoir changé tant que ça. Il faut que j'apaise l'adolescente colérique et rancunière en moi une bonne fois pour toutes. Je refuse de laisser le passé entacher mon avenir. Je ne veux pas que mes enfants – oui, oui, j'ai bien dit enfants ! Pas que j'aie envie de tomber enceinte maintenant, mais plus le temps passe, plus ce moment semble se rapprocher – aient à payer le prix de mes souffrances.

Mon père est comme il est, je suis comme je suis et nous devons reconstruire notre relation. Le cœur battant, je dépose mes journaux sur mon lit et attrape le téléphone.

Jusqu'à vingt-cinq ans les enfants aiment leurs parents ;
à vingt-cinq ans ils les jugent ;
ensuite ils leur pardonnent.

Hippolyte Taine

Chapitre onze

Daniel et moi roulons vers le sud de la France depuis presque quatre heures maintenant. Daniel est arrivé de Paris en fin de matinée et nous avons ensuite pris la route pour la Côte d'Azur avec la voiture de sa mère. Mon père et Catherine, sa femme, nous attendent pour la fin de l'après-midi. J'ai le cœur qui brûle et les jambes en coton à l'approche de notre destination, comme si je devais passer un examen important. Mon père s'est pourtant montré plus qu'enthousiaste à l'idée de nous recevoir pour le week-end. Au début, il a été un peu surpris par ma proposition ; je crois qu'il attendait un geste de ma part sans vraiment l'espérer. Il m'a déjà invitée à plusieurs reprises depuis que je suis revenue en France. J'ai toujours trouvé une excuse pour décliner ses offres.

La dernière fois que je lui ai rendu visite, j'étais avec Maxim et c'est avec lui que mon père a passé le plus clair de son temps. Je me demande comment les choses vont se dérouler cette fois. Daniel prendra-t-il le relais de Maxim ou vais-je enfin réussir à recréer un lien sincère avec mon père ? Ce qui est assez bizarre, c'est que je n'arrive pas à me rapprocher de lui, alors que j'adore Ophélie et apprécie beaucoup Catherine. Tout est si facile avec elles. Avec mon père, c'est différent. Beaucoup d'émotions, peut-être trop, coulent entre nous et je ne sais pas toujours comment les gérer.

– Tu penses à ton père ? s'enquiert Daniel tandis que nous quittons l'autoroute.

– Oui. J'essaie de comprendre pourquoi je n'ai pas encore réussi à reconstruire une vraie relation avec lui, alors que j'en ai une avec Ophélie et Catherine.

– C'est normal que ce soit plus difficile avec ton père, il t'a blessée.

– Oui, mais je crois sincèrement que j'ai dépassé ça.

– Peut-être parce que tu es triste alors.

– Non, je ne ressens plus de peine ou de ressentiment. Je pensais que ce serait la clé de notre rapprochement, mais je me rends compte maintenant que ce n'était que le début du chemin.

– L'essentiel, c'est que tu n'abandonnes pas. À force de passer du temps avec lui, cette gêne que tu ressens finira par disparaître.

– Je l'espère... Les relations avec les parents ne sont jamais simples, hein ? À moins que ce soit moi qui ai atterri dans une famille compliquée ?

– Ce n'est pas juste toi, répond Daniel en riant, tout le monde a une famille compliquée.

– Je me demande si les choses changent quand on devient parent. Est-ce qu'on devient plus indulgent envers les nôtres ?

– On arrive certainement à mieux les comprendre et à leur pardonner ce qu'ils ont mal fait.

Le GPS annonce soudain que nous ne sommes plus qu'à deux cents mètres de notre destination, et je sens mon corps se raidir. On y est. Plus moyen de reculer. Pourrait-on m'injecter un peu de détermination, s'il vous plaît ? D'optimisme ? Ces trois jours marqueront peut-être le début d'une ère nouvelle entre mon père et moi. Qui sait ?

– Courage, Sab, dit Daniel, sentant mon trouble, ça va bien se passer.

Mouais. Si seulement tout pouvait s'arranger d'un coup de baguette magique.

* *
*

– Vous avez trouvé facilement ? demande mon père tandis que Daniel et moi entrons dans le salon.

Je dépose mon sac de voyage sur le sol.

– Oui, sans problème.

– Tu te souvenais du trajet ?

– Oui, mais de toute façon, on a un GPS.

Mon père hoche la tête avec un sourire.

– Une belle invention, ces gadgets-là.

Le silence retombe. Je ne sais déjà plus quoi dire. Ça commence bien. Mon père se tourne vers Daniel. Il s'éclaircit la voix et lance :

– Tu dois être Daniel ?

Je réponds à la place de l'intéressé :

– Oui, c'est Daniel. Je suis désolée, je ne vous ai même pas présentés.

Je m'exécute, un peu nerveusement. Ils se serrent la main.

– Vous sortiez ensemble il y a dix ans, c'est ça ?

J'acquiesce d'un signe de tête et précise :

– On s'est revus l'automne passé et... voilà.

Je prie le ciel pour que mon père ne me demande pas de précisions. Ni sur Daniel ni sur ma rupture avec Maxim. D'une, je n'ai pas franchement envie de lui détailler les événements des derniers mois, et de deux, la présence de Daniel rendrait toute explication plus que gênante. Heureusement, mon père se contente d'un commentaire assez neutre :

– Un premier amour, c'est sacré.

– C'est sûr.

Le silence retombe de nouveau et je réprime un soupir. Le week-end va être long si les choses continuent ainsi !

– Vous voulez vous installer dans votre chambre ? propose mon père.

– Oui, c'est une bonne idée.

Daniel et moi le suivons en silence. La maison, située non loin de la mer, s'élève sur deux étages. Le salon, la salle à manger, la cuisine, le bureau et la salle d'eau se trouvent au rez-de-chaussée. Les chambres et les deux salles de bains, elles, sont au premier. C'est ici qu'Ophélie a grandi. D'ailleurs, sa chambre est restée telle quelle après son départ pour le Québec. Plusieurs photos de famille ornent les murs. En gravissant les marches menant au premier étage, je me fige en découvrant une photographie d'Ophélie et moi, sur la terrasse Dufferin en plein été. Nous nous tenons par la taille, un énorme sourire sur les lèvres. Au loin, on aperçoit le fleuve Saint-Laurent et la ville de Lévis. C'est Maxim qui a pris cette photo, comme plein d'autres cette journée-là. Il les avait ensuite transférées sur nos ordinateurs respectifs.

Je ne savais pas qu'Ophélie en avait envoyé une à notre père. Et je suis surprise que celui-ci ait décidé de la faire imprimer, de l'encadrer et de l'accrocher. Il y a bien une photo de lui et moi quand j'avais neuf ou dix ans sur le buffet du salon, mais celle-ci est différente. Elle est récente. Actuelle. C'est un peu comme si je venais d'entrer officiellement dans la famille de mon père. Je suis sa fille, la sœur d'Ophélie et la belle-fille de Catherine. Notre lien s'ancre dans le présent. Ce n'est qu'une photo et, pourtant, ça signifie beaucoup pour moi. Apercevant mon regard, mon père explique :

– Ophélie nous envoie des tonnes de photos depuis qu'elle est au Québec, et Catherine et moi avons vraiment eu un coup de cœur pour celle-là. Il y a quelque chose de particulier dans cette photo, quelque chose de vivant.

– Je sais.

Maxim a un don, il immortalise ce qu'on ne peut pas toucher : le bonheur, la tristesse, la solitude, la lassitude. Il voit tout, il ressent tout à travers son objectif.

– J'espère que ça ne te dérange pas que nous l'ayons accrochée ici, dit mon père devant mon silence.

Je le rassure d'un sourire.

– Bien sûr que non. Au contraire.

– Tant mieux, on risque d'en mettre d'autres. On a fait imprimer presque toutes les photos d'Ophélie et toi.

Je jette un dernier coup d'œil au cadre, puis monte les dernières marches. Mon père nous ouvre ensuite la porte de la chambre d'amis, adjacente à celle d'Ophélie.

– Catherine est partie faire quelques courses pour le repas de ce soir, elle ne devrait plus tarder, mais si vous voulez vous rafraîchir, prenez votre temps.

– Merci.

Mon père s'apprête à redescendre quand il se tourne vers moi et dit :

– Je suis content que tu sois là, que vous soyez là.

– Moi aussi, je suis contente.

Je me sens toujours un peu tendue, mais j'ai envie de faire les efforts nécessaires pour que cette fin de semaine se déroule le mieux possible. Rassuré par mes dernières paroles, mon père retourne au salon tandis que Daniel et moi déposons nos bagages. Je me laisse tomber sur le lit en soupirant. Daniel me rejoint et m'embrasse.

– Les choses ne se passent pas si mal, remarque-t-il avec optimisme.

– On n'est là que depuis dix minutes, je rétorque en riant, c'est un peu tôt pour crier victoire.

– C'est quand même un bon début... Bon, je vais prendre une douche, enchaîne-t-il en se relevant, ça va me faire du bien.

– La salle de bains est juste en face. Les serviettes sont dans le placard à côté du lavabo.

– Je n'en ai pas pour longtemps.

Daniel quitte la chambre quelques instants plus tard. Je m'allonge et ferme les yeux. La dernière fois que je suis venue voir mon père, j'étais avec Maxim. Perdue dans mes pensées, je caresse la couette de bas en haut, envahie par une soudaine tristesse.

– Isa ?

Je sursaute et bondis du lit. Mon père se tient debout sur le pas de la porte, le regard interrogateur.

– Ça va ? demande-t-il. Tu as l'air bizarre.

– Je réfléchissais, c'est tout. Tu voulais me dire quelque chose ?

– Il faudrait déplacer la voiture de Daniel ; elle bloque l'entrée du portail et Catherine aimerait rentrer.

– OK, pas de problème, je vais le faire.

– Profites-en pour la garer dans la cour, derrière celle de Catherine. Elle gênera moins dans l'impasse.

Je ramasse les clés posées sur le bureau et suis mon père à l'extérieur. Je salue Catherine de la main, m'installe au volant de la voiture de Daniel et libère l'entrée du portail. Catherine pénètre dans la cour et j'en fais autant. Mais, au moment de freiner, peu habituée à la distance des pédales et n'ayant pas réglé le siège du conducteur à ma taille, mon pied droit accroche la pédale d'accélération et je me vois foncer tout droit sur la voiture de Catherine. De justesse, je braque vers la droite... pour atterrir directement dans le potager de mon père. Effarée, je recule précipitamment, mais la seule chose que j'arrive à faire, c'est d'écraser les rosiers, éraflant au passage la portière du côté droit. Je rêve ! Je ne viens pas de faire ce que je viens de faire ! Ce n'est pas possible !

Je coupe le moteur et pose ma tête contre le volant. Je suis un cas désespéré. En à peine trente secondes, j'ai saccagé le potager que mon père prend tant de plaisir à cultiver, démoli les rosiers de Catherine et abîmé la voiture de Susanne. Appelez-moi Tornade Isa ! Je savais que ce week-end se passerait mal ! Je suis maudite ! Et comment va réagir Daniel quand il verra ce que j'ai fait à l'auto de sa mère ? Sans parler de Susanne ! Serait-il possible que la Terre s'ouvre et m'engloutisse illico ? Pour une durée indéterminée ?

Je relève la tête et croise le regard de Catherine à travers la fenêtre. Debout à un mètre de l'auto, je l'entends me demander :

– Isa ? Est-ce que ça va ? Tu ne t'es pas fait mal ?

J'ouvre la portière et je descends avec l'intention de rassurer Catherine et de m'excuser quand, venu de nulle part, un fou rire me secoue tout entière. J'essaie de reprendre mes esprits, mais ce fou rire a pris possession de mon corps et me contrôle totalement. Au secours ! Je suis en train d'aggraver mon cas ! Catherine va penser que je trouve hilarant d'avoir détruit le potager de mon père et ses rosiers ! Rire à gorge déployée n'est certainement pas la meilleure façon de faire amende honorable ! Le hic, c'est que je n'arrive pas à m'arrêter. Je dois même m'appuyer contre la voiture pour ne pas m'écrouler à cause des secousses qui font trembler mon corps.

– Isa ? Tu es sûre que ça va ? insiste Catherine, déroutée par ma réaction.

Me serais-je cognée contre la vitre de la voiture sans m'en rendre compte ? Catherine va finir par s'énerver si je ne me calme pas. Prenant sur moi, j'arrive péniblement à articuler :

– Je suis désolée. Je ne sais pas ce que j'ai.

Je recommence à rire de plus belle, tandis que Daniel et mon père apparaissent sur la terrasse.

– Qu'est-ce qui se passe ? demande Daniel.

– J'ai eu un petit accident.

Les deux hommes rejoignent Catherine pour examiner les dégâts.

– Je suis désolée. Je n'arrive pas à m'arrêter de rire.

Je décide de m'éloigner, le temps de reprendre mes esprits. Mes yeux sont remplis d'eau. C'est la première fois qu'un tel fou rire me prend. Ma respiration en est même devenue sifflante. C'est le stress. Je suis victime d'une grande crise de stress. Je me rappelle avoir lu que le rire est un excellent antidote et que le cerveau peut le déclencher dans des situations plus qu'inappropriées, lors d'enterrements par exemple. Qu'est-ce qu'ils préconisaient pour se calmer déjà ? De se concentrer sur sa respiration ? Je suis ce conseil pendant une trentaine de secondes et retrouve finalement mon sérieux. J'ai l'impression d'avoir fait une séance d'abdos d'une demi-heure !

Je retourne vers la voiture, espérant de toutes mes forces que personne ne m'en voudra. Daniel l'examine minutieusement, le front barré par deux ou trois plis soucieux. Mon père et Catherine, quant à eux, évaluent les dégâts du potager et des rosiers. Je m'approche lentement, la mine déconfite.

– Est-ce que c'est grave ? Je ne comprends pas ce qui s'est passé. Je suis désolée.

Personne ne répond. Ça augure mal. Peut-être qu'ils vont m'envoyer passer la nuit à l'hôtel ? Qu'est-ce que je peux faire, qu'est-ce que je peux dire pour arranger la situation ?

– Écoutez, je vais rembourser les dégâts. Je suis vraiment désolée. Et je ne riais pas parce que je me moquais, je n'arrivais pas à m'arrêter. J'ai des réactions bizarres, des fois. Je suis comme ça.

Mon père se redresse enfin.

– Ce n'est pas grave, Isa, ce sont juste des légumes et des fleurs. Il n'y a pas mort d'homme.

Surprise par sa bienveillance, je m'exclame :

– Tu es sérieux ?

– Mais oui. Oublions ça.

Touchée, je bredouille plusieurs mercis avant de me tourner vers Daniel. Celui-ci relève les yeux et m'observe avec attention. Il secoue la tête puis, sans crier gare, éclate de rire. OK, je ne crois plus que ce soit le stress le responsable de ces fous rires incontrôlables. Je pense plutôt que c'est dans l'air et que Catherine et mon père sont immunisés, habitant la région depuis près de vingt ans.

– Je n'ai jamais vu quelqu'un... faire autant de dégâts... en roulant sur à peine deux mètres, hoquète Daniel.

– Je sais. Je suis un danger public, je réponds piteusement.

Daniel reprend ses esprits.

– Ne fais pas cette tête, ce n'est rien, c'est juste de la peinture éraflée.

– Ta mère va m'en vouloir, c'est sûr.

– Mais non. Ne t'inquiète pas.

– Rentrons, suggère Catherine, je pense qu'un petit apéritif nous fera du bien à tous.

– Bonne idée ! s'exclame mon père. Mais, Isa, tu t'en tiendras au jus de fruits, d'accord ? Je n'ose pas imaginer ce que tu es capable de faire quand tu n'es pas à jeun ! D'ailleurs, pour le souper, je pense que des gobelets et des assiettes en plastique seraient préférables !

– Oh franchement ! je proteste à moitié révoltée. Je ne suis pas si gaffeuse que ça !

Oui, bon, je sais, ce n'est pas le meilleur moment pour énoncer ce genre d'affirmation. D'ailleurs, mon père et Catherine finissent par éclater de rire à leur tour.

OK. Ce n'est pas dans l'air, c'est moi qui semble être l'élément déclencheur.

Le rire est la musique la plus civilisée du monde.

Peter Ustinov

Chapitre douze

Le week-end s'est finalement déroulé à merveille. À croire qu'écraser le potager de son père, abîmer les rosiers de sa belle-mère et, par la même occasion, la voiture de son autre belle-mère crée des liens exceptionnels et aide à détendre l'atmosphère. Je devrais peut-être écrire un livre sur comment gagner l'affection de ses proches avec originalité, mais avec quelques frais de réparation. Satisfait ou remboursé deux fois ! Je tiens peut-être une nouvelle méthode infaillible. Après tout, quand j'ai rencontré Susanne, je l'ai, malgré moi, complimenté sur son décolleté et nous avons passé un excellent moment. Idem pour cette fin de semaine. À bas la politesse, vive la maladresse ! Assurez-vous quand même que vos interlocuteurs aient un sens de l'humour bien développé avant d'employer cette tactique. Et je me dois de vous avertir : il se pourrait fort bien que votre maladresse devienne le sujet favori de vos victimes pendant un laps de temps assez difficile à déterminer. Je ne savais pas que mon père avait autant d'imagination en ce qui concerne les plaisanteries. Hier à midi, par exemple, alors que tout le monde goûtait à la tarte au sucre que j'avais confectionnée, il s'est arrêté avant d'avaler le premier morceau et a demandé :

— Tu es sûre que tu as mis du sucre et non du sel dans ta tarte ?

Daniel et Catherine ont ri de bon cœur. Moi aussi, et je me suis bien gardée de leur dire que j'avais, effectivement, déjà mis du sel au lieu du sucre dans un de mes gâteaux. J'étais contente de sentir les choses couler simplement entre nous. Contente de voir Daniel et mon père apprendre à se connaître. Contente de passer du temps avec Catherine et de l'entendre me raconter des anecdotes sur Ophélie quand elle était enfant.

Nous avons aussi parlé du Québec et du voyage qu'ils ont fait là-bas pendant les fêtes de Noël. Eux aussi sont tombés sous le charme, même si les températures ont considérablement chuté vers la fin de leur séjour. Vivant sur la Côte d'Azur, où les gelées sont rares, le froid n'est pas vraiment leur tasse de thé. Mon père m'a cependant dit comprendre pourquoi j'avais eu envie de m'installer au Québec. Il a senti, lui aussi, cette douceur de vivre qui y règne et qui me plaît tellement. J'ai eu le cœur serré en pensant à tout ce qui me manque depuis que je suis revenue en France. Pendant quelques minutes, j'ai même eu envie de demander à Daniel s'il n'avait pas envie de s'expatrier avec moi pour de bon.

Le dimanche après-midi, alors que celui-ci rassemblait nos affaires en vue de notre retour à Lyon, je suis allée trouver mon père dans son bureau. Il feuilletait un album photo. En m'approchant, j'ai vu qu'il était principalement composé de photos de moi. Je me suis assise près de mon père et j'ai regardé celle qu'il contemplait. Encore une photo prise par Maxim à mon insu. Je suis installée sur le divan du salon, un livre à la main et une couverture remontée jusqu'à la taille. Mes cheveux sont attachés négligemment et je souris, prise par l'histoire que je lis. C'est une photo simple, mais ce sont celles que je préfère. Elles racontent la vie dans ce qu'elle a de plus naturel.

— Je ne savais pas qu'Ophélie t'envoyait des photos de moi seule, ai-je murmuré. Je croyais qu'elle choisissait celles où on est toutes les deux.

– Elle savait que ça me ferait plaisir.

J'ai froncé les sourcils, un peu gênée.

– Est-ce que vous parlez de moi ?

– Pas de la manière dont tu l'imagines. Ophélie me parle de toi avec admiration, et j'ai l'impression de te découvrir grâce à elle.

Je n'ai rien répondu. Il y avait comme une tristesse dans la voix de mon père qui me mettait mal à l'aise. Il a enchaîné :

– J'aimerais bien apprendre à te connaître sans elle maintenant.

J'ai baissé les yeux.

– Je sais.

Mon père a reposé l'album photo sur son bureau. Il a hésité un moment, puis il s'est lancé :

– Isa, tu n'imagines pas comme je m'en veux de t'avoir abandonnée quand tu étais enfant. Je ne pourrais jamais rien faire ou dire pour effacer la peine que tu as ressentie, j'en suis conscient. J'ai été très très lâche et, si c'était à refaire, je ne le referais pas, tu peux en être sûre. Je voudrais tellement que tu me redonnes une chance. Tu me manques.

– Je sais, ai-je répété, la gorge nouée.

– Est-ce que tu penses qu'un jour, on pourra retrouver une relation père-fille comme celle qu'on a eue en fin de semaine ?

J'ai soupiré longuement avant de répondre :

– Non.

J'ai posé ma main sur la sienne et j'ai ajouté :

– Je pense qu'elle pourra être encore mieux et j'ai envie de faire les efforts qu'il faudra pour ça.

Mon père a souri. D'un sourire que je n'avais pas vu depuis longtemps. Nous nous sommes tus un moment, réalisant mutuellement le chemin parcouru et celui qu'il restait encore à faire.

– Je n'aurais jamais cru que ce serait si dur, ai-je enchaîné. Quand j'ai repris contact avec toi il y a trois ans, je pensais qu'on se réconcilierait et que tout irait bien dans le meilleur des mondes. Je ne savais pas qu'on aurait à travailler fort pour se retrouver.

– C'est ma faute, a regretté mon père, j'aurais dû me battre davantage pour toi quand tu étais enfant.

– Ce qui est fait est fait.

– Est-ce que tu reviendras nous voir bientôt ?

– C'est promis. J'ai passé un excellent week-end.

– Moi aussi. Dommage que mes légumes ne puissent pas en dire autant !

Mon père m'a fait un clin d'œil avant d'éclater de rire.

– Oh toi ! je me suis écriée en le frappant gentiment sur l'épaule. Tu n'arrêtes jamais !

La tristesse qui teintait la pièce a fini par disparaître, laissant place à une légèreté appréciable. J'ai pris l'album photo dans mes mains et j'ai continué à le parcourir avant de m'arrêter subitement sur une page. J'ai eu l'impression de recevoir un coup de poing en pleine poitrine. Il y avait une photo de Maxim et moi sous mes yeux. Ça faisait tellement longtemps que je n'en avais pas vu. Après notre dernière conversation en décembre, j'ai transféré toutes les photos de nous et de lui sur un DVD. Je les ai ensuite effacées du disque dur de mon ordinateur et je n'y ai plus pensé. Je ne m'attendais pas à en revoir une comme ça, sans avertissement.

– Ça va ? s'est enquis mon père en apercevant mon air surpris.

Il a jeté un œil sur l'album et a aperçu la photo que je contemplais.

– Désolé. J'aurais dû l'enlever.

J'ai reposé l'album sur le bureau et je me suis levée.

– Ce n'est pas grave.

Le silence s'est installé de nouveau. J'ai chassé Maxim de mon esprit et j'ai embrassé mon père pour lui dire au revoir. Je lui ai promis de lui donner des nouvelles plus souvent et, surtout, de revenir le voir dès que possible. Je ne sais pas comment les choses vont évoluer entre nous. Tout n'est pas forcément réglé, mais j'ai l'impression que la gêne s'est envolée. En rentrant à Lyon, j'ai écrit un long courriel à Ophélie pour lui décrire la fin de semaine que je venais de passer. Elle m'a répondu que notre père lui avait sensiblement envoyé le même message un peu plus tôt. Ça lui a fait très plaisir de savoir qu'on s'était rapprochés.

Je regarde l'heure sur l'écran de mon ordinateur et retiens un cri de frustration. Mes journées de boulot s'écoulent de plus en plus lentement. Rien d'étonnant, j'ai de moins en moins de choses à faire. C'est à se demander pourquoi Sébastien Morin m'a engagée ! À croire qu'il ne voulait pas déplaire à ma mère. Enfin, au moins, je peux laisser mon esprit vagabonder et trouver des tas d'idées de romans.

Il faudrait que je m'y remette sérieusement. Je n'ai pas écrit une ligne depuis la sortie de *Vodka-Canneberge sans glace*. J'attendais d'être inspirée pour savoir quelle idée développer, mais je dois bien vous l'avouer, l'inspiration, c'est loin d'être aussi mystique ou romantique qu'on l'imagine. Pendant longtemps, j'ai cru dur comme fer qu'elle choisissait son moment pour venir irradier l'écrivain de sa grâce. Bien sûr, quand j'ai commencé la rédaction de mon premier livre, je me suis rendu compte que rien n'était plus faux. J'avais naïvement espéré que les choses seraient plus faciles avec un deuxième roman, mais là encore, je me trompais. La vérité, c'est que pour écrire, il faut s'installer devant son ordinateur et s'obliger à travailler. C'est moins *glamour*, mais c'est comme ça. Travail et persévérance ! Il me faut juste trouver le courage et l'énergie pour le travail et la persévérance maintenant. Un jeu d'enfant, pas vrai ?

L'écriture est la seule forme parfaite du temps.

J.M.G. Le Clézio

Chapitre treize

Ce soir, c'est une soirée exclusivement féminine ! Nathalie, une amie de longue date, a décidé de réunir toute la gang pour quelques heures. Et par toute la gang, j'entends Lucie, Marjorie, Christelle et moi. Nous nous connaissons depuis le lycée toutes les cinq, et notre amitié a survécu aux années, aux changements et même à l'éloignement. Nathalie nous a concocté une soirée sur le thème « L'amour, c'est magnifique ». Profitant du fait que nous sommes toutes en couple et sur le même continent – ce qui, je crois, n'était jamais arrivé avant – elle a envoyé son copain chez son frère pour la nuit et nous a invitées chez elle afin de célébrer, encenser, démystifier, critiquer et/ou assassiner l'amour.

Le programme de la soirée se présente donc ainsi :

❖ Préparation de mets aphrodisiaques à tester en prévision de futures soirées en amoureux : langoustines au gingembre et au miel, piments frits farcis au saumon de Norvège, nage de fruits à la menthe[*].

---

[*] Comme je suis gentille, vous pourrez trouver ces trois recettes à la fin du livre. Non, ne me remerciez pas, c'est tout naturel. Pensez à moi si vous passez une soirée torride. Euh, en fait non, pensez à moi après ladite soirée...

❖ Discussions sur le Kâma Sûtra et les différentes positions à essayer sans être une gymnaste accomplie.

❖ Tests sur Internet censés déterminer notre potentiel sexuel, le genre d'amante que nous sommes, le genre d'amant qu'il nous faut, etc.

❖ Lecture des plus belles scènes d'amour de la littérature.

❖ Et toute autre idée romantique et/ou quétaine et/ou grivoise qui nous passera par la tête !

La soirée promet d'être mémorable.

Comme d'habitude, Lucie et moi arrivons chez Nathalie les dernières. Celle-ci nous débarrasse de nos manteaux, puis nous rejoignons Christelle et Marjorie dans la cuisine. Après quelques minutes, la conversation s'oriente inévitablement vers le sujet du jour. Ou plutôt, du soir.

– Vous vous souvenez des attentes qu'on avait sur l'amour à l'adolescence ? lance Marjorie, qui a toujours été la plus fleur bleue d'entre nous.

– Ne m'en parle pas ! s'exclame Nathalie en riant. On s'attend tellement à vivre des histoires d'amour aussi mélodramatiques que celles décrites dans les livres, à rencontrer l'homme de ses rêves du premier coup. Mais quel homme peut rivaliser avec les personnages de romans, je vous le demande ? Avez-vous déjà rencontré l'équivalent d'un monsieur Darcy d'*Orgueil et préjugés*, vous ?

Ah, monsieur Darcy ! Si noble, si droit, voire austère au premier abord, mais si amoureux de sa belle Elizabeth ! Personnellement, j'étais moins littéraire dans mes amours

144

virtuelles. Je craquais sur un beau vampire à seize ans, mais ce n'était pas Edward Cullen. Il n'avait même pas encore été inventé !

— De mon côté, c'était Spike, dans *Buffy contre les vampires*, qui me virait le cœur à l'envers dès que je le voyais. Sa relation avec Buffy était tellement...

— Sexuelle ! s'exclame Christelle. J'étais limite choquée quand je les voyais faire l'amour !

Je proteste :

— Arrête, c'était intense ! Et puis, ce n'était pas juste sexuel entre eux. Spike a été chercher son âme pour Buffy.

— Spike l'aimait, mais Buffy, elle, pas tant que ça. Ce n'est pas vraiment ma définition de l'amour.

À moitié vexée – même si je dois bien reconnaître que Spike et Buffy sont assez loin du couple parfait –, je préfère changer de sujet :

— Et toi ? Quel personnage faisait battre ton cœur ?

— Ce n'était pas un personnage, c'était un couple : Joey et Pacey, dans *Dawson**.

J'affiche une moue indécise.

— Ouais, OK, ils étaient beaux tous les deux, mais Joey m'énervait trop. Je la trouvais super égoïste. Elle rompt avec

---

* Bon, alors, pour ceux qui ne connaissent pas la série, Joey, comme son nom ne l'indique pas, c'est une fille ! Diminutif de Joséphine.

Dawson dans la saison deux parce qu'elle veut se trouver et qu'est-ce qu'elle fait peu de temps après ? Elle sort avec Jack sous son nez ?!

– Je suis d'accord, dit Nathalie. Je n'ai pas du tout aimé sa façon de se comporter avec Dawson dans cette saison-là, ni dans les suivantes d'ailleurs. En plus, elle a le culot, dans le dernier épisode, d'énoncer à voix haute qu'elle a toujours su que c'était avec Pacey qu'elle voulait être. Bon, d'accord, chacun ses choix, mais dans ce cas, pourquoi elle ne l'a pas dit à Dawson genre quatre ans avant, histoire qu'il puisse passer à autre chose et qu'il arrête d'espérer quoi que ce soit d'elle ?

– Vous vous rendez compte comment ces personnages ont marqué notre adolescence pour que nous nous en rappelions après toutes ces années ? constate Marjorie avec un sourire.

Je hoche la tête et j'ajoute :

– Je crois que c'est parce qu'on a besoin de repères à l'adolescence. On s'identifie, on se projette et on se construit ses propres scénarios.

– Oui, mais nos vies ne deviennent jamais comme dans les livres ou les séries télé.

– Ce n'est peut-être pas une si mauvaise chose. Tu imagines s'il nous arrivait tout ce que vivent nos héros virtuels en un laps de temps si court ? On serait bonnes pour les rides et les cheveux blancs dès la trentaine !

Nous éclatons toutes de rire. Il est vrai que les personnages n'ont vraiment pas une existence de tout repos !

– En tout cas, dit Christelle, ma vie n'est peut-être pas aussi palpitante que la leur, mais c'est ma vie et elle me plaît. Je ne suis pas fan des émotions fortes.

Christelle est en couple avec le même gars depuis l'âge de pierre et elle est heureuse. Son bonheur passe par la stabilité. J'ai longtemps cru que ce n'était pas ce que je voulais. Je voulais une vie étonnante, excitante, et je l'ai eue, je pense. Maintenant, j'aspire à un peu plus de calme et de tranquillité. Je ne sais pas si c'est ma jeunesse qui passe – j'espère que non ! –, mais c'est ce dont j'ai besoin aujourd'hui. Reste à voir si ma relation avec Daniel et ma vie en France peuvent m'apporter cette stabilité (qui n'est en aucun cas synonyme d'ennui mortel, je tiens à le préciser !).

– Je n'ai rien contre un peu de tranquillité, renchérit Marjorie. Au contraire. Après des années de vie amoureuse en dents de scie et de relations catastrophiques, j'apprécie ma vie actuelle, croyez-moi !

Marjorie et moi avons tellement accumulé les expériences foireuses que ça en devenait drôle – à raconter, pas à vivre ! Il y a des moments où je me demandais même si on n'avait pas été maudites à la naissance par une méchante marraine ! Et puis, Marjorie a rencontré son chum actuel. Ils sont tombés amoureux très vite. Quant à moi, vous connaissez déjà l'histoire !

Avec un sourire, je m'exclame :

– Je te comprends ! Moi aussi, je suis contente d'être sortie de ma période enfoiré affectif/cas social/handicapé du sentiment !

– Tu te rappelles comment tu laissais échapper des imparfaits du subjectif quand tu étais en colère à cause d'eux ? demande Nathalie avant d'éclater de rire.

Oh mon Dieu, c'est vrai ! Il n'existe qu'une personne au monde qui, lorsqu'elle est énervée, emploie l'imparfait du subjonctif et cette personne, c'est moi ! Je ne le fais plus aujourd'hui – ma période *looser* est derrière moi ! Enfin, je crois... –, mais je n'ai jamais vraiment compris ce phénomène. Ce qui est sûr, c'est que l'expression de mes interlocuteurs était inimitable quand ils m'entendaient sortir de vieilles règles de conjugaison. Samuel, un de mes anciens enfoiré affectif/cas social/handicapé du sentiment, était resté pantois la première fois.

– Comment ça va avec Daniel ? s'enquiert Christelle.

– Ça va.

– Oh, c'est un petit « ça va », ça, remarque-t-elle, surprise.

Je hausse les épaules et explique :

– Non, non, les choses se passent bien. On rigole, on discute et il me soutient beaucoup dans tout ce que j'entreprends. Le hic, c'est que je ressens de moins en moins cette petite excitation qui nous envahit quand on tombe amoureux et qu'on commence une nouvelle relation.

– C'est peut-être parce que ce n'est *pas* la première fois que vous tombez amoureux, suggère Christelle.

– Oui, peut-être...

– Tu n'es pas convaincue ?

– Je ne sais pas trop. J'ai l'impression qu'il nous manque quelque chose.

– Comme quoi ?

– Si je le savais.

Le silence retombe. Je n'ai rien à reprocher à Daniel. Je me sens bien avec lui. Le problème, c'est que je ne suis pas totalement heureuse et je me demande s'il ressent la même chose que moi. Quand on s'est retrouvés cet automne et qu'on a commencé à sortir ensemble à Noël, on s'est laissé envahir par une envie presque furieuse d'être avec l'autre. Malheureusement, tout ça est retombé assez vite et j'ai l'impression qu'on essaie de trouver une meilleure façon de vivre notre histoire, sauf que ce n'est pas si évident.

Ne voulant pas gâcher notre soirée avec mes interrogations existentielles, je clos la discussion avec un sourire :

– Je crois que je me pose juste trop de questions. Pour faire changement.

Nous passons à table. Une joyeuse convivialité règne entre nous. Ces moments entre amies sont toujours agréables. Ce n'est pas la même chose en présence de gars. Ce n'est pas mieux, ni moins bien, c'est juste différent.

Au milieu du repas – délicieux en passant, courez vite acheter le nécessaire pour essayer les recettes ! –, Marjorie nous fait remarquer que si jamais ces mets aphrodisiaques font réellement effet, nous risquons de nous jeter les unes sur les autres. À moins que nous soyions obligées de courir à la maison retrouver nos hommes ou, dans mon cas, de sauter d'urgence dans un train pour Paris et de réveiller Daniel en plein milieu de la nuit. Il n'arrive à Lyon que demain et je devrais prendre des mesures extrêmes !

La soirée défile, ponctuée de rires et de confidences. Je sens néanmoins que Lucie est distraite. Elle ne participe pas à la conversation, préférant rester en retrait. Quelque chose la préoccupe. La voyant s'isoler un moment dans la salle de bains, j'en profite pour quitter, moi aussi, la cuisine et lui demander si tout va bien. Je frappe deux petits coups à la porte.

– Lucie, c'est moi. Est-ce que ça va ?

– Oui, oui, ne t'inquiète pas.

– Tu n'es pas malade ?

– Non, je vais bien.

Le silence retombe, puis Lucie entrebâille la porte. Elle est pâle et ses traits sont tirés. Comme si... Une subite intuition me frappe de plein fouet.

– Tu n'es pas enceinte quand même ?

– Chut ! Je ne veux pas qu'on t'entende ! Entre.

J'obéis et Lucie referme la porte de la salle de bains derrière moi. Elle s'assoit sur le rebord de la baignoire, mais ne dit rien. Je hoche la tête doucement et murmure :

– Tu es vraiment enceinte. C'est pour ça que tu n'as rien bu de la soirée.

J'aurais pu penser à une indigestion ou à un virus quelconque, mais je connais trop bien Lucie. Quand on était plus jeunes, on avait souvent l'impression qu'on parvenait à lire dans les pensées l'une de l'autre. Aujourd'hui, il nous arrive encore de deviner certaines choses.

– Tu es la première à qui je le dis, avoue-t-elle.

Sous le choc, je la rejoins sur le rebord de la baignoire. Quand sommes-nous devenues si adultes ? Adultes au point d'avoir des enfants ? La vie ne peut-elle pas s'arrêter de courir un peu ! Après quoi elle court ? Pourquoi ne nous laisse-t-elle pas le temps d'apprécier pleinement les moments que nous vivons ?

150

Je tourne la tête vers ma meilleure amie et prends conscience de ce que sous-entendent ses dernières paroles.

— Attends, Justin n'est pas au courant ?

— Non.

— Je ne comprends pas. Depuis quand tu sais que tu es enceinte ?

— Depuis une semaine et, si je ne l'ai pas encore annoncé à Justin, c'est parce que je ne suis pas certaine de vouloir aller jusqu'au bout de ma grossesse.

— Mais pourquoi ? Ça ne va pas entre Justin et toi ?

Celle-ci enfouit son visage dans ses mains et soupire :

— C'est compliqué.

— Si tu ne veux pas en parler, c'est correct, mais tu sais que je suis là si tu as besoin de moi.

Lucie relève la tête et me lance un regard qui me fend le cœur. Elle a l'air tellement perdue. Je me sens soudain honteuse de ne pas avoir remarqué plus tôt qu'elle n'allait pas bien. Je suis centrée sur moi-même en ce moment, sur mes interrogations concernant mon avenir, sur ma relation avec Daniel, mais la vie des autres remet souvent la nôtre à sa place.

— Il faut que j'en parle, sinon je vais devenir folle. Si tu n'avais pas deviné mon état, je crois que je me serais arraché les poils des bras un à un pour me calmer les nerfs.

— Ouch ! Ça doit faire mal ! Je ne suis pas convaincue que ça t'aurait aidée.

Mon trait d'humour, quoique un peu facile, semble faire son effet. Lucie se détend et décide de tout me raconter :

– Je ne m'attendais pas à être enceinte. Ça m'arrive d'oublier une pilule parfois pendant mon cycle, seulement ça n'avait jamais porté à conséquence jusqu'à maintenant. Au début des symptômes, je pensais que j'avais une grosse gastro et puis, lorsque j'ai commencé à avoir mal aux seins, je me suis décidée à faire un test. Lorsque j'ai vu le résultat, le sol s'est ouvert sous mes pieds et m'a complètement engloutie. Je tombais, je tombais, je tombais, mais je ne touchais jamais le fond. Je crois que je ne l'ai même pas encore touché aujourd'hui. Tout est confus dans ma tête. Quand j'ai su que j'étais enceinte, je me suis rendu compte que je n'étais pas sûre de vouloir passer ma vie avec Justin ni d'élever un enfant avec lui. Je me suis toujours posé des questions sur notre relation, sur le fait que ce qui nous unit ressemble davantage à une tendre complicité qu'à l'amour véritable. On a des hauts et des bas, comme tout le monde, mais au bout du compte, j'ai l'impression qu'on dépense vraiment beaucoup d'énergie afin que notre couple fonctionne. Il me semble qu'une relation amoureuse ne devrait pas demander autant d'efforts, autant de compromis. Si, en partant, nous ne sommes déjà plus follement amoureux l'un de l'autre, où va-t-on se trouver après l'arrivée du bébé ? Comme deux cousins asexués ? Je n'ai pas envie de renoncer à vivre quelque chose de fort et de passionné avec quelqu'un. Je croyais que ma relation avec Justin me suffisait, mais... Je sais que ce n'est vraiment pas le temps de penser à ça maintenant que je suis enceinte. Je sais que c'est égoïste, que j'ai pris ma décision de retourner avec Justin il y a des années, et en connaissance de cause. Je devrais être capable de m'y tenir, mais je ne peux pas et ça me déçoit de moi-même. Quel genre de mère je vais être si je commence déjà à penser à moi avant de penser à mon bébé ? J'avais toujours cru que lorsque je serais enceinte, ce serait parce que je l'aurais décidé, et là... j'ai été complètement prise par surprise et je ne sais pas quoi faire.

Lucie se tait et replonge son visage dans ses mains. Si elle, elle ne sait pas quoi faire, moi, je ne sais pas quoi dire. Je ne suis pas sûre d'être qualifiée pour conseiller Lucie. On parle d'un enfant tout ce qu'il y a de plus innocent. C'est autre chose que nos petits problèmes amoureux habituels. C'est autre chose qu'un gars qui nous traite mal et qui ne nous rappelle pas. On vient de changer de cour. On vient d'entrer à pieds joints dans la cour des grands.

Je reste silencieuse un moment, puis décide d'y aller avec mon cœur.

— Tu sais, Lucie, je ne crois pas que le fait de te poser des questions sur ta relation avec Justin et sur sa viabilité à long terme soit une preuve d'égoïsme. Au contraire. Tu veux donner ce qu'il y a de mieux à cet enfant, et des parents qui ne s'aiment plus ou un environnement plein de tensions sous-jacentes ne sont pas l'idéal.

Elle se redresse et fixe l'étagère contre le mur, droit devant elle.

— Quels sont mes autres choix à part l'avortement ? Quitter Justin et ne procurer qu'un père à temps partiel à ce bébé ? Ce ne serait pas juste pour lui. Et, d'un autre côté, interrompre ma grossesse, c'est un choix tellement difficile.

— Tu devrais en parler à Justin. Tu devrais tout lui dire, tout ce que tu viens de me dire. Vous devriez décider ensemble. C'est son bébé aussi.

Lucie se lève et se dirige vers le lavabo en silence. Elle ouvre les robinets afin de se rafraîchir le visage. Elle ne dit rien et je crains de l'avoir fâchée avec mes conseils. Peut-être pense-t-elle que je n'y connais rien et que je ferais mieux de me mêler de mes affaires ? C'est vrai que j'ignore tout de ce qu'on ressent quand on est enceinte. J'ai déjà tellement de mal à réaliser que Lucie l'est vraiment et qu'elle sera peut-être bientôt mère !

Elle repose finalement la serviette avec laquelle elle s'est essuyé le visage, puis me lance un regard un peu plus apaisé :

– Je sais qu'il faut que je l'annonce à Justin. Il a le droit de savoir. Je verrai peut-être les choses sous un autre angle en parlant de tout ça avec lui. Allez, viens, retournons à la cuisine, les filles vont finir par se poser des questions. Ce que je t'ai raconté reste entre nous, d'accord ?

– Évidemment.

*Dès l'instant où vous aurez foi en vous-même,
vous saurez comment vivre.*

Johann Wolfgang Von Goethe

Chapitre quatorze

La vie est étrange. Vraiment étrange. Surprenante, en fait. On ne sait presque jamais à quoi s'attendre. A-t-on vraiment le contrôle sur les événements ? Il m'arrive de me le demander de plus en plus souvent. Oui, d'accord, on peut *décider* de notre vie, mais les choses se passent-elles toujours comme on l'avait souhaité ? Non. J'aimerais d'ailleurs qu'on me donne un pourcentage de projets qui se réalisent exactement comme on l'avait imaginé. Je sais : à quoi bon vivre une existence balisée, dénuée de surprises ? On s'ennuierait. Certes, mais ce serait aussi plus reposant, non ? Demandez donc à Lucie si elle n'aurait pas préféré recevoir un petit avertissement avant de découvrir qu'elle était enceinte !

Ça fait plus de deux semaines maintenant que je suis au courant de sa grossesse et je n'arrive pas à m'y faire. Ce n'est pas tant qu'elle soit enceinte qui me jette à terre. Je savais bien que ça allait arriver un jour. C'est juste que ça m'a fait comprendre qu'on ne réalise jamais vraiment la portée de nos décisions à long terme. Quand Lucie s'est remise avec Justin après leur séparation, il y a trois ans, elle ne pouvait pas se douter qu'un jour elle serait confrontée aux conséquences de son choix. À l'origine, cela ne concernait que Justin et elle. Même si Lucie n'était pas pleinement heureuse, cette décision n'impliquait qu'eux. Aujourd'hui, il y a un bébé dans l'équation et Lucie ne peut plus décider seulement pour elle-même.

Est-ce clair, ce que je raconte ? Arrivez-vous à me suivre ? Je préfère m'en assurer parce que mon raisonnement va devenir encore plus compliqué au cours des prochaines minutes ! Fin de l'aparté, on replonge !

La grossesse inattendue de Lucie m'a fait réfléchir à mes propres choix et à leurs conséquences, des conséquences que je n'avais pas envisagées avant. Mon retour en France en est un bon exemple. Je ne sais pas encore si je veux rester ici le reste de ma vie, mais dans deux ans, je n'aurai plus la possibilité de revenir au Québec. Ma carte de résidente permanente aura expiré et je ne pourrai pas la renouveler, étant donné que je n'aurai pas respecté les obligations de résidence. Bien sûr, rien ne m'empêchera de faire une nouvelle demande, mais je devrai me relancer dans des procédures très longues (un an au minimum) et très coûteuses (deux mille dollars).

C'est la même chose pour mon travail. J'aime la gestion des ressources humaines, mais je ne suis pas encore convaincue de vouloir concentrer ma carrière dans ce domaine-là. Le hic, c'est que plus le temps passe et moins j'aurai la possibilité d'essayer d'autres avenues. Je m'approche de la trentaine, j'aspire à une stabilité ; il faudrait vraiment que je décide de ma vie professionnelle. J'adore lire des manuscrits et prendre part aux choix éditoriaux de la maison d'édition qui m'emploie, mais ce que j'aime vraiment, c'est écrire. Le problème, c'est que l'écriture ne me fera pas vivre. Grr ! Un vrai casse-tête chinois !

Socrate avait tellement raison quand il a dit : « Connais-toi toi-même. » On ne peut pas avancer dans la vie sans ça, sauf que ce n'est pas si évident. J'ai l'impression que dès que je cerne un peu plus mes besoins et mes désirs, d'autres incertitudes apparaissent subitement. J'aimerais bien arriver à établir un portrait assez précis de ce que j'attends de la vie pour pouvoir commencer à bâtir mon avenir !

C'était mon anniversaire il y a deux jours. J'ai eu vingt-neuf ans. Ou, comme Lucie se plaît à le répéter, trente moins un an. Curieusement, c'est elle qui appréhende le plus le passage à la trentaine. Moi, je suis sereine. Ce n'est jamais qu'un chiffre. Oui, la société estime qu'à trente ans, on doit arrêter de faire des bêtises et se comporter en adulte. De mon côté, j'ai décidé d'agir comme bon me semble, peu importe ce que la morale exige. Quoi qu'il en soit, je suis allée rejoindre Daniel à Paris pour le week-end, et nous sommes partis en Normandie. Nous avons passé deux jours dans une magnifique auberge entourée de paysages où se mêlaient savamment la mer et la campagne. Nous avons fait du cheval, nous nous sommes promenés sur les plages du débarquement. Qu'est-ce que j'ai pu apprécier l'odeur de l'océan et le bruit des vagues qui se jettent sur le rivage ! Les choses ne se sont pas passées comme je le pensais entre Daniel et moi, cela dit. Je l'ai senti distant par moments, comme s'il prenait un peu de recul par rapport à nous, mais je n'ai pas osé aborder le sujet avec lui. Je me suis contentée de savourer l'instant. Un subtil retour de *carpe diem*, j'imagine.

Dans le train qui me ramenait à Lyon, je me suis rendu compte à quel point la vie que je mène aujourd'hui est différente de celle que je menais il y a tout juste un an. Je vis dans un autre pays, je suis engagée dans une relation avec un autre homme et j'ai un autre travail. J'ai l'impression que tout est allé trop vite. Je ne sais pas si c'est la grossesse de Lucie qui a été le déclencheur de mes nombreuses réflexions depuis quelques jours, ou si c'est le courriel que Maxim m'a envoyé pour mon anniversaire et que j'ai découvert en revenant de Paris, dimanche soir.

Je vous arrête tout de suite, ce n'était pas un long courriel destiné à chambouler mon existence de A à Z. C'était un message « classique » d'anniversaire dans lequel Maxim me disait qu'il avait pensé à moi pour ma fête et qu'il espérait que j'avais passé une bonne journée. Je l'ai remercié et j'en ai profité pour lui demander comment il allait. Il m'a répondu qu'il avait des tas de projets concernant la photo et qu'il était content de la tournure que prenait sa vie. Je suis heureuse pour lui, sincèrement. Et nous avons vraiment pu échanger de manière amicale, sans rancœur ou animosité. Je pense que c'est ça qui m'a le plus fait plaisir. Nous sommes rendus à un stade où nous pouvons communiquer sans laisser nos sentiments passés interférer. J'en viens parfois à me demander si ce n'est pas l'amour qui a compliqué notre relation. Enfin, ce qui est fait est fait ! J'ai fini de me préoccuper du passé. Construire son avenir est déjà bien assez éreintant, je ne vais pas en plus me coller des migraines en analysant des choses qui, quoi que je fasse, resteront telles quelles.

Je devrais peut-être parler à Daniel de ce que je ressens par rapport à notre relation. Le problème, c'est que je ne saurais pas trop comment mettre des mots sur les sentiments qui me submergent. J'ai des doutes par rapport à tout. Simple, non ? Qui veut ma vie ? Je suis sûre que, même à rabais, personne ne s'en porterait acquéreur ! OK, mettons que les femmes du Yémen la voudraient. Et peut-être aussi celles d'Afghanistan. Et... D'accord, disons qu'aucune femme en Europe occidentale et en Amérique du Nord n'en voudrait. Sauf peut-être celles qui errent dans les rues. Et peut-être aussi celles qui sont en prison. Et... OK, c'est bon, j'avoue, ma vie est parfaite ! Non, pas parfaite, mais j'ai toutes les cartes en main pour en faire quelque chose de magnifique.

*   *

*

– Je ne renouvellerai pas mon contrat à l'hôpital.

Ma mère lève les yeux du livre qu'elle était en train de lire et fronce les sourcils. Je continue :

– Je ne veux plus travailler à l'hôpital après le mois de juin. Ça fait quelque temps que j'y pense ; je ne me sens pas à ma place là-bas.

– C'est normal, ce n'est pas ta maison, rétorque sèchement ma mère, tu es censée y travailler, pas te bâtir un foyer.

Je lève les yeux au ciel. Je me demande si elle sait faire preuve d'autre chose que d'ironie ou de sarcasme à mon égard. Ça en devient lassant à force, sans compter que c'est d'un prévisible ! Je me force néanmoins à rester calme et j'enchaîne :

– Ce que je voulais dire, c'est que je trouve mes journées très longues. Le travail que je fais, je pourrais l'accomplir en une vingtaine d'heures par semaine. Le reste du temps, j'essaie de m'occuper comme je peux et ça devient de plus en plus difficile. J'ai abordé le sujet avec monsieur Morin cet après-midi. Il m'a laissé entendre qu'il n'avait pas vraiment besoin de quelqu'un à temps plein, mais qu'il n'avait pas pu te refuser la faveur que tu lui demandais.

Ma mère reste impassible. Elle se contente de déposer son livre sur la table basse du salon et se lève pour me faire face. Je croise les bras sur ma poitrine, impatiente d'entendre ses justifications.

– Qu'est-ce que tu me reproches encore ? Tu voulais un travail, tu en as eu un, non ? Tu devrais plutôt me remercier au lieu de me jeter ton ingratitude à la figure.

Je manque de m'étouffer avec ma salive.

– Je t'ai jeté quoi à la figure ? Mon ingratitude ?

Ma mère a un de ces culots, c'est hallucinant ! Je suis pourtant restée placide en abordant le sujet avec elle. Je ne l'ai pas agressée parce que je ne voulais pas provoquer une énième dispute entre nous, et voilà que c'est elle qui m'attaque ! Elle a vraiment besoin qu'on lui remette les pendules à l'heure ! Lorsque j'ai appris ce matin que le service du personnel n'avait, en réalité, besoin que d'un employé à temps partiel, je n'ai pas eu de réaction. Ce n'est pas comme si ma mère n'avait jamais forcé personne à agir selon ses désirs. Je tenais cependant à lui faire part de mon mécontentement et à lui expliquer pourquoi j'avais décidé de ne pas renouveler mon contrat avec l'hôpital. Je voulais qu'on ait une discussion franche, exempte d'animosité, mais c'était apparemment trop demander !

– Écoute, Isabelle, reprend ma mère, si tu préfères abandonner un poste très bien rémunéré afin de faire je ne sais quoi, c'est ton choix. Puisque tu tiens tant à prendre tes décisions et à mener ta vie sans l'aide de personne, je t'en prie, vas-y. Mais ne viens pas pleurer ensuite quand tu te retrouveras le bec dans l'eau.

Je secoue la tête, abasourdie par ses propos. Me considère-t-elle vraiment comme une ratée en devenir ? Si je refuse son aide, je vais forcément finir dans le caniveau, c'est bien ça qu'elle vient d'insinuer ? Non, non, pas d'insinuer. Elle l'a énoncé clairement ! J'hésite entre pleurer et hurler. De guerre lasse, je murmure :

– Je n'ai aucune marge de manœuvre avec toi, hein ? Dès que je fais quelque chose qui te déplaît, tu me critiques et tu ne te gênes pas au passage pour me dire que je commets une bêtise irréparable.

– Je tiens seulement à te faire prendre conscience des conséquences possibles de tes décisions, affirme ma mère, inébranlable.

– Eh bien, permets-moi de t'annoncer que tu t'y prends très mal. Quand je pense que j'ai été assez stupide pour croire que tu pourrais changer !

– Je suis désolée, mais si tu veux bien te donner la peine de te souvenir correctement de notre conversation à ce sujet, je ne t'ai jamais promis de changer. Au contraire.

– Alors quoi ? Je vais devoir endurer ton comportement le reste de ma vie ?

Je serre les poings, envahie par une sourde colère. J'en ai ma claque de ses remarques pleines de mesquinerie à mon égard. Ce n'est pas étonnant que mon estime personnelle soit si faible avec une mère qui me croit incapable de réussir quoi que ce soit !

– Tu sais quoi, maman ? C'est terminé ! J'en ai assez d'essayer de te prouver que je suis intelligente, douée et capable de prendre des décisions sensées ! À partir d'aujourd'hui, ce que tu penses de moi ou de ce que je fais de ma vie n'a plus aucune importance ! Continue de dénigrer mes actes si ça te chante, ça ne m'atteindra plus ! Oh, et au fait, je me suis entendue avec monsieur Morin pour travailler à temps partiel le temps de finir mon contrat. J'ai hâte d'entendre ton opinion à ce sujet. Ah, non, c'est vrai, je m'en fiche désormais ! Je te laisse à ton livre ! Bonne soirée !

Je tourne les talons, j'attrape mon sac et ma veste et je quitte l'appartement, laissant ma mère pantoise. Il y a des moments dans la vie où il faut savoir dire stop. Je ne supporte plus son comportement. Je ne peux pas continuer à me battre contre elle. Je dépense trop d'énergie à essayer de lui faire comprendre quelque chose qu'elle ne comprendra jamais. Quoi que je dise, quoi que je fasse, elle persistera à critiquer mes moindres faits et gestes, à décider pour moi. C'est ainsi. Mais si elle refuse de changer, moi, en revanche, rien ne m'en empêche !

Quoi qu'on fasse ou décide on se trompe toujours.

Gilles Archambault

Chapitre quinze

Une heure que je marche dans les rues de Lyon sans aller nulle part. Il m'arrive souvent de me promener sans but, juste pour le plaisir. Ça me détend, ça m'aère l'esprit et, la plupart du temps, quand je rentre chez moi, j'ai les idées plus claires. Ce soir, en revanche, c'est loin d'être le cas. Tout est emmêlé dans ma tête. Le seul truc que je sais, c'est que je ne veux pas revoir ma mère, ni aujourd'hui ni pour un certain temps. J'ai besoin d'un break du docteur Lise Sirel ! Je sors mon cellulaire de mon sac et j'appelle Lucie. Une demi-heure plus tard, je compose le code de l'interphone de son immeuble et sonne à son appartement. C'est elle qui m'ouvre la porte. Nous nous asseyons sur le divan au salon. Justin décide de nous laisser seules et s'installe dans la pièce qui leur sert de bureau.

Lucie a finalement décidé de garder son bébé. Peu après notre soirée chez Nathalie, elle a annoncé à Justin qu'elle était enceinte. Elle ne savait pas comment il allait réagir à la nouvelle. Elle croyait qu'il paniquerait, qu'il aurait besoin de temps pour digérer la surprise. C'est donc avec un étonnement non dissimulé qu'elle a accueilli son débordement d'enthousiasme. Elle lui a cependant expliqué ses doutes, autant sur son envie de mener sa grossesse à terme que sur leur relation.

Justin l'a plutôt mal pris au début. Il ne se doutait pas que Lucie n'était plus satisfaite par leur couple et qu'elle avait envie de vivre autre chose. Il lui a reproché d'avoir attendu d'être enceinte pour vider son sac. Quand il lui a demandé si elle comptait garder l'enfant, Lucie a répondu qu'elle ne savait pas. Abasourdi, Justin est parti en claquant la porte et a passé la nuit chez son frère. Lorsqu'il est revenu le lendemain, il était un peu plus calme. Il a répété à Lucie qu'il avait très envie d'avoir cet enfant, mais qu'il comprenait ses hésitations et qu'il respecterait sa décision, quelle qu'elle soit. Il a aussi ajouté qu'il l'aimait, qu'il voulait être parent avec elle et qu'il était prêt à tous les efforts pour lui faire de nouveau ressentir ce qu'elle avait ressenti quand elle était tombée amoureuse de lui. Cette déclaration a atteint Lucie en plein cœur. C'était la première fois depuis longtemps qu'elle sentait l'amour que Justin lui porte et ça l'a vraiment touchée. Elle a quand même pris le temps de peser le pour et le contre concernant sa grossesse et s'est rendu compte que plus les jours passaient, plus elle se sentait liée à son bébé et voulait devenir sa mère. Elle a aussi très envie de retomber amoureuse de Justin.

Lucie avait rendez-vous avec sa gynécologue aujourd'hui pour sa première échographie et j'en profite pour lui demander comment ça s'est passé.

— Est-ce que tu as senti le bébé bouger ?

— Non, ce n'est pas avant le quatrième mois en général, mais j'ai entendu son cœur battre à l'échographie hier, répond-elle en posant une main sur son ventre.

— Entendre son cœur... Ça doit être un moment unique.

— Oh que oui, ça l'est !

– L'accouchement est prévu pour quand ?

– Le 10 octobre. C'est loin et proche à la fois. Justin et moi avons tant de choses à organiser. Pour commencer, on veut déménager et prendre un appartement plus grand. On aura ensuite la chambre du bébé à préparer. Je suis heureuse d'avoir décidé d'aller jusqu'au bout de cette aventure.

Ça se voit. Elle est rayonnante comme jamais et, je ne sais même pas si elle s'en rend compte, dès qu'elle parle de sa grossesse, elle pose une main sur son ventre avec douceur, comme si une partie d'elle rejoignait instinctivement son bébé. Je me demande ce que ça peut faire d'être enceinte. Qu'est-ce qu'on ressent en sachant qu'un être humain grandit chaque jour en nous ? Qu'on est responsable de lui et qu'on le sera pour les vingt prochaines années si ce n'est pour le reste de nos jours ? C'est un contrat à vie, la maternité. Un contrat que je ne me sens pas encore prête à signer.

– Et avec Justin, comment ça se passe ?

– Oh, il ne touche plus terre ! Je n'aurais pas cru qu'il réagirait ainsi. On n'avait jamais vraiment parlé d'avoir des enfants. Je savais qu'il en voulait, mais j'ignorais que l'idée de devenir père l'enchanterait autant. Si tu le voyais, il est tout le temps en train de parler de prénoms ! Je crois qu'il en rêve même la nuit !

– Entre vous, ça va ?

– Oui, ça va même très bien. Justin n'arrête pas de me surprendre ces temps-ci. On sort plus, on discute et, surtout, on s'amuse. Il était sincère quand il m'a dit qu'il voulait que je ressente de nouveau ce qui m'a fait tomber amoureuse de lui. Je n'ai jamais été aussi bien traitée : restaurant trois étoiles, fleurs, week-end à la campagne, j'ai même eu droit à un poème !

– Un poème ? je répète en essayant de garder mon sérieux. J'ai du mal à imaginer Justin en train d'écrire des vers romantiques.

– Et pour cause, répond Lucie en éclatant de rire, il ne deviendra jamais le nouveau Baudelaire. C'était tellement... je ne sais pas... je crois qu'un de mes amoureux en primaire m'avait écrit un poème semblable ! Mais bon, c'est l'intention qui compte. J'ai compris quelque chose concernant Justin : il s'endort sur ses sentiments au bout d'un moment. Quand on s'est remis ensemble il y a deux ans, il était comme maintenant : attentionné, romantique, je ne pouvais pas rêver mieux. Et puis, petit à petit, il a arrêté et je me suis résignée. Aujourd'hui, je sais qu'il continue de m'aimer même quand il exprime moins souvent ses sentiments. Ça ne veut pas dire qu'il ne les ressent plus. C'est juste dans sa nature. Et, comme le but n'est pas qu'il change et devienne une autre personne, je lui ai demandé de se rappeler, au moins de temps en temps, que j'ai besoin de me sentir aimée. Il m'a répondu qu'il ne l'oublierait plus.

– Finalement, ce bébé est la meilleure chose qui pouvait vous arriver.

Lucie secoue la tête, songeuse.

– Je ne sais pas. Je n'aime pas me dire que c'est ma grossesse qui a sauvé notre couple. Je ne pense pas qu'on se serait séparés dans l'immédiat si je n'avais pas été enceinte, mais, au bout du compte, peut-être qu'on aurait laissé notre relation se dégrader jusqu'à ce qu'elle ne puisse plus être sauvée. Ma grossesse a réveillé nos sentiments, seulement qui peut dire ce qui va se passer avec l'arrivée du bébé ? Je serai tellement de femmes à la fois : maman, amoureuse, amante, amie, fille, sœur. Un beau défi m'attend pour arriver à ne pas me cantonner au rôle de maman.

166

– Eh oui ! Vive les femmes du XXIe siècle !

Lucie sourit, puis lance :

– Bon, assez parlé de moi. Qu'est-ce qui s'est passé avec ta mère ?

Je grimace et soupire :

– Ce qui se passe depuis vingt-neuf ans ! Je te jure, j'ai l'impression de revivre sans cesse la même histoire avec elle ; ça n'a pas de fin !

Je lui explique en quelques mots la dernière dispute que j'ai eue avec ma mère et elle me répond :

– Je comprends ce que tu ressens. C'est déjà si compliqué de mener sa vie et de prendre les bonnes décisions, si, en plus, il faut faire plaisir à ses parents, on ne s'en sort plus. C'est normal, je crois, de ne pas vouloir les décevoir, mais au bout du compte, c'est nous qui devons vivre avec nos choix, pas eux.

– Si tu pouvais faire comprendre ça à ma mère, ce serait génial. Il faut que je déménage, ça fait plus de six mois que je vis chez elle, j'ai épuisé mon quota. Si seulement c'était plus simple de trouver un appart en France ! Ce n'est pas avec un contrat de travail temporaire – et à temps partiel de surcroît – qu'un propriétaire va me louer quelque chose.

– Tu peux rester ici tant que tu veux.

Je regarde Lucie avec un sourire dans les yeux.

– C'est vraiment gentil, mais je dois trouver une solution permanente à mes problèmes. On dirait que ta grossesse a réveillé plein d'interrogations que j'avais enfouies au plus profond de moi.

– Comment ça ?

– Disons que je me rends compte de certaines de mes insatisfactions.

– Professionnelles ?

– Oui, mais pas seulement.

Lucie fronce les sourcils et demande :

– Tu n'es pas heureuse avec Daniel ? Je me souviens que tu avais vaguement abordé le sujet à la soirée de Nathalie.

– Je suis heureuse, mais... je ne sais pas, je ressens comme un manque. C'est difficile à décrire.

– Ce n'est pas parce que Maxim t'a écrit pour ton anniversaire que tu te poses ces questions, si ?

– Non. Je sais que c'est fini entre nous, mais je me pose des questions sur mon avenir en général... En tout cas, je ne trouverai pas de réponses ce soir, alors autant aller se coucher. Il est tard, le monde continue de tourner et, demain, il faut qu'on aille toutes les deux travailler !

Un quart d'heure plus tard, je cherche les bras de Morphée. Où es-tu, Morphée ? Viens m'envelopper de tes bras tendres ! Je n'ai pas envie de me prendre la tête toute la nuit !

Le lendemain, après une nuit assez agitée et un rapide petit-déjeuner, je remercie Lucie et Justin de leur hospitalité et me rends à mon bureau. C'est vendredi. Un long week-end de trois jours nous attend pour Pâques*. Je dois prendre le train ce soir pour rejoindre Daniel, mais je me demande si je ne devrais pas mettre à profit ces quelques jours de congé pour prendre un peu de recul par rapport à tout ce que je ressens. Où est-ce que je pourrais aller ? Je n'ai pas envie d'envahir l'intimité de Lucie et Justin plus longtemps ou celle de Nathalie, Marjorie ou Christelle. Je pourrais réserver une chambre dans un *bed and breakfast* de la région, mais avec la fin de semaine de Pâques, ils doivent être complets. Je réfléchis pendant toute la matinée à une possible destination et tente d'ignorer les textos sous lesquels ma mère me noie depuis que je suis réveillée. Ne désirant pas l'inquiéter inutilement – je suis sûre qu'elle m'imaginait déjà sur un lit d'hôpital ou pire, à la morgue –, je lui ai brièvement expliqué que j'avais dormi chez Lucie et que je ne comptais pas rentrer à la maison avant quelques jours. Évidemment, elle ne s'est pas contentée de cette réponse et me harcèle depuis. Grand bien lui fasse ! Elle n'a pas besoin d'en savoir plus sur ma vie.

Un peu avant midi, je décide d'appeler Daniel pour lui annoncer que, finalement, je n'irai pas à Paris. Ma défection risque de le prendre au dépourvu, mais j'espère qu'il ne sera pas trop déçu.

– Salut, Sab, dit-il d'emblée en décrochant – vive les afficheurs !

– Salut. Je ne te dérange pas ?

– Non, non. Qu'est-ce qui se passe ? Tu as une voix bizarre.

– Euh, en fait, j'ai... Est-ce que tu serais vraiment contrarié si je ne venais pas à Paris pour la fin de semaine ? J'ai besoin de passer un peu de temps seule.

---

* En France, nous n'avons que le lundi de Pâques férié, snif !

– Qu'est-ce qui se passe ? répète-t-il, pris au dépourvu par le chamboulement de nos plans.

– Rien de grave. Je dois réfléchir à certaines choses.

– À propos de notre relation ?

– À propos de tout.

Daniel reste silencieux et je gigote sur ma chaise. Je sais qu'il trouve mon comportement étrange depuis ces dernières semaines. Moi qui déteste les gens lunatiques, je suis en train de le devenir sans vraiment pouvoir m'en empêcher. Un jour, je me montre amoureuse, le lendemain, je suis distante. Daniel aussi, à vrai dire, et c'est pour cette raison que je tiens à ce qu'on prenne un peu de recul. J'ai besoin de passer quelque temps seule en tête à tête avec moi pour réfléchir et décider de mon avenir de la façon la plus éclairée possible.

– Pourquoi tu ne viendrais pas à Paris pour qu'on discute ? propose Daniel d'une voix assez froide, presque abrupte.

– On discutera, oui, mais je pense que ça nous fera du bien de réfléchir chacun de notre côté. Tu sais, j'ai remarqué que toi non plus tu n'es pas toi-même depuis quelque temps, est-ce que je me trompe ?

Daniel élude mon interrogation, pousse un soupir bref et demande :

– Qu'est-ce que tu vas faire ? Tu vas aller où ?

– Je ne sais pas encore, mais je t'appelle dès que je rentre à Lyon, OK ?

– Je n'ai pas vraiment le choix, hein ?

– Non.

– Bon week-end, alors, lance-t-il avant de raccrocher.

Eh bien, je ne pensais pas que Daniel le prendrait comme ça. Je suis bouche bée. Il a toujours été tellement patient avec moi. Je ne comprends pas sa réaction. Je sais que je ne suis pas facile à vivre ces derniers temps, mais d'une, je ne suis pas la seule et je ne me plains pas, et de deux, ce n'est pas comme si je lui avais annoncé que je partais un mois dans un ashram en Inde ! Je le rappellerai demain. Il devrait être plus enclin à me parler d'ici là.

Bon, et maintenant ? Où vais-je ? Que sais-je ? Qui suis-je ? Nan, je rigole. Je recommence. Bon, et maintenant, où vais-je passer la fin de semaine ? Telle est la question !

La vie ne se comprend que par un retour en arrière,
mais on ne la vit qu'en avant.

Sören Kierkegaard

Chapitre seize

J'aime prendre le train. Je m'y sens plus en sécurité qu'en avion, et le paysage ne ressemble pas indéfiniment à un ciel bleu parsemé de nuages. Je me suis finalement décidée sur ma destination de la fin de semaine : le sud de la France et, plus précisément, chez mon père. L'idée s'est imposée d'elle-même. Trois jours au bord de la mer, au calme, dans une maison où j'ai fini par me sentir vraiment bien lors de ma dernière visite, entourée de gens qui m'aiment. Quand je les ai appelés pour leur demander si je pouvais m'inviter chez eux le temps du week-end, ils se sont montrés plus qu'enthousiastes à l'idée de me revoir. Il ne m'en fallait pas plus pour passer chez moi récupérer quelques affaires et sauter dans un train, le sourire aux lèvres. Je ne suis pas nerveuse en pensant à ces quelques jours qui m'attendent. Au contraire. Je suis impatiente. Je sais que tout va bien se dérouler et, avec un peu de chance, je trouverai quelques réponses à mes questions.

C'est Catherine qui vient me chercher à la gare, mon père ayant décidé de nous régaler ce soir d'un bœuf bourguignon dont il a le secret. Dans la voiture, Catherine et moi discutons d'Ophélie, qui doit revenir en France la semaine prochaine afin de passer les épreuves orales de l'École des beaux-arts de Paris, son dossier préliminaire ayant été accepté. Ma sœur a hâte de rentrer, de retrouver sa famille, ses amis, son pays, mais elle a aussi beaucoup de peine à l'idée de quitter Olivier pour quelques semaines et le Québec pour toujours. Je comprends tellement ce qu'elle ressent, même si, de son côté, elle semble ne pas avoir de doutes concernant son avenir : c'est en France qu'elle veut vivre. Le Québec n'était qu'une étape dans sa vie, une étape qu'elle a adorée, mais qu'elle ne désire pas prolonger. Ah ! Si je pouvais, moi aussi, savoir précisément ce que je veux...

Catherine gare la voiture dans l'allée devant la maison et nous sortons. Avec un certain embarras mêlé d'incrédulité, je repense aux dégâts que j'ai causés aux légumes et aux rosiers la dernière fois que je suis venue. Ils semblent avoir récupéré, mais je suis sûre que s'ils pouvaient parler, je les entendrais crier : « Ne t'approche pas de nous, danger public ! »

Une délicieuse odeur vient me chatouiller les narines quand je franchis la porte. J'ai déjà faim. Mon père m'accueille avec un énorme sourire.

— Je suis tellement content de te voir !

— Moi aussi. Et, en passant, merci encore pour votre hospitalité.

— Ce n'est vraiment rien. Tu es ici chez toi, tu sais.

Je souris à mon tour et nous montons tous les deux à l'étage déposer mes affaires.

— Alors, tu t'es disputée avec ta mère ?

Surprise, je lance :

— Pourquoi tu me demandes ça ? Elle t'a appelé ?

– Mmm.

– Mmm ? C'est un oui ?

– Elle m'a appelé il y a une heure.

J'hallucine. Je ne peux pas partir trois jours chez mon père sans que ma mère en fasse un scandale. Je lui ai envoyé un texto pour la tenir au courant, et la seule chose qu'elle trouve à faire, c'est de téléphoner à mon père. Lui a-t-elle ordonné de me mettre dans le prochain train tant qu'à y être ? Je n'en reviens juste pas de sa façon de se comporter ! Il faut que je lui achète un chien ! Sa vie est vraiment vide si elle n'a rien d'autre à faire que d'épier mes moindres faits et gestes !

– Qu'est-ce qu'elle voulait ?

Mon père hausse les épaules.

– Tu sais comment elle est. Elle n'aime pas se sentir tenue à l'écart.

– Oui, eh bien, si elle agissait différemment, peut-être que j'aurais moins envie de la maintenir à distance !

Je secoue la tête, puis prends une longue inspiration afin de me calmer.

– Enfin, ce n'est pas grave. Je suis venue ici pour me détendre, pas pour m'énerver.

– Est-ce qu'il s'est passé quelque chose en particulier pour que tu aies besoin de t'éloigner pour un temps ?

– C'est tout et rien à la fois.

175

Mon père hoche la tête.

– Si tu veux discuter, je suis là.

Je le remercie, touchée. La soirée se déroule à merveille. Je complimente mon père pour son bœuf bourguignon, j'en profite pour lui soutirer sa recette, puis je décide d'aller me promener sur la plage avant de me coucher. Je ne me lasserai jamais de la douceur du sable sous la plante de mes pieds, du bruit des vagues qui échouent sur le rivage, de la lumière de la lune qui se reflète sur l'eau. Parfois, on ne peut que s'incliner devant la beauté du monde. Je m'assois sur le sable et regarde l'horizon. J'aimerais tellement pouvoir y entrevoir mon avenir. Je me sens tellement perdue.

– *Et on peut savoir pourquoi ??? Parce que Lucie est enceinte ??? C'est quoi, le problème ?* Get over it !

Hum, c'était finalement trop demander que d'espérer passer une soirée tranquille. On fait la vague pour fêter le retour de ma petite voix ! Yeah ! Euh, c'est une blague, hein ! Restez assis !

– *Tu n'y es pas du tout ! Je suis heureuse pour Lucie, mais sa grossesse m'a permis de prendre conscience de certaines choses.*

– *Comme quoi ?*

– *Comme le fait que depuis des mois j'avance sur une route sans être certaine que c'est bien la mienne. Comme le fait que Daniel aussi semble se poser des questions sur nous. Et puis, je serais bouleversée s'il devait m'arriver la même chose qu'à Lucie. Ça veut bien dire quelque chose concernant ma relation avec Daniel, non ? Je n'ai jamais eu peur d'être enceinte quand j'étais avec Maxim.*

– *Oui, Isa, ça veut dire quelque chose, mais certainement pas ce que tu crois. Ta relation avec Daniel ne peut pas se comparer à* celle que tu avais avec Maxim, étant donné que ça ne fait même pas trois mois que tu t'investis ! Arrête de faire l'enfant et d'être impatiente ! Laisse le temps à votre relation !

— Tu ne comprends rien.

Mais comment le pourrait-elle, vu que je ne me comprends pas moi-même ? J'ignore ce que je cherche ou ce qui me manque, mais je sais que je ne peux pas continuer à faire semblant que tout va bien. Oui, ma relation avec Daniel me rend heureuse et non, je ne la compare pas à celle que j'avais avec Maxim, mais je ne suis pas certaine d'aimer la vie que je mène, et ce, dans tous les domaines.

— Si tu commençais à définir comment tu envisages ton avenir professionnel, ce serait déjà pas mal ! Tu ne sais pas ce que tu veux, le voilà, le problème.

Un point pour elle, je dois bien le reconnaître ! Je ne me laisse néanmoins pas faire et rétorque :

— Je sais ce que je ne veux plus, c'est déjà ça.

— Désolée, mais ce n'est pas suffisant. C'était correct il y a dix ans, voire cinq ans, mais si tu veux réussir ta vie, il faudrait que tu te décides sur un métier une bonne fois pour toutes.

— Pourquoi ? Y a-t-il une loi qui oblige les gens à définir qui ils sont avant trente ans ? Si j'ai envie de toucher à plusieurs métiers, moi ? La vie offre tant de possibilités, pourquoi se contenter d'une seule ? Nos grands-mères n'avaient aucun choix, nos mères se sont battues pour en avoir, j'ai ce privilège, pourquoi le gâcher ?

— Peut-être qu'avoir trop de choix, ce n'est pas mieux que de ne pas en avoir du tout. Tu restes pétrifiée à cause de l'indécision, tu as peur de te tromper. Il faut savoir arrêter de réfléchir, et agir.

— C'est exactement ce que je fais, tu sauras ! Je ne veux plus d'une vie qui ne me ressemble pas.

— OK. Et qu'est-ce qui te ressemble ? Tu as essayé l'écriture, la lecture de manuscrits, la gestion des ressources humaines, as-tu enfin trouvé ce que tu voulais faire ??? Vas-tu essayer tous les emplois du monde avant de te décider ?

— Et si je le faisais, où serait le problème ?

— Ce n'est pas toi qui aspirais à un peu plus de stabilité il n'y a pas si longtemps ?

Hum, OK, deux points pour elle ! Je me fais battre à plates coutures ce soir ! On ne se décourage pas et on contre-attaque !

— Oui, je veux une vie plus stable, mais je n'atteindrai cette stabilité que lorsque je serai satisfaite de mes choix.

— Mais quels sont tes choix ???

Elle me gueule dessus ou je rêve ? On reste calme, on reste calme !

— Je veux écrire et, si je me souviens bien, c'est toi qui me poussais à suivre mes rêves il n'y a pas si longtemps ! Je suis bien consciente que l'écriture ne me fera pas vivre, mais j'adore tenir ma chronique sur le Québec et j'ai envie d'essayer de décrocher d'autres contrats avec des magazines et des journaux.

— Tu veux devenir journaliste pigiste spécialiste du Québec ? C'est vrai que la demande est énorme en France !

Ah, que son ironie mêlée à un soupçon flagrant de scepticisme est agréable !

— Non, je ne veux pas devenir spécialiste du Québec, mais oui, je veux devenir journaliste pigiste. Ça me laissera du temps pour écrire et je pourrai payer mes factures.

— Tu oublies un tout petit détail...

— Lequel ?

— Tu n'as pas étudié en journalisme !

— Je sais, mais j'apprends vite. Je ne veux pas couvrir les actualités, je veux faire des entrevues, écrire des articles, des reportages, des chroniques, et je suis persuadée que je peux le faire.

— Je demande à voir.

— Eh bien, regarde moi aller, ma chère !

Je lève mes fesses du sable, je plonge la tête en arrière et j'inspire profondément l'air salin qui glisse dans mes poumons. C'est dur d'être soi-même, de vivre selon ses propres règles, mais quand on se décide à le faire, c'est libérateur. Il faut oser changer, oser combattre ses peurs, l'inconnu. C'est seulement en agissant ainsi qu'on n'aura pas de regrets plus tard.

Rassérénée par ma promenade, je décide de retourner chez mon père, animée par une motivation sans borne. Ce sera mon objectif d'ici la fin de mon contrat à l'hôpital : en apprendre le plus possible sur le travail de pigiste – je sais que ce n'est pas parce qu'on aime écrire qu'on peut s'improviser journaliste du jour au lendemain, loin de là – et commencer à bâtir mon carnet d'adresses pour proposer mes idées d'articles. Qu'est-ce que j'ai hâte ! J'aurais dû écouter mon intuition il y a des mois, mais j'ai préféré jouer la carte de la raison en cherchant un emploi dans le domaine dans lequel j'avais étudié et, plus tard, en acceptant le poste que ma mère m'avait trouvé. Qui refuse un travail bien payé pour une vie jalonnée d'incertitudes, à part une personne instable ? Je ne voulais pas être instable à l'époque. Je ne le désire toujours pas aujourd'hui. La seule différence, c'est que je ne considère plus que suivre ses rêves et ses envies soit instable. Oui, il faut réfléchir et ne pas se lancer à l'aveuglette, sans préparation, juste en croisant les doigts pour que les choses se déroulent au mieux. C'est d'ailleurs pour cette raison que je ne compte pas tout plaquer du jour au lendemain. Mais à un moment donné, il faut se lancer. Ce sera peut-être une erreur. Peut-être que je vais me rendre compte que je n'ai pas les capacités ou le talent de mes ambitions, mais au moins j'aurai essayé. Que les gens – et par les gens, j'entends ma mère – me qualifient d'instable si ça leur chante ! Je m'en fiche !

*   *
*

Bon, maintenant que j'ai trouvé quelques réponses concernant ma vie professionnelle, je ne peux plus reculer, il faut que j'analyse ma relation avec Daniel. Je dois reprendre le train ce soir. La fin de semaine a passé si vite ! J'ai discuté avec mon père, je me suis promenée et repromenée sur la plage, j'ai cuisiné avec Catherine. J'ai essayé d'appeler plusieurs fois Daniel aussi. Sans succès. J'espère qu'il n'est pas encore fâché parce que j'ai décidé de partir quelques jours chez mon père au lieu de venir à Paris. Je n'ai vraiment pas envie de discuter avec lui de notre relation alors qu'il m'en veut – pour pas grand-chose, je tiens à le préciser. J'aimerais qu'il me dise comment il envisage notre avenir. J'habite à Lyon, lui à Paris, un jour ou l'autre, l'un de nous deux devra déménager. Ai-je envie de m'installer à Paris ? Ai-je envie que Daniel revienne vivre à Lyon pour être avec moi ? Je ne sais pas. Nous avons déjà vaguement abordé le sujet de la cohabitation plusieurs fois, mais jamais en profondeur. On ne faisait que plaisanter sur la vie qu'on pourrait mener à Paris, entourés de livres. Je crois qu'il est maintenant temps de creuser plus sérieusement la question.

Quand je me projette dans l'avenir, je n'arrive pas à savoir si je nous vois habiter ensemble. J'étais tellement prise par mon *carpe diem*, par l'excitation de la nouveauté quand Daniel et moi avons recommencé à sortir ensemble que j'ai occulté l'avenir de notre relation. Je n'avais pas envie d'y penser. Je me disais que les choses évolueraient et se décideraient d'elles-mêmes. Mais, apparemment, on ne peut pas se laisser vivre trop longtemps sans se poser un tas de questions. Te prendre la tête, Isa, c'est ton destin ! Oh yeah !

Je rejoins mon père dans la cuisine. Je crois que c'est sa pièce préférée dans la maison. Il est toujours en train de tester une recette. Je ne me souvenais pas de cette passion chez lui. Je m'assois sur une chaise près de la table.

— Qu'est-ce que tu prépares aujourd'hui ?

— Un poulet aux girolles, répond-il avec un sourire.

— Je sais d'où je tiens mon goût pour la cuisine.

— Ta mère aussi cuisine, non ?

— Oui, mais c'est surtout pour les grandes occasions.

Elle aime tant qu'on la complimente ! Parlant du docteur Sirel, je n'ai pas eu de nouvelles de toute la fin de semaine. Une vraie bouffée d'oxygène. À croire qu'elle s'est rendu compte qu'à force de m'étouffer avec ses questions et ses reproches, elle m'avait poussée à bout. Ou, plus probable, elle a passé le week-end chez des amis, se concentrant ainsi un peu plus sur sa vie et moins sur la mienne. Je suis sûre que si j'avais eu un frère ou une sœur, les choses auraient été différentes. C'était mon vœu le plus cher quand j'étais enfant. Mais bon, mon père est parti et ma mère a décidé qu'une fille, c'était bien suffisant.

Je regarde mon père, debout devant la cuisinière. Il y a tellement de choses que j'ignore encore sur lui. Pourquoi nous a-t-il quittées, ma mère et moi, du jour au lendemain, en déposant une lettre sur la table de la salle à manger ? Pourquoi ne nous a-t-il pas donné de nouvelles pendant des mois ? Pourquoi a-t-il attendu d'être retrouvé par le détective privé que ma mère avait engagé pour prendre contact avec moi ? Aurait-il seulement refait surface dans ma vie sans ça ? Qu'a-t-il pensé durant tous ces mois où j'étais seule avec ma mère et où nous ne savions même pas s'il était encore vivant ? Pourquoi a-t-il tiré un trait sur le passé pour tout recommencer ailleurs ?

— Est-ce que Catherine est sortie ?

— Elle s'occupe du jardin.

Je me mordille la lèvre inférieure, hésitante. J'ai très envie de poser à mon père ces questions qui me taraudent, mais je ne veux pas faire remonter à la surface des sentiments difficiles. Je ne veux pas créer un nouveau froid entre nous. Nous avons eu bien trop de mal à faire disparaître l'ancien. D'un autre côté, je suis venue ici pour essayer de trouver des réponses sur ma vie, sur mes choix. Peut-être que la compréhension du présent passe par la compréhension du passé ?

— Papa ?

— Oui ?

— Je voudrais te demander quelque chose, mais je ne veux pas que tu te sentes mal à l'aise.

182

Mon père se tourne vers moi, le front plissé.

– Qu'est-ce qu'il y a ? Tu as le ton grave tout à coup.

– J'aimerais aborder un sujet qui risque de ne pas trop te plaire.

– OK, répond-il avant de délaisser ses fourneaux et de venir s'asseoir en face de moi.

Le silence envahit la pièce. Je me tords nerveusement les doigts, cherchant le meilleur angle pour entamer la discussion. Intuitif, mon père vient à mon secours.

– Tu veux qu'on parle de mon départ, n'est-ce pas ?

– Comment tu le sais ?

– Je te connais plus que tu ne penses.

– J'avoue que je n'arrive pas à comprendre pourquoi tu as pris une décision si extrême, ni comment tu as fait pour aller jusqu'au bout.

Mon père toussote un moment. Je perçois son malaise, ce qui ne fait qu'augmenter le mien. Je ne dis rien, lui laissant le temps de m'expliquer ce qu'il juge important. Il finit par lever les yeux vers moi et commence :

– Je regretterai toujours d'avoir agi comme je l'ai fait, sois-en sûre. Si j'ai choisi de partir sans dire un mot, c'est parce que... je ne voyais pas d'autres options à l'époque. J'étais lâche et je ne me sentais pas le courage d'affronter ta mère. Les choses n'allaient plus entre nous depuis longtemps et j'ai rencontré Catherine. Elle m'a fait voir la vie autrement, mais ce n'est que lorsqu'elle a accouché d'Ophélie que l'évidence m'a frappé : je ne pouvais plus continuer à vivre dans le mensonge. Avoir une maitresse, vivre une double existence qui ne me convenait plus, c'était trop pour moi. Je voulais que les choses changent. Tu sais, avoir un enfant, c'est si... définitif. On peut divorcer, on peut déménager, changer de vie, mais on sera toujours parent, quoi qu'on fasse. C'est un engagement pour la vie. Tu dois trouver ça paradoxal parce que, quand je suis parti avec Catherine et Ophélie, je t'ai quittée aussi. Ce n'est pas que j'aimais ta sœur plus que toi, vraiment pas. Mais j'avais l'impression de me noyer et il fallait que je m'en aille. Je me répétais que je serais un meilleur père pour toi après, quand j'aurais reconstruit ma vie. J'ai fait beaucoup d'erreurs, mais s'il y en a une qui me fait mal et que je ne cesserai jamais de regretter, c'est de t'avoir laissée dans un silence complet pendant des mois après mon départ. Je n'ai pas d'explications à mon comportement. Chaque fois que je songeais à ma vie à Lyon avec ta mère, c'était comme si je suffoquais et j'ai préféré occulter ces années. Je pensais à toi souvent, mais je n'avais pas le courage de revenir. Je suis désolé. J'aurais tellement voulu t'épargner tout ce que tu as dû vivre.

Je regarde mon père, les yeux embués et la gorge nouée. C'est la première fois que nous parlons à cœur ouvert de ce qui s'est passé quand il est parti. C'est difficile, ça fait mal, mais c'est aussi nécessaire. La voix chevrotante, je dis :

– Pourquoi as-tu attendu de te sentir si mal pour agir ? C'est parce que tu as trop attendu que tu as choisi une solution aussi extrême ensuite, non ?

– C'est vrai, mais je crois qu'une partie de moi voulait se convaincre que la vie était ainsi faite et que je devais m'en accommoder. Il ne faut jamais se forcer à vivre des choses qu'on ne veut pas vivre, sinon on finit par exploser et ça donne ce genre de résultats désastreux.

Mon père s'interrompt un moment, semblant hésiter, puis reprend :

— Isa, je vois bien que tu cherches des réponses concernant ta vie et que tu as du mal à accepter ce que tu ressens et tous tes questionnements. Le problème, c'est que si tu continues dans cette voie, tu risques un jour de ne plus le supporter. C'est dur de savoir ce qu'on veut, mais ça l'est encore plus de l'accepter, surtout si au passage on doit faire du mal à certaines personnes.

— Tu penses à Daniel ?

— Je ne sais pas. Il n'y a que toi qui saches. Mais on doit reconnaître quand on s'est trompé de chemin.

Me suis-je trompée de chemin avec Daniel ? Aurais-je dû me battre pour sauver ma relation avec Maxim ? La vie se joue-t-elle toujours sur des choix difficiles ?

— Tu ne peux pas changer le passé, Isa, mais tu as toute la latitude voulue pour l'avenir.

— Et si je me trompe encore ? Comment être sûre de faire le bon choix ?

Mon père soupire, attristé par l'incertitude qu'il lit sur mon visage. Il dépose sa main sur la mienne et dit :

— On peut y aller rationnellement et on peut aussi écouter son intuition.

Écouter son intuition. Je ferme les yeux et tente d'entrer en contact avec elle. Je me concentre sur ma respiration, le mouvement de mon ventre. *Qu'est-ce que je veux ?* Je continue d'inspirer et d'expirer, je me détends. Je laisse les images s'imposer à moi. Et c'est le Québec que je vois. Je ne vois ni Maxim ni Daniel. Et soudain, je comprends. Je pensais qu'en oubliant Maxim, je rapatrierais cette partie de moi qui est restée au Québec et que j'arrêterais de me sentir incomplète. Et oui, je me suis sentie mieux quand j'ai fait mon deuil de notre relation, mais je suis toujours là-bas. La meilleure partie de moi est là-bas. Je ne saurais même pas expliquer pourquoi. C'est comme ça, c'est tout. Je suis tombée en amour avec le Québec il y a presque cinq ans et c'est un amour que je veux éternel.

Qu'est-ce que ça signifie pour Daniel et moi ? Ça, je ne le sais pas.

Le père est un miroir dans lequel la petite fille puis l'adolescente peut discerner les prémices de la femme qu'elle deviendra.

Geneviève Bersihand

Chapitre dix-sept

J'ai finalement réussi à joindre Daniel au téléphone. Il était à la montagne, au condo de sa mère, et son cellulaire ne parvenait pas à capter le réseau. Il s'est arrêté à Lyon avant de repartir pour Paris, et c'est là que j'ai pu lui parler. Je lui ai dit que j'étais chez mon père, que j'étais heureuse de l'entendre et que j'avais envie de le voir. Il m'a répondu qu'il attendrait que je revienne à Lyon avant de prendre le train pour Paris. J'ai donc dit au revoir à Catherine et à mon père, puis j'ai sauté dans le TGV !

Je suis contente d'avoir passé cette fin de semaine avec eux. Pas seulement parce que j'y vois un peu plus clair dans mes sentiments, mais surtout à cause de cette discussion que j'ai eue avec mon père. Jamais je n'accepterai qu'il ait pu partir comme il l'a fait, mais je le comprends mieux, je crois. Je peux enfin accepter l'enfance que j'ai eue. Je peux consoler la petite fille en moi qui pense que c'est de sa faute si son univers s'est écroulé. Je peux surtout arrêter de me définir par rapport à un événement que j'ai vécu il y a si longtemps. Le départ de mon père a affecté tant de choses dans ma vie, et notamment ma relation avec les hommes. Ce n'était pas à Daniel ou à Maxim de me guérir, c'était à moi. À moi et uniquement à moi.

Le train ralentit sa cadence, la gare est en vue. Je secoue la tête, incrédule par rapport à tout ce qui s'est passé ces derniers jours. Quelle fin de semaine ! Et dire que c'est loin d'être fini !

*   *

*

Daniel et moi sommes assis dans un café près de la gare. Il m'attendait sur le quai quand je suis arrivée. Il m'a embrassée, comme d'habitude, mais il semble distant. Il me regarde avec un air... je ne sais pas... bizarre. Je lui raconte néanmoins ma fin de semaine, je lui parle des réponses que j'ai trouvées concernant mon avenir professionnel, des conversations que j'ai eues avec mon père. Il ne réagit pas. Je lui demande alors ce qu'il a fait pendant ces quelques jours.

– Je me suis reposé. L'air de la montagne me détend toujours.

– Oui, j'imagine. L'air salin a le même effet sur moi.

– J'ai réfléchi aussi.

Mon cœur s'accélère sans que je puisse l'en empêcher.

– Et ?

Daniel pousse un long soupir et je m'attends au pire. Il n'a pas souri depuis que je suis arrivée, pas desserré les dents. C'est à peine si je le reconnais.

– Je crois que notre relation est ancrée dans le passé et qu'elle n'arrive pas à prendre son envol, déclare-t-il, les yeux rivés sur sa tasse de café.

– Qu'est-ce que tu veux dire ?

Il hésite quelques secondes, relève la tête et se décide enfin à affronter mon regard.

– J'ai l'impression que nous ne faisons que revivre notre passé en essayant de corriger ce que nous avons mal fait.

Mon cœur cogne de plus en plus fort dans ma poitrine tandis que je m'exclame :

– Tes sentiments pour moi ne sont pas réels, c'est ça ?

– Bien sûr qu'ils sont réels, mais il y a beaucoup de souvenirs dans cet amour que je ressens pour toi, et on ne peut pas bâtir une relation sur des souvenirs.

Je n'arrive pas à croire ce que j'entends. Je suis sans voix. Je ne m'attendais tellement pas à ce qu'il me dise ce genre de choses. Évidemment qu'au début, moi aussi, je me demandais si ce qui nous poussait l'un vers l'autre n'était pas une certaine envie de revivre notre adolescence, mais j'ai dépassé ce stade il y a longtemps. Je me suis investie dans notre relation. Je me suis donnée sincèrement et tout ça pour quoi ? Pour apprendre que, pour lui, ce que nous partageons ne sont que des souvenirs d'amour ?

Sentant une sourde colère me gagner, je lance avec une certaine ironie :

– Tu es parvenu à cette conclusion en trois jours ?

– Je crois que je le savais depuis le début, mais que je refusais de le voir. On ne peut vivre son premier amour qu'une fois, Sab.

– Je le sais, je ne suis pas stupide ! Et contrairement à toi, ce n'est pas ce que j'essaie de faire en étant avec toi.

— Peut-être que tu en es persuadée aujourd'hui, mais je suis sûr qu'au fond de toi, tu sais que j'ai raison.

— De mieux en mieux ! Tu veux maintenant me dire ce que je ressens !

— Depuis quelques semaines déjà, j'essaie de comprendre ce qui nous a rapprochés et ce qui nous éloigne maintenant.

— Et le dénominateur commun ne peut être que notre passé, selon toi ?

— Oui, ça et...

— Et quoi ?

Daniel grimace et finit par avouer :

— Je pense qu'inconsciemment, je cherchais à me racheter vis-à-vis de toi. J'ai toujours regretté la manière dont je t'ai quittée à dix-huit ans.

— Essaies-tu de me faire du mal avec tes paroles, Dan ? je m'écrie, blessée.

Il secoue la tête, ne me quittant pas des yeux, et dit d'une voix douce :

— Je ne renie pas ce que nous avons vécu, je t'assure, mon but n'est pas d'enlever de l'importance à notre relation. J'ai été heureux avec toi, j'ai cru à notre couple, mais...

— Tu n'y crois plus ? Du jour au lendemain, tu n'y crois plus ?

— Pas du jour au lendemain. J'ai été patient. Je pensais que notre relation se mettrait en place d'elle-même une fois que tu aurais réussi à laisser Maxim derrière toi, mais il nous manque encore quelque chose.

Je reste silencieuse, envahie par une soudaine tristesse. Daniel n'a pas tort. Ce qu'il dit me fait mal, mais il n'a pas tort. Je n'irai pas jusqu'à affirmer qu'on a essayé de revivre le passé, seulement les faits sont là : on devrait être heureux et on ne l'est pas.

Daniel enchaîne :

– Comment envisages-tu notre avenir, toi ? À quelles conclusions es-tu parvenue pendant ce week-end ?

Je baisse les yeux, ne sachant trop quoi dire. Je ne veux pas continuer sur le chemin sur lequel nous nous sommes engagés depuis nos retrouvailles sur le quai de la gare. Nous sommes sur le chemin de la séparation et je ne suis pas prête. C'est arrivé trop vite. Oui, je veux retourner vivre au Québec, oui, les choses sont difficiles entre nous, mais dans ma tête, tout ça ne signifiait pas forcément la fin de notre relation. Je m'étais dit qu'il serait peut-être ouvert à l'idée de passer quelques mois là-bas, que c'était peut-être ça qui nous faisait défaut : de la nouveauté, de la découverte, des projets communs. Je m'étais dit qu'ensuite, après cet essai là-bas, on verrait. Maintenant, ce n'est plus possible. C'est vrai qu'il nous manque quelque chose, mais pourquoi abandonner si vite ce que nous avons reconstruit ? Je ne comprends pas comment j'ai pu me tromper à ce point sur notre relation. Je croyais que les sentiments de Daniel étaient sincères, basés sur le présent, et voilà qu'aujourd'hui, il m'avoue être avec moi en partie à cause d'une culpabilité issue de notre rupture passée. Je suis tannée de vivre des relations compliquées !

Je relève la tête et murmure :

191

– Je l'avoue, moi aussi, j'ai certains doutes sur notre avenir commun, mais pas à cause de mes sentiments pour toi, qui eux, sont bien réels.

– Mes sentiments sont réels, proteste-t-il.

Je balaie son objection d'une main et continue :

– Si j'ai certains doutes, c'est surtout parce que j'ai envie de retourner vivre au Québec.

Daniel ne réagit pas. Il ne semble même pas surpris. Étonnée, je dis :

– Tu t'en doutais ?

– Ce n'est pas pour rien si, d'instinct, je t'ai offert ce pendentif représentant le Québec, à Noël. Je sais ce que le Québec représente pour toi. Là encore, je pensais que lorsque tu aurais oublié Maxim, tu finirais par tirer un trait sur ta vie là-bas, mais les deux sont bien distincts dans ton esprit, pas vrai ?

– Oui, j'ai eu du mal à les démêler, mais, aujourd'hui, ma vie au Québec et ma vie avec Maxim sont deux choses différentes.

– OK, mais si tu veux vivre à Québec, comment notre relation pourrait-elle survivre ?

– Je pensais que peut-être, tu aurais envie de... Mais en fait, tu ne veux plus être avec moi, c'est ça ?

– Je ne sais pas.

Je me mords la lèvre, sentant une boule d'émotion se loger dans ma gorge. Les mots sont les armes les plus dangereuses que l'homme possède. Ils peuvent anéantir en une fraction de seconde.

La voix tremblante, je dis :

— J'étais tellement loin de me douter qu'on était au bord de la rupture.

C'est trop soudain. Je n'arrive pas à penser. Que dire ? Que faire ? Je suis inapte aux séparations. Je ne sais pas les gérer. Chaque fois que ça m'arrive, j'ai l'impression que mes sentiments sortent de mon corps et deviennent incontrôlables. Daniel reste calme de son côté. Il ne semble même pas triste. Comment peut-il ne pas être triste ? Il y a quatre mois, il me répétait qu'il voulait être avec moi, qu'il était prêt à attendre que je fasse le point sur mes sentiments. Il y a deux mois, il me disait « je t'aime » ! Aujourd'hui, il se rend compte qu'il s'est trompé et ça ne lui fait rien ? « Désolé, Sab, mais c'est la vie », c'est ça ? C'est tout ce que la situation lui inspire ?

Je me lève et ramasse mes affaires.

— Je pense que tu devrais rentrer à Paris.

Daniel se lève à son tour, son air calme toujours accroché à son visage. Comment peut-il être calme ? Alors quoi, c'est fini ? Je suis censée oublier ces mois que nous avons passés ensemble en tant qu'amis puis en tant que couple ? Je ne sais pas. Je ne sais plus. Et je ne comprends pas. Non, vraiment, je ne comprends pas comment on en est arrivés là. En trois jours.

Nous quittons le café ensemble, en silence. Que reste-t-il à dire ? Si Daniel ne m'aime pas d'un amour vrai et sincère, basé sur le présent, si moi aussi j'ai des doutes concernant la solidité de notre relation et son avenir, et si, en plus, je veux retourner au Québec, il ne nous reste plus rien à dire. Nos chemins se séparent ici.

193

— Est-ce que je pourrais t'appeler dans quelques jours ? demande-t-il.

— Pourquoi ?

— Pour parler.

— Ce n'est pas ce qu'on vient de faire ?

Oui, c'est abrupt comme séparation, c'est rapide, et je n'ose même pas anticiper l'état dans lequel je vais me réveiller demain, mais à quoi bon étirer tout ça ? Les choses sont telles qu'elles sont. Autant les accepter tout de suite.

Je me tourne alors vers Daniel et dis :

— Restons-en là, OK ?

On ne met pas son passé dans sa poche ;
il faut avoir une maison pour l'y ranger.

Jean-Paul Sartre

Chapitre dix-huit

– Je n'arrive pas à croire que vous ayez rompu comme ça ! s'exclame Marie-Anne alors que je lui apprends, sur Skype, les derniers rebondissements de ma vie amoureuse. C'est vraiment fini ? Vraiment ?

Je soupire avec tristesse et Marie-Anne enchaîne :

– C'est incroyable quand même de réaliser du jour au lendemain que les sentiments qu'on éprouve pour quelqu'un ne sont pas réels !

– Ce n'était pas du jour au lendemain. Il avait des doutes sur notre relation depuis des semaines et jamais il n'a abordé le sujet avec moi avant qu'on se sépare. Comme quand on avait dix-huit ans. Est-ce qu'on est condamnés à refaire les mêmes erreurs tout au long de notre existence, encore et encore ? Parce que si c'est ça, je capitule. Je rends les armes et je me recycle en religieuse.

– Je t'imagine bien, tiens ! Le noir et blanc te va à merveille ! Mais tu sais, je ne crois pas que tu aies accès à Internet au couvent.

– OK, laisse faire le couvent !

– De toute façon, c'est Daniel qui a mal agi, point final, mais ce qui fait notre force à toutes les deux, c'est notre capacité à nous relever.

– Je n'en doute pas, mais ça m'a fait mal ce qu'il m'a dit et, depuis, je n'arrête pas de me demander s'il a raison. A-t-on réellement tenté de revivre notre passé ?

Je sais que ce que Daniel et moi avons vécu était réel, sincère aussi, et il ne l'a pas nié, seulement c'est dur d'admettre sa vision des choses. Depuis plusieurs jours, je repasse dans ma tête les images de nos retrouvailles, puis de notre couple, en cherchant des réponses. Je suis tellement en colère contre lui. *Il* a cherché à me revoir. *Il* m'a dit qu'il recommençait à éprouver des sentiments pour moi. *Il* s'est montré si parfait quand Maxim a débarqué à Lyon et *il* m'a fait croire à quelque chose que nous n'aurons jamais. Je lui en veux énormément pour ça. Cela dit, je reconnais qu'il y avait beaucoup de souvenirs entre nous. Nous en avons créé d'autres, mais aurait-ce été suffisant ? Nous ne le saurons sans doute jamais.

Comme si elle lisait dans mes pensées – ce qui ne m'étonnerait pas, elle est un peu sorcière sur les bords ! – Marie-Anne dit :

– Il faut parfois accepter de vivre avec des questions qui resteront à jamais sans réponse.

– Et comment on fait ?

– On arrête de se torturer.

Je laisse échapper un soupir rieur et lance :

– Tu as le mode d'emploi ?

– Non, malheureusement ! s'exclame-t-elle sur le même ton. Mais je sais que tu y arriveras.

Oui, moi aussi je le sais, mais je le répète : je suis fatiguée de me tromper de voie, de devoir reculer pour pouvoir avancer sur un autre chemin. On dirait que je ne prends jamais les bonnes décisions, que je ne choisis jamais les bonnes personnes. Je croyais en ma relation avec Maxim. Je croyais en ma relation avec Daniel. Et aujourd'hui, je me retrouve seule. Encore. Sauf que, cette fois, c'est pour de bon. Je veux arrêter de me définir en fonction des hommes qui croisent ma route. Je suis passée d'une relation à une autre trop vite. J'ai besoin de passer du temps seule avec moi maintenant. J'ai besoin de me consacrer à *ma* vie. Seul hic : ces paroles sont bien jolies, seulement j'ignore comment je vais arriver à faire ça ! Je n'ai jamais été heureuse en étant célibataire.

Je confie mes doutes à Marie-Anne. Elle m'écoute longuement, puis finit par énoncer :

– Je suis passée par le même chemin que toi, Isa. Exactement le même. Et je vais te poser la question que je me suis posée : pourquoi as-tu peur d'être seule ?

– Je ne sais pas. C'est comme ça, c'est tout.

– Bip ! Mauvaise réponse ! On recommence, et ne me sors pas une autre banalité, s'il te plaît, réplique Marie-Anne, mi-sérieuse, mi-rieuse.

Je reste silencieuse, cherchant au fond de moi les raisons qui me poussent à tout faire pour ne pas être célibataire. Entre la fin de ma relation avec Daniel à dix-huit ans et le début de ma relation avec Maxim à vingt-six, j'ai enchaîné relation foireuse sur relation foireuse et je ne me suis jamais vraiment demandé pourquoi j'agissais ainsi. Il est peut-être temps que j'y réfléchisse. Est-ce parce que la société – et par société, j'entends ma mère – nous apprend tellement à considérer le célibat comme une tare que je refuse d'être seule ? Est-ce parce qu'elle nous force à chercher l'âme sœur que j'essaie à tout prix de devenir deux ? Certainement. Personne ne peut nier la pression qu'exercent notre entourage, les magazines, les livres même, en portant un regard négatif sur le célibat. La première chose qu'on dit toujours – TOUJOURS – à une célibataire quand on ne l'a pas vue depuis longtemps, c'est : « Et alors, comment vont les amours ? Une belle fille comme toi, je ne peux pas croire que tu n'aies pas encore trouvé chaussure à ton pied. » S'il vous plaît, la prochaine fois que quelqu'un vous posera cette sempiternelle question, envoyez-le promener de la part d'Isabelle Sirel ! Merci !

C'est fou comme on se laisse influencer par ce que les autres pensent. Leurs opinions finissent par peser sur les nôtres, même si on n'est pas forcément d'accord avec ce qu'ils racontent. Non, je ne me vois pas rester célibataire toute ma vie, mais pourquoi ne pas prendre le temps de savourer ma solitude, sans crainte ? Pourquoi ne pas prendre le temps de faire des choses pour soi et uniquement pour soi ? Peut-être que je me trompais quand j'essayais de choisir entre Maxim et Daniel en décembre. Peut-être qu'il manquait une personne dans cette équation. J'étais tellement persuadée que mon bonheur passait par l'un ou l'autre de ces deux hommes. J'aurais dû me choisir *moi* à l'époque. Je ne l'ai pas fait, mais je le fais maintenant. Je veux apprendre à être seule, apprendre à me connaître. Me connaître vraiment. Il est temps que j'arrête de m'éviter, et c'est tellement libérateur de se choisir. Ce n'est pas égoïste. On vit dans un monde où oser penser à soi est presque devenu honteux. Quelle erreur ! Tout commence et tout finit par soi.

Réalisant que Marie-Anne attend toujours ma réponse, je lui résume les conclusions auxquelles je suis arrivée et la remercie pour son écoute et ses conseils. Nous discutons encore un peu du célibat, de l'amour, de la vie, et puis je me décide à aborder un autre sujet, le plus important.

– Je voulais te dire, Marie, j'ai pris une grosse décision pendant ma fin de semaine chez mon père et je pense qu'elle te fera plaisir.

– Dis-moi tout. J'ai très envie de recevoir une bonne nouvelle aujourd'hui ! répond-elle, impatiente.

– En réfléchissant à ma vie ces dernières semaines, j'ai découvert que c'est au Québec que je veux construire mon avenir.

Marie-Anne reste un moment silencieuse, incertaine de la signification précise de mes dernières paroles.

– Tu es en train de m'annoncer que tu reviens vivre à Québec, c'est ça ?

– Ça a l'air que oui.

– Ce n'est pas une plaisanterie, hein ? Tu es sincère ?

– Bien sûr, je ne te donnerais pas de faux espoirs pour le plaisir ! Je suis restée en France après ma rupture avec Maxim parce que j'en avais besoin, mais ce n'est plus ici que je veux vivre. Je le sais maintenant. Je le savais même avant que Daniel et moi nous séparions.

Rassurée par le sérieux de mes propos, Marie-Anne laisse alors échapper un cri de joie qui traverse l'Atlantique jusqu'à moi. Sa réaction ne pouvait pas me faire plus plaisir.

– Je suis trop contente ! Tu comptes revenir quand ?

– Début juillet, je pense. Il faut que je termine mon contrat à l'hôpital.

– Ça va arriver vite ! Si tu veux, je pourrais t'aider à trouver un appartement qui t'attendrait dès ta sortie de l'aéroport.

– Ce serait vraiment génial. Merci.

– Ça me fait plaisir. On va avoir tellement de fun ! On va être les célibataires les plus *hot* de Québec ! As-tu annoncé ton retour à Cécile et Antoine ?

– Non, personne ne le sait à part toi. Je ne l'ai même pas encore dit à ma mère !

Je me demande d'ailleurs comment elle va réagir. Nous n'avons pas reparlé de notre différend lors de mon retour à la maison. Elle a agi comme si nous ne nous étions jamais disputées et j'ai choisi de faire de même. Depuis, les choses ont repris leur cours. Elle ne me pose pas de questions sur mon avenir – ce que je trouve vraiment reposant – et je profite de cette trêve. Je sais que lorsque je lui annoncerai que je retourne à Québec, son barrage va se lever, son flot de questions va se déverser sur moi, et je doute que mes réponses la satisfassent. Peu importe, je ne dépenserai pas deux mille calories pour tenter de la convaincre du bien-fondé de mes décisions. Oui, oui, essayer d'expliquer à ma mère que je ne gâche pas ma vie est un sport très éprouvant, nécessitant l'ingestion préalable d'une tablette de chocolat blanc à la noix de coco pour éviter de s'évanouir en cours de route, victime d'une hypoglycémie foudroyante.

– Je compte l'annoncer à Cécile et Antoine ce soir, ensuite je m'attaquerai à mon entourage ici.

— Tu ne veux pas le dire à Maxim ? demande Marie-Anne sans détour.

— Je vais un peu y être obligée. Antoine finira par se trahir, et de toute façon, on va devoir se revoir ne serait-ce que lorsque je viendrai récupérer les affaires que j'ai laissées dans notre appartement.

Je ne retourne pas au Québec avec l'idée de reprendre notre relation, mais j'avoue que je ne sais pas trop comment je vais réagir en le revoyant. Je me demande souvent à quoi ressemble sa vie depuis que je n'en fais plus partie. A-t-il vaincu sa dépression ? A-t-il un nouveau travail ? Une nouvelle bonde ? Et où en est-il dans son cheminement personnel ? J'ai peur de le revoir parfois et que cela fasse remonter à la surface d'anciens sentiments. Je souhaiterais presque qu'il n'habite plus à Québec à mon retour ; ça me permettrait de continuer mon propre cheminement, sans interférence. Mais bon, je ne vais quand même pas demander à mes ex de partir s'installer à Iqaluit pour me faciliter la vie !

— Je me répète, mais j'ai hâte que tu arrives ! reprend Marie-Anne.

— Moi aussi, crois-moi, même si je suis triste de quitter de nouveau mes proches... et le fromage pas cher !

— Oui, j'imagine que ce n'est pas facile de quitter tes proches. Pour ce qui est du fromage, OK, il est plus cher ici, mais on a le sirop d'érable... et la poutine !

Mmm, une bonne poutine, j'en rêve ! Et des tartes au sucre ! Mais ce dont j'ai le plus hâte, hormis de revoir mes amis là-bas et de retrouver une partie de la vie que j'ai laissée, c'est de contempler les couleurs des arbres qui explosent de mille feux en automne. Ça m'a tellement manqué l'an passé. Bon, par contre, je n'ai pas hâte à la première neige, mais je suis dans le déni total : non, non, juste pour moi, l'hiver n'aura pas lieu cette année !

– Bon, je te laisse, ma belle, lance Marie-Anne, j'ai un rendez-vous ce soir.

– Avec qui ? je m'exclame, curieuse.

– Juste un gars, un ami d'un ami.

– Oh oh !

– Non, non, pas de oh oh ! C'est seulement comme ça, pour le plaisir. Le côté le plus difficile du célibat pour moi, c'est l'absence de sexe, alors j'y remédie.

J'aurais plutôt dit l'absence d'intimité et de complicité avec quelqu'un, mais j'avoue qu'au bout d'un certain temps, les contacts physiques doivent commencer à manquer.

– Bonne soirée, dans ce cas !

– Merci ! À bientôt !

Nous raccrochons, chacune avec le sourire. Marie-Anne a l'air épanouie, plus que lorsqu'elle sortait avec Alexandre, je dois bien le reconnaître. Chacun a ses besoins, ses envies, tout ne passe pas forcément par l'amour, je commence moi aussi à m'en rendre compte. Ce n'est peut-être pas une si mauvaise chose que Daniel et moi ayons rompu finalement. Avec le temps, ma colère contre lui finira par s'estomper. Je pourrai alors me concentrer sur les beaux moments que nous avons vécus.

Maintenant, je dois annoncer mon départ à tout le monde. Quelqu'un a-t-il envie de le faire à ma place ? Des volontaires ? OK, c'est bon, j'ai compris, il n'y a personne de courageux dans la salle ! Pff ! Je vais donc le faire moi-même et accepter les conséquences de mes choix. Ai-je déjà dit que j'adorais l'âge adulte ? Le travail, les factures à payer, les décisions à prendre, les ruptures, la pression de la réussite, n'est-ce pas merveilleux ? Enfin, heureusement, il y a le chocolat blanc à la noix de coco – oui, oui, je fais une fixation sur cet aliment en ce moment !

* *

*

Voilà, ça y est. Ça m'aura pris une dizaine de jours, mais j'ai informé tout le monde que je repartais vivre au Québec ! Hourra ! L'annonce la plus facile ? Celle à Cécile et Antoine évidemment. Pour eux, c'est une bonne nouvelle, ils sont impatients de me revoir. L'annonce la plus difficile ? Celle à ma mère ! Après s'être assurée que je ne repartais pas pour la fuir à cause de notre dispute, elle m'a traitée de Pénélope ! Oui, oui, Pénélope, la femme d'Ulysse, qui a passé des années à coudre une tapisserie le jour et à la découdre la nuit, afin de ne pas se remarier et de rester fidèle à son époux, que tout le monde croyait mort. Le lien avec moi ne m'a pas immédiatement sauté aux yeux – et pour cause : depuis quand ma vie ressemble-t-elle à celle d'une héroïne de mythologie ? Ma mère m'a donc patiemment expliqué que, selon elle, je n'arrête pas de faire et de défaire ma vie. Ahhhhhhh !!! J'ai quitté la France pour m'installer au Québec, je suis revenue ici sur un coup de tête (*sic*) et je repars sur un autre coup de tête (re-*sic*).

– Retournes-tu au Québec parce que Daniel et toi avez rompu ? Si oui, c'est franchement insensé ! Il faudrait que tu arrêtes de t'enfuir au bout du monde chaque fois qu'une de tes relations amoureuses se termine !

J'ai préféré ne pas relever son ton condescendant et je lui ai patiemment expliqué que Daniel et moi avons rompu en partie à cause de mon désir de vivre de nouveau au Québec et que non, je ne comptais pas m'exiler sur la Lune à ma prochaine peine d'amour. Ma mère a soupiré, comme si elle se demandait pourquoi elle avait hérité d'une fille comme moi. J'ai attendu qu'elle se calme et elle a fini par ajouter :

— Écoute, Isabelle, si tu veux vivre au Québec, soit, mais tu vas avoir trente ans l'an prochain ; il serait temps de penser à construire ta vie sur le long terme, tu ne crois pas ?

— C'est ce que je fais. Ça m'a juste pris plus de temps que la moyenne.

Certains savent très vite ce qu'ils veulent et travaillent fort pour accomplir leurs projets dès l'âge de vingt ans. Moi, j'ai passé ma vingtaine à explorer les possibilités, les choix qui s'offraient à moi et j'ai finalement pris ma décision. J'ai expliqué et réexpliqué à ma mère que j'avais mûrement réfléchi à la question et que, pour la première fois de ma vie, je n'avais pas peur de me planter. Je ne sais pas si elle m'a crue, mais elle a arrêté de me critiquer. Ce qui est une énorme victoire ! Youpi ! Danse du ventre endiablée !

Ahem... Je me calme et reprends mes esprits. D'autant plus que mon père et Ophélie (de retour en France depuis peu) ont, eux aussi, eu du mal à accepter ma décision. Je reviens d'une fin de semaine chez eux et, si mon père s'est montré triste tout en acceptant la situation, Ophélie a carrément essayé de me dissuader de les quitter.

— J'adore le Québec moi aussi, a-t-elle commencé, mais ta vie est ici. Tes racines, ta famille, tous ceux que tu aimes sont ici. Tu ne peux pas repartir.

– Si, je peux. Je me le dois même. Ophélie, pour toi, le Québec, c'était une étape de ta vie. Pour moi, c'est plus que ça. Ce n'est pas un départ, c'est une arrivée.

– Mais c'est trop loin ! a-t-elle gémi. Tu te rends compte de ce que ça signifie pour notre relation ?

– On se verra chaque année. On s'appellera tellement souvent que tu en auras marre de moi. Et puis, tu n'auras pas le temps de penser à ta grande sœur avec tes études.

Ophélie a été acceptée à l'École des beaux-arts de Paris et emménage dans la capitale fin août. Elle est plus qu'excitée par ces nouveaux projets qui l'attendent. Sans compter qu'elle sera avec Olivier. À eux deux, ils vivront le *remake* de la bohème sous les toits de Paris. Le début de la vingtaine est une période tellement idyllique. On a l'impression que tout est possible et que le monde nous appartient.

Après plusieurs heures d'arguments et de contre-arguments, j'ai réussi à convaincre ma sœur – et mon père – que mon (re)départ ne changerait rien à notre relation. Ils sont toujours déçus de me voir partir, mais l'acceptent en ne me souhaitant que le meilleur. Je crois que c'est ce qu'on appelle une famille : se soutenir mutuellement, même si on n'est pas toujours d'accord avec ce que disent ou font les autres.

Marjorie, Nathalie, Christelle et Lucie, elles, m'ont encouragée à vivre mes rêves jusqu'au bout dès que je leur ai annoncé ma décision. Lucie m'a même avoué qu'elle sentait que ça allait arriver. Elle sentait que mon retour en France n'était que temporaire, même si elle espérait se tromper. Elle est triste, bien sûr – tout comme moi. Je ne repars pas seulement avec un sourire aux lèvres. Mon cœur sera lourd quand je monterai dans l'avion. Quoi qu'il en soit, mon départ prochain n'a pas empêché Lucie de me demander de devenir la marraine de son fils – car oui, c'est un garçon ! Tout son entourage est maintenant au courant qu'elle attend un enfant, et la plupart ont accueilli cette nouvelle avec joie. Lucie a rassuré ceux qui savaient qu'elle avait quelques doutes concernant sa relation avec Justin : elle file le parfait bonheur et n'est pas inquiète quant à l'avenir. Enfin, si, évidemment. Comme nous toutes, elle meurt de trouille à l'idée d'être une mauvaise mère, mais avec Justin les choses sont définitivement réglées. Je me demande quand même comment ça ira une fois que le bébé sera là. Comment va évoluer leur relation ? L'attention de Lucie sera tournée vers son fils, c'est normal, mais va-t-elle se mettre à ne parler que de couches, de biberons, de pleurs, de coliques et de visites chez le pédiatre ? Va-t-elle progressivement commencer à ne fréquenter que des mamans ? On change quand on devient mère. Et si notre amitié n'y survivait pas ? Lucie ne cesse de me répéter que je me fais du souci pour rien et elle me l'a encore dit quand je lui ai annoncé mon retour à Québec : « Nous sommes amies depuis plus de dix-sept ans, il n'y a rien qui pourra détruire ça. Notre amitié a survécu à l'éloignement. Elle y survivra de nouveau, de même qu'à ma maternité. C'est pour ces raisons que je veux que tu sois la marraine de mon fils. »

J'en suis restée bouche bée d'émotion : moi, la marraine de son fils ? J'ai protesté. Je n'allais pas être assez présente pour lui. Elle devait trouver quelqu'un avec qui il pourrait développer une vraie relation.

– Qu'est-ce que tu es en train de me dire ? Que la distance empêche ou desserre les liens ? Ce n'est pas l'inverse qu'on a démontré ces dernières années ? Tu es comme une sœur pour moi et l'océan Atlantique n'y changera rien. Je veux que tu t'occupes de mon fils si jamais il nous arrivait quelque chose à Justin et à moi. Je veux que tu fasses partie de sa vie, même à six mille kilomètres.

J'ai accepté, les yeux embués de larmes. J'ai des amies merveilleuses. Autant en France qu'au Québec, et ça, c'est le plus beau des cadeaux. C'est un déchirement de repartir – l'expatriation l'est toujours –, mais je sais que ça en vaut la peine. Je suis sûre que je ne me trompe pas. On le sait quand on prend une bonne décision. C'est peut-être un peu quétaine à dire, mais on le sait au fond de soi. La seule ombre au tableau, c'est la tristesse que je ressens à l'idée de quitter de nouveau tous ceux que j'aime, à l'idée de la peine que je leur inflige aussi, car même si c'est ma décision, eux aussi vont devoir vivre avec.

Il faut toujours semer derrière soi un prétexte
pour revenir quand on part.

Alessandro Baricco

Dans la tête de Maxim
(suite)

Isa revient vivre à Québec. Elle m'a envoyé un courriel aujourd'hui pour m'avertir. J'imagine qu'elle a rompu avec Daniel. La nouvelle m'a pris par surprise, je dois bien l'avouer. J'étais sûr qu'elle resterait en France, avec ou sans lui. Je m'étais toujours demandé ce que sa vie au Québec représentait pour elle, et une partie de moi craignait que ce ne soit qu'un simple intermède. Aujourd'hui, je sais que je me trompais, même si ça n'a plus vraiment d'importance. Nos vies ont pris deux routes différentes.

Ces derniers mois ont été un enfer pour moi. Le plus dur, ça n'a pas été mon arrestation, ma condamnation ou mon congé forcé. Le plus dur, ç'a été d'admettre que j'avais un problème et de demander de l'aide. Dur pour l'orgueil. Mais si je ne l'avais pas fait, j'aurais totalement sombré. Je me sens mieux maintenant. J'ai opéré plusieurs changements dans ma vie, des changements bénéfiques. Le poids que je portais sur mes épaules commence à s'alléger.

J'ignore où Isa se situe par rapport à moi. Nous n'en avons pas discuté. Dans un monde idéal, on reprendrait notre relation là où on l'a laissée. C'est impossible et c'est sans doute mieux. Je ne sais même pas si nous allons nous revoir. Je suis tellement pris par mes projets en ce moment et ils m'amènent ailleurs. Là où j'ai toujours voulu aller.

Bizarre comme ça nous prend toujours un événement coup de poing pour nous forcer à nous réveiller. Bizarre aussi comme on peut transformer quelque chose de négatif en positif. Je ne dis pas que je suis content qu'Isa et moi ayons rompu, d'avoir été arrêté pour conduite en état d'ébriété et d'avoir fait une dépression. Loin de là. Mais je commence enfin à vivre ce dont j'ai toujours rêvé. Et je crois que c'est l'essentiel. Je suis persuadé qu'Isa et moi avions besoin de ce temps chacun de notre côté. Sommes-nous prêts à nous retrouver maintenant ? Isa le désire-t-elle ?

Je n'arrêterai jamais de l'aimer et de vouloir être avec elle, sauf que ça ne suffit pas. Ça n'a pas suffi la première fois et je refuse de faire les mêmes erreurs. J'ai encore besoin d'avancer seul, de me consacrer à mes projets. Peut-être qu'ensuite, je pourrai essayer de reconquérir Isa pour lui offrir ce que je n'ai pas su lui offrir avant. En espérant qu'elle l'accepte.

TROISIÈME PARTIE
NOUVEAU DÉPART

Chapitre dix-neuf
Juillet, deux mois plus tard

Je déteste prendre l'avion pendant les périodes de forte affluence. OK, je sais que personne n'aime ça ! Mais sérieusement, les hôtesses, les employés de l'aéroport, et même les passagers, pourraient faire un effort. J'ai franchi les portes de l'aéroport il y a à peine une demi-heure et je n'ai qu'une hâte : atterrir à Québec. Le temps a filé tellement vite depuis le jour où j'ai pris ma décision. J'ai essayé de profiter au maximum de ma famille, de mes amis et de tout ce que j'aime en France, car même si je repars, je ne repars pas fâchée avec mon pays. Il y a des tas de choses que j'aime ici et qui me manqueront, mais mon cœur est ailleurs. Les au revoir n'ont pas été faciles. Je n'ai qu'à y repenser pour sentir les larmes me monter aux yeux.

Ophélie et moi avons passé la semaine ensemble dans le sud de la France. Nous avons lézardé sur la plage, nous nous sommes baignées, nous avons discuté pendant des heures. C'est vraiment le bonheur d'avoir une sœur. Après une séparation émouvante – autant avec elle qu'avec mon père –, j'ai repris le train pour Lyon. Le lendemain, j'ai rejoint Lucie, Christelle, Nathalie et Marjorie. Elles m'avaient concocté une superbe journée au spa, où nous nous sommes fait chouchouter des pieds à la tête. Je me sens vraiment privilégiée d'être entourée ainsi. J'ai lu une fois que les personnes qui développent de sincères amitiés avec les gens ont une espérance de vie plus longue. Je ne me rappelle plus du lien de cause à effet, mais je n'ai aucun mal à le croire. On se sent si bien quand on est avec ses amis. Le soir, ma mère et moi avons soupé au restaurant et c'est à elle que j'ai demandé de me conduire à l'aéroport. Seulement elle. Je n'aurais pas aimé que tout le monde soit là pour me dire au revoir. Je ne veux pas étirer mon départ.

Après m'être enregistrée sur mon vol, ma mère et moi nous dirigeons vers la zone d'embarquement. Je me tourne vers elle, cherchant quelque chose à lui dire. C'est vrai que nous avons nos différends, qu'elle me tape sur les nerfs parfois, mais je sais qu'elle s'accuserait à ma place d'un délit grave s'il le fallait. Bien sûr, elle ne raterait pas une occasion de critiquer mon incapacité à effacer les indices ayant mené jusqu'à moi. Elle me culpabiliserait chaque jour du fond de sa cellule, mais, au bout du compte, elle s'arrangerait pour que ma vie ne soit pas totalement gâchée. Elle a juste une façon bien à elle de me montrer qu'elle ne désire que mon bonheur. D'ailleurs, une fois la nouvelle de mon départ encaissée, elle n'a plus une seule fois remis en question ma décision. Quel progrès ! Elle m'a même aidée à régler certaines formalités administratives, c'est dire ! Plus sérieusement, je sais qu'elle est triste de me voir partir et qu'elle fait un effort pour me soutenir. Je me penche vers elle pour l'embrasser et dis :

— Merci de m'avoir accompagnée à l'aéroport.

— Je n'allais pas te laisser prendre un taxi... Bon, tu es sûre de vouloir monter dans cet avion ?

— Maman ! je m'exclame en me redressant. Qu'est-ce que tu essaies de faire, là ?

– Je veux juste m'assurer que tu sais ce que tu fais. Tu n'as vraiment pas le moindre doute ?

– Non, pas le moindre ! Et franchement, tu trouves que c'est le moment pour me faire changer d'avis ?

– Je n'essaie pas de te faire changer d'avis, mais si tu en as envie, mieux vaut le faire tout de suite.

Je lève les yeux au ciel, incrédule. Chaque fois que je pense avoir gagné une bataille avec ma mère, bang ! la réalité me rattrape. Je saisis mon sac et coupe court à la conversation.

– OK. Je vais y aller maintenant. Je t'appelle en arrivant.

– Attends, dit ma mère en me retenant doucement. Je ne voulais pas t'énerver. Si tu es sûre de toi, alors tant mieux. C'est tout ce que j'avais besoin de savoir.

– Eh bien, je le suis !

Ma mère sourit, rassurée, je crois.

– Dans ce cas, je vais te souhaiter un bon voyage.

– Merci. À bientôt.

– À très bientôt. Bertrand et moi comptons bien venir te voir à Noël.

– C'est noté !

– Au revoir, Isabelle.

– Au revoir, maman.

Avec un demi-sourire, je pénètre dans la zone réservée aux passagers. Je hais les départs. Il est dix heures trente-cinq. Mon avion décolle dans une demi-heure. Je suis impatiente et stressée à la fois. De quoi seront faites ces prochaines semaines ? J'ai, bien sûr, établi une liste de choses à faire et j'ai des tas de projets, mais peut-on vraiment savoir ce que l'avenir nous réserve ? Et que vais-je ressentir en me réinstallant à Québec, quand mon cerveau aura intégré que non, ce ne sont pas de simples vacances et que oui, c'est ici qu'est ma vie ? Comme je l'ai dit à ma mère, je suis sûre de ma décision, mais ça ne m'empêchera pas de ressentir du vague à l'âme de temps à autre, et il faut que je m'y prépare. J'ai tout de même hâte d'arriver.

Marie-Anne m'a déniché un coquet quatre et demi dans le quartier Montcalm, à deux rues de chez elle. Elle s'est occupée des visites, m'envoyant des centaines de photos de chaque pièce. Elle m'a fait parvenir le bail par la poste, j'ai payé le premier mois de loyer, et les clés de mon nouveau chez moi m'attendent désormais chez elle. J'ai tellement hâte de le découvrir de mes yeux. C'est la première fois que j'emménage seule dans un appartement. J'ai vécu aux résidences étudiantes de l'Université Laval avant de m'installer avec Maxim, mais ce n'était pas pareil. Ce n'était qu'une chambre. Et puis, on était toujours les uns avec – sur ! – les autres. Aujourd'hui, je vais avoir mon vrai chez moi et je m'en réjouis. Tout le monde devrait habiter au moins une fois seul dans la vie. J'ai des tas d'idées de décoration et Marie-Anne, qui a un goût infaillible, m'a promis de m'aider. Elle m'a aussi proposé de rester chez elle, le temps que mon appartement soit meublé.

C'est la première fois depuis longtemps que je me sens en contrôle de ma vie, que je ne subis plus les événements, que je ne m'apitoie plus sur mon sort. À quoi ça a servi de me lamenter à part me rendre malheureuse ? Il faut apprendre de notre passé, c'est vrai, mais il faut surtout regarder vers l'avant. Et c'est ce que je fais. Je me suis beaucoup renseignée sur le métier de pigiste. J'ai lu sur le sujet, analysé tous les aspects du métier, essayé de comprendre comment me bâtir une petite place, etc. Internet et les médias sociaux m'ont vraiment aidée. Il y a là une mine d'informations. Le plus dur sera de décrocher mes premiers contrats, mais avec de la persévérance, je sais que je vais y arriver. Mes droits d'auteur me permettront de vivre correctement jusqu'à la fin de l'automne, ce qui me laisse plusieurs mois pour voir si je suis capable d'être pigiste et décider si oui ou non cette vie me plaît.

Je suis si excitée par ces nouveaux projets ! Longtemps, je me suis considérée comme immature parce que je voulais tout essayer, parce que je refusais de me conformer à certaines règles. Aujourd'hui, je me rends compte que je suis comme ça, que la routine et la vie de bureau ne me conviennent pas et que ce n'est pas une tare. C'est mon identité. La mienne. Pas celle empruntée à une autre. J'ai besoin de nouveauté, j'ai besoin de défis, j'ai besoin de découvertes. Je ne pourrai pas exercer le même métier toute ma vie et, au lieu de considérer ce trait de ma personnalité comme un défaut, j'ai décidé d'en faire une force. J'ai envie de me surprendre et de me réinventer... pour le reste de ma vie.

« Les passagers à destination de Paris sont priés de se présenter porte 26 pour embarquement immédiat. »

Mon cœur s'accélère légèrement. On y est.

*   *

*

Une correspondance, un repas insipide, une collation, une sieste et deux films plus tard, j'aperçois le fleuve Saint-Laurent à travers le hublot. Une douce excitation me gagne tandis que j'entrevois le pont Pierre-Laporte et le pont de Québec. Je n'ai pas encore posé le pied par terre que déjà, je réalise à quel point cette ville m'a manqué. Ma gorge se noue. Je me mordille la lèvre en continuant mon observation du ciel. Le château Frontenac se révèle, près du fleuve au loin.

L'avion amorce sa descente finale. Je me crispe et j'agrippe les bras de mon siège. Je n'aime pas les atterrissages. Il paraît que la majorité des accidents se produisent durant ce laps de temps. Je n'ai jamais eu peur de prendre l'avion, mais je suis quand même soulagée lorsque les moteurs s'arrêtent. Le paysage se rapproche doucement tandis que l'aéroport apparaît. Les roues touchent le sol. Trente secondes plus tard, le commandant souhaite à tous les passagers la bienvenue à Québec. Je regarde dehors avec fébrilité.

Québec. La ville de mon cœur.

Je ramasse mes affaires, impatiente de descendre de l'avion. Une fois passées les douanes, je récupère un chariot et me poste devant le tapis à bagages. Alors que je patiente, j'entends une voix familière derrière moi.

– Isa ?

Je sursaute et me retourne précipitamment, le cœur battant. Oh. *My. God.* Pincez-moi, je rêve ! J'adore les surprises. Non, vraiment. J'adore. Mais pas de ce genre-là ! Bon, qu'est-ce que je porte ? De quoi ont l'air mes cheveux ? Est-ce que je me suis remaquillée avant d'atterrir ou suis-je pâle comme un linge à cause de la fatigue ? Avec ma chance, je suis sûre que je dois ressembler à... rien. Je prends une profonde inspiration, tentant de paraître naturelle, et dis :

– Salut. Qu'est-ce que tu fais là ?

– J'attends mes bagages, moi aussi. Je reviens de Sept-Îles, ma sœur vient d'avoir un deuxième enfant.

– Oh.

OK, y a-t-il quelqu'un de fort en maths dans la salle ? Et plus spécifiquement de fort en probabilités ? Parce que, sérieusement, j'aimerais bien savoir quelles étaient les probabilités pour que, lors de mon retour à Québec, je tombe nez à nez avec un gars qui, dans mes souvenirs, est censé habiter à Dubaï ? Ce n'est pas pour rien que j'ai toujours exécré les maths ! Grr ! Je me serais volontiers passée de cette rencontre fortuite ! Je déteste les hasards !

– Tu reviens d'où, toi ? poursuit ma surprise du jour. De France ?

– Euh... oui.

– Maxim n'est pas avec toi ?

– Euh... non.

Je savais qu'il allait aborder le sujet, je le savais ! Faites qu'il s'en aille maintenant ! Faites qu'il s'en aille MAINTENANT ! Pourquoi n'y a-t-il qu'un seul tapis à bagages dans cet aéroport ? Pourquoi je n'ai pas décidé d'atterrir à Montréal et de prendre le bus pour Québec ? Pourquoi la vie s'amuse-t-elle perpétuellement à remettre des gens dont je préférerais oublier l'existence sur mon chemin ? Long soupir désespéré : Pffffffffffffffffffffffffffffffff !!!

– Quoi de neuf sinon ? enchaîne celui qui ne se rend pas compte que je donnerais tout pour être ailleurs.

Autre long soupir désespéré : Pffffffffffffffffffffffffffffffffffff !!!!!!!!!!!!!!!!!!!!!!!!!!!!!

Je secoue la tête et tente de couper court à cette discussion :

– Ne te sens pas obligé de me tenir compagnie. Tu dois être impatient de rentrer chez toi.

– C'est sûr, mais je dois d'abord récupérer mon sac. Cela dit, si tu préfères que je te laisse tranquille, il n'y a pas de problème. J'étais juste surpris et content de te voir et je voulais prendre de tes nouvelles.

M-e-r-d-e ! Il a l'air vraiment sincère. Suis-je en train de coller à la définition du mot SPM moi, là ? OK, je passe en mode « civilisée ». Je me force à sourire et murmure :

– Excuse-moi, je suis fatiguée à cause du voyage et je suis un peu impatiente.

– C'est correct, je comprends. C'est long la traversée de l'Atlantique. Reviens-tu de vacances ?

Je grimace, hésitant entre le mensonge et la vérité. Après trois secondes d'un féroce pour ou contre, je choisis finalement l'option trois : « Rester dans le flou » :

– Pas vraiment, non... C'est une longue histoire.

– Hum... J'ai l'impression que tu n'as pas très envie d'en parler.

Non, effectivement.

– C'est compliqué... Mais toi, tu n'es pas censé habiter à Dubaï ? La dernière fois qu'on s'est vus, il me semble que tu devais partir là-bas, non ?

– Ça ne s'est pas fait finalement, mais j'ai un excellent poste ici, alors je ne me plains pas.

– Est-ce que tu vois quelqu'un ?

Non, mais pouvez-vous me dire pourquoi j'ai posé cette question ??!! POURQUOI ??? Je suis folle... et totalement incontrôlable. Je me donnerais des claques ! J'entrevois la suite d'ici : monsieur va ramener la conversation sur ma relation avec Maxim et quand il saura que nous sommes séparés, il ne va pas manquer d'imaginer que si je tiens à savoir comment se porte sa vie amoureuse, c'est parce que je ne serais pas contre l'idée de le revoir. Ce qui est totalement faux, je tiens à le préciser !

– Je n'ai personne de fixe dans ma vie, répond-il avec son sourire « pub de dentifrice ».

– Personne de fixe ? je répète en levant les yeux au ciel. Tu n'as pas changé, hein ? Toujours incapable de t'engager et d'avoir une vraie blonde.

– Je n'ai peut-être pas encore rencontré la bonne personne, rétorque-t-il en me regardant avec une soudaine intensité.

– Euh, es-tu en train de me faire une déclaration en retard de trois ans, là ?

Il éclate de rire – non, non, je ne le prends pas personnel – et ajoute :

– Je n'oserais pas, voyons ! Je n'ai pas envie de recevoir le poing de Maxim dans la figure. Comment va-t-il, au fait, ce cher Maxim ?

– Il va très bien.

Quoi ? Ce n'est pas un mensonge ! Je sais qu'il va bien. On s'est échangé quelques courriels il y a... deux mois. OK, OK, il a pu se passer des tas de choses depuis, mais croyez-moi, s'il allait mal, je le saurais !

– Est-ce qu'il vient te chercher ?

Bon, où sont mes bagages ? Ils devraient déjà être arrivés depuis le temps ! Je vais faire une réclamation à Air Canada si ça continue !

– Écoute, ça m'a fait très... bizarre de te revoir, mais là, faut que j'aille... à la salle de bains. Alors, bonne continuation et... euh... bye !

– Attends, Isa ! Ne pars pas comme ça. Me donnerais-tu ton numéro ?

J'ouvre la bouche sous l'effet de la surprise. Je m'attendais à tout, sauf à ça ! Quelle journée, franchement ! Dire qu'elle devait être le début de quelque chose de magnifique. Le premier jour du reste de ma vie, de mon nouveau départ, blablabla, vous connaissez la chanson ! Si c'est ça le début, je n'ai pas hâte de vivre la suite ! J'attrape mon chariot, cherchant la pancarte indiquant les toilettes.

– Faut vraiment que je te laisse !

– OK, donc j'imagine que c'est non pour ton numéro ?

Je serre les dents, essayant de me calmer, mais finis par m'exclamer :

– Je n'ai pas de numéro !

– Comment ça ?

Grr ! Il ne lâchera pas le morceau, hein ???

– Bon, puisque tu tiens tant à savoir, je viens de passer dix mois en France, je me réinstalle dans un nouvel appartement à Québec aujourd'hui même et je n'ai donc pas encore de ligne téléphonique ! Satisfait ? Je suis sûre que tu dois te poser un millier de questions, mais franchement, la dernière chose dont j'ai envie, c'est d'y répondre ! À présent, si tu veux bien m'excuser... Bon retour chez toi et à bientôt !

Je me précipite vers les toilettes sans un regard en arrière. Je ne sais pas si c'est la tension issue de cette conversation dont je me serais bien passée, mais j'ai réellement envie de faire pipi ! Euh, petite question ? Ai-je bien terminé ma tirade par un « À bientôt ! » ? À bientôt ? Sérieusement ? Il va vraiment falloir que j'apprenne à me servir de cet outil dont chaque être humain est doté et qui lui permet de contrôler ce qui sort de sa bouche. Comment on appelle ça, déjà ? Ah, oui : un cerveau !!!

Vingt minutes plus tard, je sors enfin de la salle des bagages, poussant mon chariot devant moi et cherchant Marie-Anne et Cécile des yeux. Lorsque je les aperçois, agitant une immense pancarte sur laquelle elles ont écrit « Bienvenue chez toi », une vive émotion de joie et un regain d'énergie m'envahissent. Elles n'ont pas changé. Je les serre chacune dans mes bras, puis m'exclame :

– Vous ne devinerez jamais sur qui je suis tombée en attendant mes bagages.

– Qui ? demande Cécile.

– Samuel !

– Je le savais ! s'écrie Marie-Anne. J'étais certaine que c'était lui ! On l'a vu sortir il y a une dizaine de minutes ! Tu parles d'une coïncidence !

Ouais. Super, la coïncidence ! Ça promet !

Il n'y a rien de plus triste qu'une vie sans hasard.

Honoré de Balzac

Chapitre vingt

Bon, que ceux et celles qui ont besoin d'un petit rafraîchissement de mémoire lèvent la main ! Vous vous demandez qui est Samuel ? Giiiiiiiiiiiiiii ! (Bruit de la vidéo-cassette qui se rembobine trois ans et demi plus tôt.) Non, non, je ne suis pas restée à l'âge de pierre avec mes cassettes et mon magnétoscope, c'est juste que les DVD ne se rembobinent pas, eux. Bref ! Samuel, c'est un gars que j'ai fréquenté pendant quelques mois, au temps où j'étais encore étudiante. Pas un de mes meilleurs souvenirs. Il ne m'appelait jamais et j'avais toujours l'impression qu'il ne pensait à moi que lorsqu'il ne savait pas quoi faire de ses soirées. Chaque fois que je prenais la décision d'arrêter de le voir, subitement, il devenait l'homme idéal et me disait ce que je voulais entendre. Un jour, j'ai fini par en avoir marre et par l'envoyer balader. Une conversation mémorable au téléphone ! Je l'ai cependant croisé plusieurs fois depuis. Destin oblige, on dirait bien ! Ou mauvais karma, au choix.

La dernière fois, c'était lors du lancement de *Vodka-Canneberge sans glace* où il était venu sans invitation. Il était tombé par hasard sur mon roman dans une librairie et, en faisant des recherches sur Internet, avait fini par trouver mon blogue, et par prendre connaissance de la date ainsi que du lieu de mon lancement. Nous n'avions pas eu une conversation des plus agréables là non plus. Il essaie sans cesse de me faire sortir de mes gonds, il me taquine à l'extrême et ça m'énerve. Il a toujours été très sceptique vis-à-vis de ma relation avec Maxim et j'aurais préféré ne pas lui avouer que nous nous sommes séparés. Je sais qu'on ne vit pas par rapport à ce que pensent les autres, mais ça m'enrage pareil qu'il ait eu raison. Non, en fait, il avait tort. Il pensait que Maxim ne serait jamais capable de rester fidèle à une seule femme et sur ce point-là, il s'est trompé. Ah, ah ! Un point pour moi ! Oui, oui, j'ai tout à fait conscience de jouer à un jeu puéril, mais ça fait tellement de bien !

Marie-Anne, Cécile et moi quittons l'aéroport. Curieuse, Marie-Anne me noie sous les questions concernant ma rencontre avec Samuel.

— Qu'est-ce qu'il t'a dit exactement ? Est-ce que tu penses qu'il s'intéresse encore à toi ? Est-ce qu'il a changé ?

— Euh, je ne sais pas par où commencer là !

Marie-Anne sourit.

— Raconte-nous seulement ce qui s'est passé sans omettre de détails.

J'obéis sans me faire prier. Au cas où vous ne l'auriez pas remarqué, j'aime parler de ma vie ! Je détaille donc à mes amies les quelques minutes que j'ai passées en compagnie de Samuel.

— Tu lui as dit « À bientôt ? » s'exclame Marie-Anne tout aussi surprise que je l'aie été quand j'ai prononcé ces mots-là à l'intéressé. Tu as envie de le revoir ?

— Non, tellement pas ! Ma langue a fourché. Par contre, je dois bien avouer qu'il est toujours aussi craquant...

Châtain, les yeux pers, il n'a rien de vraiment exceptionnel, mais il m'a toujours attiré physiquement et j'adore ses mains.

– S'il te plaît toujours, reprend Marie-Anne avec un sourire en coin, tu pourrais le revoir, juste pour le fun. Célibataire ne rime pas avec chasteté.

– Non, merci. Personnellement, même si j'aimerais bien, je suis incapable de faire l'amour sans m'impliquer émotionnellement. De toute façon, avec ma chance, je me trouverais de nouveau à courir après lui en à peine deux semaines !

– C'est quand même étrange que tu l'aies croisé en revenant ici, intervient Cécile, c'est peut-être un signe.

– Non, c'est tout sauf un signe. Et de toute façon, même si ça l'était, j'ai décidé que je ne croyais plus à ça !

Préférant clore le sujet « Samuel », je tourne la tête vers l'extérieur pour admirer la ville qui se déploie sous mes yeux. Québec n'a pas changé. J'ai vu beaucoup de nouvelles constructions, mais j'ai l'impression de rentrer à la maison. L'ambiance, les odeurs, les sons, tout est identique à mes souvenirs. C'est comme si je n'étais jamais partie.

Marie-Anne gare sa voiture devant le triplex où se trouve mon appartement. Nous montons au dernier étage avec mes valises. Je glisse la clé dans la serrure et j'ouvre la porte. J'ai reçu des dizaines et des dizaines de photos de mon appartement quand j'étais en France, mais découvrir là où l'on va vivre des mois, voire des années, n'a rien de comparable. C'est si important de se sentir bien chez soi. La première chose que je remarque, ce sont les magnifiques planchers flottants couleur érable. Le salon est immense et donne sur une cuisine ouverte. En empruntant le couloir, on tombe sur les deux chambres et la salle de bains. Après avoir passé cinq bonnes minutes à admirer chaque pièce, je retourne dans le salon et ouvre la porte-fenêtre du balcon, laissant entrer l'air chaud de l'après-midi dans l'appartement. Je me retourne vers Marie-Anne et dis :

– Merci de m'avoir aidée à trouver cet appart, je l'adore !

– Ça m'a fait plaisir et, en plus, on est presque voisines ! Est-ce que tu veux aller récupérer les affaires que tu as laissées dans ton ancien appartement ?

– Oh non, pas aujourd'hui. Il faudrait démonter les meubles, mettre la vaisselle, mes livres et mes vêtements dans des cartons ; je n'en ai vraiment pas le courage. Par contre, j'aimerais bien aller chercher ma voiture. J'ai renouvelé mon assurance par téléphone, je peux donc officiellement la conduire !

– OK, allons-y !

Je récupère ma trousse de toilette ainsi que quelques vêtements que je glisse dans mon sac de voyage – je n'emménagerai pas ici avant plusieurs jours, le temps de me meubler –, j'hésite un moment, puis je finis par demander :

– Avez-vous vu Maxim dernièrement ?

J'ai reçu un courriel de sa part, début juin, dans lequel il m'annonçait qu'il avait cédé le bail de notre appartement. Prévenant, il s'est entendu avec les nouveaux locataires pour qu'ils n'emménagent pas avant le 1er août afin de me laisser récupérer mes affaires. Il n'a rien ajouté de plus et je n'ai pas osé lui poser de questions. Je l'ai remercié et notre correspondance s'est arrêtée là.

– Non, pas dernièrement, répond Cécile.

228

– Est-ce qu'il va mieux ? Il habite où maintenant ?

– Il va mieux, oui. Beaucoup mieux. Mais Antoine et moi ne l'avons pas vu depuis un moment déjà.

Je fronce les sourcils, déroutée par la nouvelle.

– Pourquoi ?

Cécile lance un bref regard à Marie-Anne puis dit :

– Il n'est pas à Québec, Isa. Il est parti début mai.

– Où ?

– À New York.

De plus en plus interloquée, je répète :

– New York ? OK, pouvez-vous me dire ce qui se passe ?

– Rien de grave, ne t'inquiète pas. C'est même plutôt une bonne nouvelle. Sa mère a exposé ses photos début mars et ç'a été un franc succès. Il a été contacté quelques semaines après par un éditeur new-yorkais qui veut publier un livre de photos sur la ville. Maxim a donc décidé d'emménager là-bas le temps de son contrat.

Je reste un moment sans réaction, tentant d'assimiler ce que Cécile vient de me dire. Maxim a finalement accepté que sa mère expose son travail dans sa galerie, un éditeur lui a proposé un contrat et il s'est installé à New York ? Il a vraiment opéré un virage à cent quatre-vingts degrés dans sa vie. Pourquoi ne me l'a-t-il pas annoncé ? Je ne suis plus qu'une ex comme toutes les autres, apparemment. Un ex à laquelle on ne raconte plus ses projets.

Envahie par une soudaine tristesse, je demande :

– Il va rester là-bas combien de temps ?

– Il ne sait pas trop, quelques mois certainement, m'informe Cécile. Il est vraiment excité par son projet. Ce n'est pas juste un autre livre touristique, c'est plus une façon de voir New York autrement. C'est pour ça qu'il doit habiter là-bas, pour ressentir la ville.

– Je comprends.

Je suis sûre que ce n'est que le début de sa carrière de photographe. Il a tellement de talent qu'il ne tardera pas à décrocher d'autres contrats et à vivre de sa passion. Il ne reviendra sans doute même jamais habiter à Québec. Il rencontrera une New-Yorkaise parfaite et lui fera plein d'enfants. Ça serait un si beau conte de fées ! Pff !

– Comment c'était, son vernissage ? Vous y êtes allés, Antoine et toi ?

– Oui, avec Marie-Anne.

Je me retourne vers l'intéressée.

– Tu as été au vernissage de Maxim, toi ?

Pour ceux qui l'ignorent, Marie-Anne et Maxim n'ont jamais été de grands fans l'un de l'autre.

– Il m'a invitée par politesse parce que j'étais chez Cécile et Antoine quand il leur a annoncé la nouvelle et je n'ai pas eu le goût de refuser. Tu sais combien j'adore New York, ajoute-t-elle, un peu gênée.

– Ne t'inquiète pas, ce n'est pas un reproche, ça m'a surpris, c'est tout.

– On t'en aurait parlé, mais tu nous avais fait comprendre que tu préférais ne rien savoir de la vie de Maxim.

– Je sais, c'est correct.

Nous avons chacun notre vie et il n'est plus tenu de tout me raconter. Il faut juste que je m'y habitue. Et puis, je suis contente qu'il ait enfin réalisé son rêve de devenir photographe. C'est tout ce que je lui ai toujours souhaité.

– Est-ce qu'il a une nouvelle blonde ?

Ne levez pas les yeux au ciel ! Il fallait que je le demande !

– Pas que je sache, répond Cécile.

Je ne peux m'empêcher de laisser échapper un léger soupir de soulagement qui n'échappe pas à l'oreille attentive de Marie-Anne.

– Tu espérais reprendre votre relation ? s'enquiert-elle, curieuse.

Je secoue la tête avec précipitation.

– Non... Non... Je ne sais pas... Peut-être un peu... Je ne sais pas.

Ces derniers jours, je me suis souvent demandé ce que j'allais ressentir en revoyant Maxim. Je me suis imaginé des tas de scénarios et j'avoue que dans plusieurs, on finissait par s'avouer qu'on s'aimait encore et on se redonnait une chance.

Mais nos scénarios de filles servent à ça : assouvir des fantasmes qui n'auront pas lieu dans la réalité. Je soupire de nouveau et conclus :

– De toute façon, ça n'a plus réellement d'importance, pas vrai ?

– Vous allez quand même vous revoir, dit Cécile. Il va revenir à Québec de temps en temps pendant la durée de son contrat et il ne restera pas éternellement à New York.

– Je sais.

– As-tu eu des nouvelles de Daniel avant ton départ ? demande Marie-Anne comme pour changer de sujet devant mon apparente nostalgie.

– Non, on s'est croisés à Paris mais on ne s'est rien dit.

Quelques jours avant mon départ, je suis allée remettre au directeur de la maison d'édition de Daniel les derniers manuscrits que j'avais analysés. Il m'a remerciée pour mon travail et m'a souhaité bonne chance pour la suite. J'ai vraiment aimé être lectrice. D'une façon étrange, lire les histoires des autres a stimulé ma créativité pour mon prochain roman, roman dont je ne devrais pas tarder à commencer le premier jet. Affaire à suivre !

C'est en sortant des bureaux que j'ai aperçu Daniel. Il s'en allait lui aussi. Je me suis complètement figée en le voyant. Je m'étais préparée à le rencontrer pourtant. Nous ne nous étions pas donné de nouvelles depuis notre rupture au café de la gare. C'était étrange de le revoir. Je me suis sentie si loin de lui. Nous sommes restés à nous observer pendant plusieurs secondes. Je cherchais quelque chose à dire, quelque chose de juste. Lui aussi, je crois. Mais nous n'avons rien trouvé. Au bout d'un moment, il a murmuré « Au revoir » et il est parti. Ça m'a déçue. J'aurais aimé qu'on se parle, mais finalement, ça n'aurait rien changé. La page est tournée.

Marie-Anne et Cécile écoutent le récit de ma dernière rencontre avec Daniel en silence, puis Marie-Anne s'exclame :

– Laisse faire ! Les hommes, ils sont tellement compliqués !

– Ça, je ne te le fais pas dire, mais on n'est peut-être pas mieux, hein ?... Bon, si on sortait souper ? Il fait trop beau pour rester enfermé et je meurs de faim !

Ne juge pas chaque jour à la récolte que tu fais
mais aux graines que tu sèmes.

Robert Louis Stevenson

Chapitre vingt et un

D'Ophélie à moi :

« *Objet : Allô, la Québécoise !*

Salut, ma sœur !

J'espère que ton arrivée se passe bien. Je ne sais pas si tu as déjà Internet chez toi, mais j'essaie quand même. Olivier est arrivé fin juillet, ça m'a fait tellement plaisir de le revoir ! Je l'aime vraiment et juste l'idée de savoir qu'il est venu en France pour être avec moi : wow ! J'en ai des frissons !

On va visiter l'Italie et l'Espagne avant le début de mes cours à l'École des beaux-arts, à Paris. On a trouvé un appartement dans le quartier Montmartre. Un petit deux pièces sous les toits qui va nous coûter cher, mais bon, on n'a pas trop le choix. Le loft d'Olivier dans le quartier Saint-Roch va nous manquer, même si on a très hâte de découvrir la vie parisienne. Je suis aussi très impatiente de commencer mes cours ! J'adore ma vie en ce moment, même si te savoir si loin l'assombrit un peu.

Donne-moi des nouvelles ! Je t'embrasse fort !

Ophélie

De moi à Ophélie :

« Objet : RE : Allô, la Québécoise !

Salut, ma belle !

Contente d'avoir de tes nouvelles ! Je suis enfin installée correctement dans mon appartement et, après un mois passé à jongler entre les pots de peinture, les meubles à monter et les outils, ça fait du bien ! Je suis maintenant en pleine recherche de contrats de pigiste. C'était assez calme en juillet, mais avec septembre qui approche, je commence à me faire de plus en plus de contacts. Reste à voir où tout ça va m'amener !

Je t'envie un peu en pensant à ta future vie parisienne, tu sais ! J'ai toujours rêvé de passer quelques mois à écrire dans un appartement sous les toits tout en me nourrissant exclusivement de pain et de fromage. On fera un échange d'appartement l'année prochaine ! Ou, mieux, tu viendras ici un mois, et ensuite je prendrai l'avion pour la France avec toi !

Tu me manques beaucoup. Gros gros bisous !

Isa

Ophélie a l'air vraiment heureuse. J'aimerais être un peu comme elle. Elle avance sur le chemin qu'elle s'est tracé avec une telle énergie, une telle conviction que tout va bien se passer. Elle ne se pose pas des milliers de questions comme moi !

J'abaisse le couvercle de mon portable et sors sur la galerie prendre l'air. On a un si bel été ! Ça change de l'an passé où il n'a pas arrêté de pleuvoir. Comme je l'écrivais à ma sœur, je suis enfin installée et je remets tranquillement ma vie ici sur les rails. Quelques jours après mon arrivée, je suis allée vider l'appartement que je partageais avec Maxim. C'était bizarre de retourner là-bas. Alors que je me suis tout de suite sentie à la maison en sortant de l'aéroport de Québec, quand j'ai remis les pieds dans cet appartement, j'ai eu l'impression d'être chez quelqu'un d'autre. Je ne sais pas si c'est parce qu'il était pratiquement vide, mais je ne m'attendais pas à ça.

Maxim et moi avons échangé deux ou trois courriels depuis mon retour à Québec. Il voulait savoir si tout allait bien et si j'avais pu donner les clés aux nouveaux locataires de l'appartement. Je l'ai rassuré et j'en ai profité pour le féliciter pour son exposition et son contrat. Il m'a remerciée et m'a dit qu'il se sentait vraiment bien à New York. Ça m'a fait plaisir de le sentir aussi heureux. De mon côté, même si je suis contente d'être ici et que j'adore mon appartement, j'aimerais bien que les choses débloquent au plan professionnel et je commence à me demander si j'ai bien fait de choisir cette voie. Je continue ma chronique hebdomadaire sur le Québec, en France, mon retour ici ne pouvant que me donner de la matière, mais j'ai hâte de décrocher des contrats avec des médias québécois !

La sonnerie du téléphone retentit, me tirant de mes pensées. Je me lève et j'attrape le combiné posé sur mon bureau. Faites que ce soit une rédactrice en chef qui me propose un article ! Combien de doigts je peux croiser en comptant mes orteils ?

– Oui, allô ? Isabelle Sirel à l'appareil.

– Tu es vraiment formelle quand tu réponds au téléphone, c'est nouveau ?

Oh boy ! Le retour de l'indésirable !

– Samuel... Comment tu as eu mon numéro ?

– Eh, eh, tu reconnais ma voix, je suis content !

– Comment tu as eu mon numéro ? je répète, déjà agacée.

– Dans l'annuaire.

J'aurais dû m'appeler Amélie Tremblay ; on n'aurait pas pu me retrouver aussi facilement !

– Comment vas-tu ? poursuit-il sans se laisser offusquer par mon ton revêche.

– Qu'est-ce que tu veux ?

Je suis de nouveau en SPM ! C'est presque devenu un réflexe dès que je parle à Samuel, dites donc ! Celui-ci ne se laisse pas impressionner et continue :

– Je voulais juste savoir si tu avais envie d'aller souper quelque part un soir.

Je réprime un hoquet de surprise.

– Euh, pardon ?

– D'après ce que j'ai compris, tu n'es plus avec Maxim, pas vrai ?

– Effectivement, mais si tu te magasines une relation sans lendemain, tu te trompes de personne.

Autant que les choses soient claires dès le départ !

– Je ne cherche rien en particulier, à part passer un peu de temps avec toi.

– Pourquoi ? je demande, suspicieuse.

– Tu vois vraiment le mal partout, hein ? Ça m'a fait plaisir de te croiser à l'aéroport et j'avais envie de te revoir, c'est tout.

– Hum...

– Tu ne me crois pas ? lance Samuel, mi-vexé, mi-amusé.

– Je ne sais pas trop.

– Je ne suis pas le diable incarné, tu sais. La question est : as-tu envie de passer une soirée avec une vieille connaissance ?

Excellente question ! Ai-je envie de souper avec Samuel ? Bof. L'idée me laisse indifférente, pour être honnête. J'adorais passer du temps avec lui quand on se fréquentait. On s'amusait beaucoup et nos soirées finissaient invariablement au lit. Je n'étais pas contre, bien au contraire. Ce qui m'énervait – et me faisait mal –, c'était qu'il me laissait toujours dans un silence de plusieurs jours que je trouvais humiliant. Neuf fois sur dix, c'était moi qui le rappelais. Je croyais être amoureuse de lui, mais je l'étais plutôt de l'idée que je me faisais de lui et de notre relation. Aujourd'hui, il ne m'intéresse plus, même si j'avoue qu'une partie de moi a très envie de savoir ce qu'il devient.

– Isa ? insiste Samuel.

– OK, va pour un souper.

Ce n'est pas la Isa rationnelle qui a répondu – oui, oui, elle existe ! Elle ne sort pas souvent mais elle existe –, mais la curieuse en moi que je ne peux contrôler !

– Ça n'a pas l'air de t'enthousiasmer plus que ça, remarque-t-il, un peu déçu.

Bon, monsieur s'attend en plus à ce que je saute au plafond ??? D'une voix surjouée, je m'exclame donc :

– Oh wow, merci de ton invitation ! Je suis tellement impatiente de te revoir ! Ton coup de téléphone est le rayon de soleil de ma journée ! Merci, merci, merci ! C'était assez enthousiaste pour toi ?

Bon joueur, il s'esclaffe et ajoute :

– Non, mais ce que je voulais dire, c'est que tu n'es pas *obligée* d'accepter mon invitation. Tu peux m'envoyer promener si tu préfères.

– Je sais.

Il patiente un moment et conclus :

– Si tu ne le fais pas, j'en déduis que c'est parce que tu n'as pas changé d'avis ?

Non, je n'ai pas changé d'avis. Je dois bien avouer que j'ai même de plus en plus envie de passer une soirée avec lui. Il m'intrigue et, dans le pire des cas, ce rendez-vous ravira au moins mes papilles, Samuel m'ayant toujours emmenée dans des restaurants aux menus alléchants.

– Je t'ai dit que j'étais d'accord.

– Parfait ! Samedi soir, est-ce que ça te convient ?

– OK pour samedi.

– Je passerai te chercher à dix-huit heures !

Eh bien, il a l'air d'avoir vraiment hâte de me revoir !
A-t-il quelque chose derrière la tête ? Peut-être que oui, peut-être que non. Je n'ai pas l'intention d'analyser ses motivations, je veux juste passer une bonne soirée et me détendre. Espérons que je n'en demande pas trop à l'Univers. Samuel et moi raccrochons, mais à peine deux minutes plus tard, mon téléphone se remet à sonner. J'appuie sur *Talk* et lance mi-figue, mi-raisin :

— Tu as changé d'idée ? C'était juste une blague que tu me faisais et je suis tombée dans le panneau, c'est ça ?

— Euh, est-ce que je parle à Isabelle Sirel ?

Je me couvre la bouche avec la main, mortifiée. Ce n'est pas Samuel !!! C'est une voix féminine que je ne connais pas, mais, à son ton, je devine que c'est un appel professionnel et que je viens pratiquement de miner toute ma crédibilité.

— *Tu sais, Isa, si les afficheurs existent, c'est pour que les gaffeuses comme toi s'en servent !*

— *Merci pour ton support, petite voix !*

Je me racle la gorge et dis :

— Je suis désolée, je pensais parler à quelqu'un d'autre.

— Oui, c'est ce que j'en ai déduit, répond mon interlocutrice, un brin amusée.

Ouf ! Ma chance revient ! Je me détends et poursuis :

— Je suis bien Isabelle Sirel. Qu'est-ce que je peux faire pour vous ?

– Marion Lamontagne, rédactrice en chef de *Femmes d'aujourd'hui*. Je vous appelle parce que j'ai un contrat pour vous. J'ai reçu votre courriel avec vos propositions d'articles. Vos idées ne sont pas mauvaises, mais pour l'instant, j'ai besoin d'une pigiste pour une mini-enquête de dernière minute. La fille qui devait le faire m'a lâchée et je cherche quelqu'un de fiable. Êtes-vous disponible pour la remplacer au pied levé ?

Marion Lamontagne parle à une vitesse, j'ai presque du mal à la suivre. Je réponds néanmoins :

– Oui, oui, bien sûr. Sur quoi porte l'enquête ?

– Les femmes et leurs ex.

Je retiens un éclat de rire et lance :

– Je m'y connais un peu, ça devrait bien aller !

– Je ne veux pas que vous racontiez votre vie, rétorque-t-elle, un peu irritée. Je veux une enquête « punchée » sur les femmes et les relations qu'elles entretiennent avec leurs ex. Il va falloir que vous interrogiez quelques personnes. Ça peut être vos amies, je n'ai pas de problème avec ça, mais il ne faut pas que ce soit trop personnel. Il faut que ce soit drôle, mais avec un fond sérieux. Est-ce que vous comprenez le mandat ? Avez-vous déjà écrit ce genre d'articles ? Vous n'avez pas de diplôme en journalisme si je me souviens bien ?

Je sens des gouttes de sueur perler le long de mon dos. Vais-je être capable de réaliser ce qu'elle me demande ? Elle a l'air d'avoir beaucoup d'attentes et une idée très précise du papier que je devrai lui rendre. Et je n'ai pas la sensation de lui faire une si bonne impression que ça. Si je me plante, elle risque d'inscrire mon nom sur une liste noire et de la faire circuler dans tout le Québec. Je pourrais refuser, lui dire que...

que quoi ? Que je suis lâche, que j'ai peur et que je refuse les occasions en or qui me sont offertes sur un plateau ? Hors de question ! Allez hop, on se ressaisit ! Une petite dose de confiance en soi et on repart !

D'une voix qui se veut ferme, je réponds :

— J'apprends vite et j'ai de l'expérience en écriture.

— Oui, je sais. D'habitude, je ne donne pas ce genre de contrat à des débutantes, mais j'ai lu votre roman et j'aime beaucoup votre plume.

— Ah, euh... merci.

— Bon, c'est une enquête de trois feuillets, quatre mille cinq cents signes maximum, et j'en ai besoin pour mardi prochain, quatorze heures. Je vous le dis tout de suite, j'ai horreur des gens qui ne respectent pas leurs échéances.

— Je suis très ponctuelle, il n'y a pas de problème.

— Parfait. D'habitude, les pigistes ont plus de temps que ça, mais j'étais vraiment mal prise. Ne me laissez pas tomber, d'accord ? Vous avez mon courriel ; si jamais il y a quoi que ce soit, n'hésitez pas. Je préfère le savoir rapidement si vous éprouvez des difficultés.

— Oui, oui. Je vous envoie ça mardi sans faute.

— Super ! Je vous fais parvenir le contrat par courriel avant ce soir. Au revoir !

Oh my God, oh my God, oh my God ! Je viens de décrocher mon premier contrat de pigiste !!! Et pas n'importe lequel, une mini-enquête de trois feuillets pour un magazine que j'adore ! Je vais m'évanouir ! D'ailleurs, mes jambes flageolent. Est-ce d'excitation, de stress, des deux ? Je ne vais pas dormir jusqu'à mardi, c'est sûr ! On est jeudi, j'ai donc cinq jours pour réaliser le reportage et rédiger l'article ! Comment font les filles qui jonglent avec plusieurs contrats à la fois ? Une autre dose de confiance en soi, s'il vous plaît ? On prend une profonde inspiration et on plonge !

On ne va jamais si loin
que lorsque l'on ne sait pas où l'on va.

Rivarol

Chapitre vingt-deux

Ah, les femmes et leurs ex ! Vaste sujet pour lequel j'ai demandé à Marie-Anne et à Cécile de me raconter leurs expériences. Après de longues heures de discussion, voici mon compte rendu.

1. *Il est normal de ne pas vouloir que notre ex soit heureux avant que nous le soyons nous-mêmes, surtout avec une autre fille.*

   (Me voilà rassurée ! Marie-Anne nous a raconté avoir croisé Alexandre avec sa nouvelle blonde à Place Laurier, la semaine dernière, et elle n'a pas du tout aimé le voir si souriant. Elle affirme qu'elle n'est pas jalouse et que c'est juste une question de savoir-vivre : on ne parade pas main dans la main avec sa nouvelle amoureuse devant son ex. Oui, certes, mais pour sa défense, Alexandre ne pouvait pas deviner qu'il allait tomber sur elle. Ils se sont à peine salués d'ailleurs et Marie-Anne s'est sentie plutôt insultée. Ah, orgueil, quand tu nous tiens ! Wow, elle était longue, ma parenthèse !)

2. *La plupart d'entre nous retombons au moins une fois dans les bras de nos ex.*

(Ahem... sans commentaire)

3. *On garde toujours un attachement particulier envers nos ex parce qu'on a vécu quelque chose d'unique avec chacun d'eux.*

(C'est à croire que tous les hommes que nous aimons nous volent une petite partie de notre cœur et l'emportent avec eux quand ils s'en vont. Arrive-t-on un jour à récupérer tous les morceaux et à les recoller un à un ?)

4. *Si jamais nos ex nous ont trompées, cet attachement disparaît et est remplacé par une peine mêlée de colère.*

(On ne peut plus logique ! D'ailleurs, j'aurais vraiment aimé que Daniel soit au courant de ce fait quand il m'a quittée la première fois, prétextant qu'il avait rencontré une autre fille ! Ça m'aurait évité des années de gestion d'émotions tumultueuses ! Hum, aurais-je, par hasard, conservé un peu de rancœur à cause de notre seconde rupture ? Vous remarquerez ici l'emploi subtil du mot « seconde », mot n'appelant aucune suite – contrairement à « deuxième » –, cela me permettant de vous signifier qu'il n'y aura jamais, au grand jamais, de troisième rupture, le dossier Daniel étant archivé !)

5. *Il nous arrive de rester amies avec nos ex, mais neuf fois sur dix, cette amitié prend fin lorsqu'ils commencent une relation sérieuse avec une autre.*

(Je ne considère pas vraiment Maxim comme un ami, mais je me demande si nos contacts cesseront quand il tombera amoureux d'une autre fille.)

6. *Nos chums n'aiment pas quand on reste amies avec nos ex, ce que nous comprenons puisque nous n'aimons pas qu'ils restent amis avec les leurs.*

(Je détesterais commencer une relation avec un gars et devoir composer avec une « rivale » dans le décor, encore plus si c'est une ex. Je rends donc la pareille à mes chums. Quoique... Supposons que Maxim revienne à Québec et que nous redevenions amis comme avant, supposons ensuite que je rencontre un autre gars et qu'il me demande de mettre un terme à cette amitié, pourrais-je couper les ponts avec Maxim ? Hum, dilemme cornélien auquel je n'ai pas à faire face, Dieu merci ! Il ne manquerait plus que ça pour couronner cette belle année déjà suffisamment riche en dilemmes...)

7. *Nos ex essaient souvent de transformer notre rupture en amitié avec bénéfices.*

(Personnellement, je ne l'ai jamais vécu, mais je comprends cette tendance : c'est quand même plus agréable de faire l'amour avec quelqu'un qu'on a aimé qu'avec un inconnu rencontré dans un bar. Mais ça doit être très douloureux de constater aussi brutalement qu'il ne reste rien de notre relation passée, à part une vague attirance physique.)

J'en suis donc là et, si je fais le calcul, les six premiers énoncés correspondent tout à fait à ce que j'ai vécu ; le dernier est en suspens et dépendra de la manière dont ma soirée avec Samuel va se dérouler. Je n'ai pas l'intention de faire l'amour avec lui, mais je n'ai aucune idée de ce que lui attend de notre rendez-vous. Marie-Anne n'en revenait pas quand je lui ai appris qu'il m'avait invitée au restaurant et que j'avais accepté.

– Toi qui voulais prendre un nouveau départ et aller de l'avant, j'ai plutôt l'impression que tu regardes en arrière, non ?

– Bof, ça ne m'engage à rien, c'est juste un souper.

– Dix contre un que tu termines dans son lit !

– Franchement, tu me penses incapable de me contrôler ? Et puis, ce n'est pas toi à l'aéroport qui me disais d'en profiter parce que célibat ne signifie pas chasteté ?

– Oui, et si je me souviens bien, tu m'as répondu que tu étais incapable de faire l'amour sans t'impliquer émotionnellement.

– C'est d'ailleurs pour cette raison qu'il ne se passera rien. D'une, ça ferait trop plaisir à Samuel, et de deux, avec l'année que je viens de passer, la dernière chose dont j'ai envie en ce moment, c'est d'une autre relation.

J'ai clos le sujet et nous nous sommes concentrées sur mon reportage. L'heure avançant, je remercie Marie-Anne et Cécile pour leur collaboration et prends le chemin de mon appartement. Je ne sais pas du tout où Samuel a prévu de m'emmener. Je n'ai pas eu de nouvelles depuis notre conversation au téléphone. Si ça se trouve, il va peut-être me poser un lapin ! Tant pis ! Si c'est le cas, je déboucherai une bonne bouteille de vin blanc et je poursuivrai la rédaction de mon article.

De retour chez moi, je saute dans la douche et passe près d'une heure à me préparer. Ah, les joies d'être une femme associées à la dictature de l'apparence ! Pourquoi ne pourrait-on pas aller à un rendez-vous pas coiffée, pas maquillée, pas épilée, vêtue d'un jean et d'un tee-shirt trop grand ? Ça serait génial si quelqu'un voulait bien changer les règles ! Il y a cent ans, les femmes devaient être tirées à quatre épingles et ne pas laisser paraître le moindre bout de peau – Ouh, cachez ce coude que je ne saurais voir ! Aujourd'hui, c'est presque l'inverse. Il faut être sexy sans être vulgaire, élégante sans être austère, quel défi ! Enfin, je me plains, mais je suis la première à avouer que je me sens beaucoup plus en confiance lorsque je porte une jolie robe noire avec un pashmina couleur or sur les épaules que lorsque je traîne à la maison avec un vieux survêtement de coton ouaté.

Je suis maintenant prête. Ne reste plus qu'à attendre Samuel. Je m'assois sur le divan, songeuse. Quel genre de message la vie essaie-t-elle de m'envoyer en me faisant écrire un article sur les femmes et leurs ex, alors que je sors d'une relation avec Daniel, que Maxim me manque de plus en plus depuis que je suis au Québec, et que Samuel tente de se frayer un chemin jusqu'à moi ? Arrive-t-on un jour à s'affranchir de nos histoires d'amour passées ou sommes-nous condamnées à essayer de raviver des relations qui n'ont pas marché ? Quand on aime vraiment quelqu'un, réussit-on un jour à ne plus l'aimer, à ne chérir que nos souvenirs ? Je souhaiterais tellement ne pas ressentir ce que je ressens en pensant à Maxim et à Daniel. Je souhaiterais tellement être libre !

Je pousse un long soupir et me lève pour vérifier une nouvelle fois ma tenue. Samuel sonne au même moment. Je lisse machinalement ma robe et lui ouvre la porte. Vêtu d'un pantalon noir et d'une veste de complet, il me regarde avec un large sourire.

– Salut toi, dit-il. Tu es prête ?

– Oui. On va où ?

– Au Versa, dans le quartier Saint-Roch, tu connais ?

– Non, mais je te fais confiance, tu as toujours eu un excellent goût en ce qui concerne les restaurants.

– Pas juste en matière de restaurants, répond-il en m'enveloppant d'un regard charmeur.

OK, il flirte et ce n'est pas vraiment une bonne idée. Je récupère mon sac et lance sur un ton faussement sévère :

– Essaierais-tu de me séduire par hasard ?

– Ça se pourrait bien.

– Tu perds ton temps si tu crois qu'il va se passer quoi que ce soit entre nous.

Le regard de Samuel devient espiègle.

– Qui a dit que je voulais qu'il se passe quelque chose ?

Je me sens rougir et bredouille :

– Euh... je ne sais pas... Pourquoi as-tu voulu qu'on se revoie, alors ?

– Parce que j'en avais envie. Et, avant que tu me poses la question, oui, je flirtais tantôt, mais ça ne signifie pas forcément que j'attends quelque chose de cette soirée. On peut s'amuser sans que ça porte à conséquence, tu sais.

Je pince les lèvres, mais ne réponds pas. Je referme la porte et nous descendons les escaliers en silence. En bas des marches, Samuel s'arrête et me demande :

– Je t'ai vexée ?

– Non. C'est juste que je ne sais jamais à quoi m'attendre avec toi.

– Profites-en ! La soirée ne pourra t'apporter que de jolies surprises !

Il n'a pas tort. Je dois arrêter de voir le mal partout, arrêter d'anticiper des choses qui n'arriveront certainement pas et profiter du temps présent. La soirée est encore jeune. Il est où mon *carpe diem*, déjà ?

Quand une femme accorde un rendez-vous,
elle ne sait jamais si elle consentira
ou si elle ne consentira pas.
C'est même pour le savoir qu'elle donne le rendez-vous.

Tristan Bernard

Chapitre vingt-trois

Vingt minutes plus tard, Samuel et moi arrivons au Versa et l'hôtesse nous installe à une table près de la fenêtre. Je me suis détendue pendant le trajet et je suis maintenant plutôt curieuse de voir où cette soirée va me mener. Samuel m'a un peu parlé de lui dans la voiture. Il est très satisfait de sa vie professionnelle – il est ingénieur –, mais ne sait pas trop où il s'en va concernant sa vie amoureuse. Sa sincérité m'a touchée et j'ai résisté à l'envie de lui envoyer deux ou trois piques sur son incapacité à savoir ce qu'il veut et sur sa peur de l'engagement.

Nous commandons auprès du serveur – qui a l'air de me draguer, mais comme c'est la première fois que ça m'arrive, peut-être que je me trompe et qu'en fait, s'il me regarde avec une telle intensité, c'est parce qu'il essaie de savoir si ma robe est en coton ou en synthétique –, puis je dirige de nouveau la conversation sur les amours de Samuel.

– Tu n'as pas eu de relation sérieuse depuis qu'on s'est... perdus de vue ?

– Je te dirais que je n'ai jamais vraiment eu de relation sérieuse.

– Tu es déjà tombé amoureux quand même ?

Samuel hausse les épaules.

– Quand j'avais quatorze ou quinze ans, mais jamais après.

– Hum.

– Franchement, ne me regarde pas comme si j'étais un cas désespéré ! lance-t-il, à moitié froissé.

– Excuse-moi, c'est seulement que je trouve ça étrange. Est-ce qu'il s'est passé quelque chose de grave avec la fille dont tu étais amoureux à l'adolescence ?

– Non, rien de spécial, je ne suis pas resté traumatisé par une peine d'amour, si c'est ce que tu penses. Il n'y a pas toujours de raisons précises à un phénomène.

Eh bien, on dirait que je touche à un sujet sensible ! Je le sens crispé et sur la défensive. Je décide donc de battre en retraite.

– Je sais, chacun son rythme, on n'est pas obligés de tomber amoureux avant la trentaine.

– Merci de le reconnaître ! s'exclame Samuel en souriant. Chaque fois que je vais voir ma famille, on me demande pourquoi je n'ai pas de blonde. Faut-il vraiment avoir une blonde, des enfants et une maison pour entrer dans la trentaine ?

– Tu prêches une convertie. Je suis tout à fait d'accord avec toi.

– Ah oui ? N'empêche que j'aimerais ça, être plus comme toi.

J'arque un sourcil interrogateur.

— Comment ça ?

— Je ne sais pas. On dirait que tu tombes facilement amoureuse.

— Pardon ?

— Ce n'est pas un reproche. Je trouve que tu t'ouvres plus facilement aux autres, c'est tout.

— Tu crois ça ?

Je n'en reviens pas comme l'image qu'on projette diffère de celle qu'on a de soi ! Moi, ouverte aux autres ? Je m'entoure tellement de barrières que celui qui essaie d'arriver jusqu'à moi a souvent l'impression d'escalader le Kilimandjaro !

— Tu n'avais pas l'air fermée quand on sortait ensemble, poursuit Samuel, convaincu. Tu étais enjouée, de bonne humeur, tu te confiais sans problème et tu avais l'air d'attendre que ça débloque entre nous.

— C'est vrai, mais je n'étais pas amoureuse de toi, et je ne dis pas ça pour te blesser. Mais je suis assez étonnée d'apprendre que tu penses que je tombe amoureuse d'un claquement de doigts... Tu n'aurais pas pu te tromper davantage ! Quand on était ensemble, je te montrais toujours l'inverse de ce que je ressentais. Je voulais paraître indépendante, sûre de moi. Je voulais que tu penses que je prenais la vie avec légèreté alors qu'en fait, notre relation ne me satisfaisait pas du tout.

— Oui, je l'ai compris quand tu m'as dit mes quatre vérités au téléphone, à ton retour de France après les fêtes.

Je secoue la tête en soupirant.

– Finalement, on ne se connaissait pas tant que ça tous les deux. On s'est mal perçus.

– On dirait bien. Je n'ai jamais compris comment tu avais pu tomber amoureuse de Maxim si vite.

Bon, je me demandais combien de temps ça prendrait avant que Samuel ne prononce son nom. Je regarde discrètement ma montre : trente-trois minutes depuis son arrivée chez moi.

– Je ne suis pas « tombée » amoureuse de Maxim en trois jours, je l'aimais sans le savoir, sans l'admettre en fait.

Samuel hoche doucement la tête, dubitatif.

– C'est possible, ça ?

– Eh oui, la preuve !

– Qu'est-ce qui s'est passé entre vous ?

Je savais qu'il me poserait la question. Je n'étais pas certaine de vouloir tout lui raconter, mais je me rends compte finalement que je n'ai pas de réel problème à lui parler de ma relation avec Maxim. Je ne sais pas si c'est parce qu'il m'a confié des choses personnelles sur lui, parce que je me sens bien en sa compagnie ou parce que je suis enfin arrivée à un point où je ne ressens plus cette petite douleur dans le plexus dès que je pense à Maxim, mais je décide d'expliquer à Samuel – en gros – ce qui nous a conduit à nous séparer. Je lui parle également de mes dix mois en France, de Daniel et de mon changement de carrière. (Quand je suis lancée, on ne m'arrête pas, apparemment !) Samuel m'écoute et ne semble pas s'amuser, ou pire, jubiler de mes déboires. Au contraire. Il manifeste une empathie inattendue, mais agréable. Un peu surprise, je ne résiste pas à lui faire remarquer que ce comportement ne lui ressemble guère.

– J'étais sûre que tu allais te réjouir en apprenant ce par quoi je suis passée ces derniers mois.

– Tu me considères vraiment comme un gars capable de rire du malheur des autres ? s'exclame-t-il, un peu peiné.

– Je n'ai pas dit ça. Rire du malheur des autres, c'est un peu fort, mais tu sais bien que tu n'en ratais pas une pour me taquiner.

– Te taquiner oui, pas me délecter de tes malheurs.

– OK, j'ai mal formulé ma pensée. Je voulais seulement souligner que tu semblais persuadé que Maxim me ferait souffrir. J'avais même l'impression que tu n'attendais que ça.

– C'était de l'orgueil mal placé, voilà tout. Et je reconnais m'être trompé sur lui. Vous vous êtes séparés, mais pas pour les raisons que j'anticipais et, apparemment, il t'a rendue heureuse.

– Oui, beaucoup.

J'avale une gorgée de vin tout en regardant Samuel. Il a changé. Il a mûri, peut-être, et je dois dire que je passe vraiment une agréable soirée.

– J'ai lu ton livre, tu sais, dit-il, changeant de sujet.

– Sérieusement ?

Lorsqu'il était venu à mon lancement, il m'avait demandé de dédicacer un exemplaire pour sa sœur et n'avait pas particulièrement paru emballé par la quatrième de couverture.

– Je t'avais dit que je le lirais, non ? Et j'ai beaucoup aimé. J'ai ri aussi et je me suis un peu reconnu dans un des gars que ton héroïne rencontre. Pas très flatteur comme portrait de moi, ajoute Samuel, amusé.

– Ce n'était pas toi dans ton ensemble, je proteste, légèrement mal à l'aise, c'était un condensé de toutes mes expériences foireuses.

– Je ne t'en veux pas, je sais que je n'ai pas été très correct avec toi.

– Ouais, mais je suis un peu responsable, tu ne m'avais rien promis et je me suis créé le scénario de notre relation toute seule.

Samuel soupire et dit :

– On attendait des choses différentes, je crois. J'aimais vraiment passer du temps avec toi mais...

– Tu voulais t'amuser.

– Pas dans le sens que tu penses. Je ne me servais pas de toi pour le sexe, mais c'est vrai que je considérais notre relation comme ludique et légère.

Je hausse les épaules et conclus :

– Ma foi, ce qui est fait est fait. Et puis, j'étais peut-être trop intense à l'époque.

– Et moi, j'étais incapable de tomber amoureux.

– Hum, tu l'es encore aujourd'hui...

– Eh, eh, touché ! Mais je me dis qu'un jour, ça va bien finir par arriver, non ?

– Je te le souhaite, en tout cas.

La soirée file, ponctuée par nos rires et nos discussions plus sérieuses. Après le repas, nous décidons de marcher jusqu'au Vieux-Port. Une projection du *Moulin à images* est en cours et, d'un commun accord silencieux, nous nous installons dans un endroit à l'écart pour la regarder. À un moment, je sens Samuel glisser sa main dans la mienne. Je le laisse faire. Je ne sais pas trop où ce geste va nous conduire, mais je le laisse faire. À la fin de la projection, nous retournons à sa voiture et prenons le chemin de mon appartement. La discussion s'oriente alors vers l'article que je dois rédiger sur les femmes et leurs ex.

– Es-tu resté en contact avec certaines de tes ex ? je demande à Samuel, curieuse d'en découvrir un peu plus sur sa façon de gérer son passé amoureux.

Il réfléchit un moment puis dit :

– Non, je ne crois pas vraiment à l'amitié homme-femme.

– Ouais, j'ai cru remarquer que c'était une tendance chez les gars...

OK, j'ai l'air de rester zen, mais mon cerveau fonctionne à cent mille à l'heure. Si Samuel ne croit pas à ce genre d'amitié, que cherchait-il en me proposant ce souper ? À coucher avec moi ? À reprendre notre relation ? Et si c'est le cas, qu'est-ce que je veux, moi ?

– Pourquoi être ami avec une fille quand tu peux avoir plus ? poursuit Samuel.

– L'amitié ne se compare pas au sexe, je lance, à moitié outrée.

– Tu n'es pas dans les chaussures d'un gars, Isa !

Je regarde Samuel, sidérée.

– Tu es sérieux, là ?

– Oui et non. Mais je ne parlais pas de sexe tantôt. Je voulais dire : pourquoi être ami avec une fille quand elle peut devenir ta blonde ?

Je retiens un éclat de rire.

– Hum... peut-être parce que toutes les filles ne veulent pas forcément devenir ta blonde, tiens ! Et comment peux-tu comparer les deux puisque, de ton propre aveu, tu n'es jamais tombé amoureux ?

– Ça t'obsède, on dirait, cette histoire-là.

Je hausse les épaules.

– Non, ça ne m'obsède pas. Je trouve ça juste... triste.

– Je sais. Moi aussi, je trouve ça triste, mais je n'ai pas soixante-dix ans, j'ai encore le temps de rencontrer la fille idéale.

– La fille idéale ? Si c'est l'équivalent du prince charmant, j'ai le regret de te dire que ça n'existe pas !

Samuel porte la main à son cœur, comme si une flèche l'avait blessé, et s'écrie :

– Ouch ! Je t'en prie, ne détruis pas mes illusions !

À moitié vexée, je demande :

– Et tu la vois comment, la fille idéale ?

– Je ne sais pas trop, mais une chose est sûre, c'est un vrai pétard !

– Mais encore ?

– Je n'ai jamais été au-delà de cette image.

– Eh bien... Bon courage dans tes recherches alors !

OK, suis-je énervée parce que Samuel n'a pas l'air de prendre au sérieux mes questions ou parce que, n'étant pas un « vrai pétard » comme il dit, je n'ai jamais pu correspondre à sa définition – tu parles d'une définition ! – de la fille idéale ?

Samuel me lance un regard amusé.

– Je t'ai toujours trouvé vraiment belle, tu sais.

– Pff !

– Je te jure que c'est la vérité !

– Hum.

– Tu te rappelles comment on s'est rencontrés ?

– À un match du Rouge et Or.

— Exact, ce qui veut dire que, parmi toutes les filles présentes dans les gradins, il n'y a que toi qui as attiré mon attention.

Je sens une légère chaleur me chatouiller le bas du ventre et ne peux m'empêcher d'afficher un grand sourire. Samuel a toujours eu le don de me virer à l'envers, que ce soit par ses mots, ses regards ou... ses baisers. Le silence s'installe dans la voiture alors que nous arrivons près de chez moi. Il se gare devant mon appartement et coupe le moteur. Il sort, fait le tour de son auto et ouvre ma portière. Je le regarde, étonnée.

— Qu'est-ce que tu fais ?

— Je te raccompagne jusqu'à ta porte. J'ai toujours eu envie de faire ça. Tu n'as jamais remarqué dans les films ? Les gars raccompagnent les filles jusqu'à leur porte pour ensuite se faire dire : « Merci pour la soirée, à bientôt ! », comme s'ils ne pouvaient pas se dire ça dans l'auto.

— Mettons que ce serait peut-être moins romantique.

— Exactement... Alors, puis-je ? ajoute Samuel en tendant sa main.

Je glisse ma main dans la sienne et sors de la voiture en riant :

— Ça ne te va pas du tout ce faux air précieux.

Il s'esclaffe et dit :

— Tu préfères que je te jette sur mes épaules et que je te balance sur le pas de ta porte ?

Nous marchons donc jusqu'au pied de mon bloc et restons debout l'un devant l'autre, éclairés par la lumière du porche.

– Au fait, tu ne m'as pas demandé pourquoi je suis resté en contact avec toi alors que je ne le suis plus avec les autres filles qui ont traversé ma vie.

– On n'est pas restés en contact, c'est le hasard qui nous a fait nous croiser.

– À l'aéroport, oui, mais si on est ici ce soir, c'est parce que je t'ai appelée. Si je suis venu à ton lancement, c'est parce que j'en avais envie.

Je fronce les sourcils et murmure :

– Qu'est-ce que tu essaies de me dire ? Que tu as pensé à moi durant ces trois dernières années ?

– Non, je n'ai pas pensé à toi tous les jours, n'exagérons rien, mais...

Il se rapproche de moi, je sens son odeur, ses doigts caressent les miens et je retiens mon souffle.

– ... j'ai toujours conservé un agréable souvenir de toi.

– Pourquoi ?

– Peut-être parce que tu es la seule fille que je connaisse capable d'engueuler un gars au subjonctif imparfait ! plaisante-t-il. Peux-tu m'en sortir un, là, maintenant ?

– Je ne suis pas énervée, mais ça ne saurait tarder si tu continues de te moquer de moi.

– Je ne me moquais pas de toi, je trouve ça... adorable.

– Adorable ?

Son visage est si près du mien que je peux plonger dans ses yeux. Qu'est-ce qui est en train de se passer ? Je m'étais pourtant juré de ne pas tomber dans ses bras. Sauf que cette soirée ne s'est pas du tout déroulée comme je le pensais. J'avais oublié à quel point Samuel pouvait se montrer charmeur. Cela dit, ce n'est pas son charme qui agit présentement sur moi, c'est sa sincérité. Et toutes mes belles résolutions concernant mon indépendance et mon besoin de me retrouver seule s'envolent alors qu'il dépose ses lèvres sur les miennes.

Lèvres ! Lèvres ! Baiser qui meurt, baiser qui mord.
Lèvres, lit de l'amour profond comme la mort !

Albert Samain

Chapitre vingt-quatre

OK, je suis peut-être trop intense, mais je dois rendre mon article aujourd'hui – dans deux minutes trente précisément – et je stresse comme une folle. Je n'en ai pratiquement pas dormi de la nuit, c'est dire ! Je n'arrêtais pas de me poser des questions du style : et si Marion Lamontagne déteste mon approche, mon style, mon humour, mes conclusions et qu'elle me demande de me jeter dans le fleuve, qu'est-ce que je fais ? Je sais qu'elle a aimé mon roman, mais ça ne signifie pas forcément qu'elle aimera mon reportage. J'aurais peut-être dû interroger plus de personnes, moins me servir de mon expérience, insérer un point de vue plus scientifique – les psys en auraient beaucoup à dire sur les femmes et leurs ex ! – ou demander l'avis de plusieurs hommes. Je vais me planter, c'est sûr, et je vais devoir faire la manche pour survivre. Une vie de saltimbanque, ce serait cool, non ? Hum... Je ne sais pas chanter, je ne sais pas jongler, je ne sais pas faire le grand écart, ni tenir en équilibre sur les mains. Je serais à peine bonne à ramasser l'argent que les passants me jetteraient pour que j'aille abréger leur souffrance en sautant dans le fleuve. Peu importe ma vie, j'en reviens toujours à une seule conclusion : noyade dans le Saint-Laurent ! Super ! Trop intense, moi ? Un euphémisme !

Allez, je me relis une énième fois et j'envoie le tout à Marion Lamontagne. Et hop ! C'est parti !

M-e-r-d-e !

J'ai oublié de joindre mon article au courriel. Je tape rapidement quelques mots d'excuse et corrige le tir.

M-e-r-d-e, puissance vingt mille !

Dans ma précipitation, je me suis trompée de version et j'ai envoyé la première que j'ai écrite ! Je me mords l'intérieur des joues pour ne pas pleurer de rage. Marion va me trouver tellement amateur et elle n'aura pas tort ! C'est élémentaire de vérifier ses courriels AVANT de les envoyer et non APRÈS. Mais non, moi et les trucs de base, ça ne rentre pas ! Bon, fonction rappel de message à la rescousse ! Ni une ni deux, voilà mes courriels de retour dans ma boîte, fiou ! Je prends cette fois mon temps pour écrire un message professionnel et joindre la version adéquate de mon article, puis clique sur « Envoyer ». Yeah ! Mon honneur est sauf ! Deux minutes plus tard, mon téléphone sonne. C'est Marion.

– C'est toi qui m'as envoyé des tas de messages pour les rappeler ensuite ? demande-t-elle sans préambule.

M-E-R-D-E ! Pour la troisième fois en dix minutes et puissance un million. Était-elle agacée ? Difficile à dire, je ne la connais pas beaucoup. La seule chose que je commence à voir, c'est qu'elle est très directe, qu'elle parle vite et qu'elle me semble toujours très pressée. Je bafouille quelques explications :

– Euh... Oui. Désolée, c'est parce que je m'étais trompée dans les pièces jointes.

– Est-ce que ça se pourrait que tu sois un peu maladroite ? lance-t-elle, mi-amusée, mi-agacée.

Mortifiée, je murmure :

– Seulement quand je suis stressée.

– Je ne sais pas si tu vas survivre à la profession de pigiste dans ce cas. Le stress est omniprésent.

Oh my God, c'est pire que dans mes cauchemars ! Va-t-elle me dire d'arrêter d'ennuyer les rédactrices en chef du Québec parce que je suis totalement inapte à la profession de pigiste ? Bon, plan B, la vie de saltimbanque. Est-ce que c'est dur d'apprendre à jongler en marchant sur les mains ?

– Je vais m'habituer, je bredouille en baissant la tête comme une enfant prise en faute.

– OK, donne-moi deux minutes, je vais lire ton papier.

Le coup de grâce va-t-il arriver ? Je retiens mon souffle, mais au bout de trente secondes, je sens l'asphyxie me gagner et laisse échapper malgré moi un gros soupir qui, horreur, ressemble à un soupir d'énervement. Achevez-moi tout de suite, vous serez gentils !

– Ça ne va pas ? demande Marion.

– Non, non. Enfin, oui, ça va, j'ai juste... avalé de travers.

Creusez un trou et jetez-moi dedans, merci ! Marion continue sa lecture en silence, puis dit :

– Ce n'est pas mal. On sent quand même que tu racontes un peu ta vie, mais on va y aller avec ça. Tu as vraiment un style détonnant. Mordant, en fait.

– Merci.

Soulagement, puissance trois milliards.

– J'aimerais bien me servir de ta plume pour une chronique mensuelle.

– Oh, j'adore écrire des chroniques ! Qu'est-ce que vous cherchez ?

– Peux-tu me tutoyer s'il te plaît ? On n'est pas à la cour du roi. Je cherche quelque chose de différent. Les chroniques sur la vie de couple, le célibat, la maternité, ç'a été vu et revu. Si tu trouves une idée, écris-moi un courriel et on en reparlera, OK ?

– En fait, là tout de suite, je me disais... je sais que le célibat est un sujet usé jusqu'à la moelle, mais si on le prenait sous un angle différent, ça pourrait être intéressant.

– À quoi tu penses ?

– On pourrait peut-être mêler le célibat et/ou les relations amoureuses avec les différences culturelles. Par exemple, une Européenne, pas forcément une Française, pourrait raconter les quiproquos qu'elle rencontre avec les hommes ici. Personnellement, je me souviens que les premiers mois de mon installation au Québec, j'avais l'impression d'être soudainement devenue invisible parce que plus personne ne m'abordait dans la rue pour me demander mon numéro.

– Les gars font ça en France ? s'étonne Marion.

– Ça ne m'arrivait pas chaque jour non plus, mais oui, les gars draguent les filles presque partout : dans la rue, dans les transports en commun, à l'épicerie et dans les bars, bien sûr. Ce qui fait que quand on débarque ici, le choc est rude.

Marion éclate de rire.

– J'imagine, oui. Ton idée serait à approfondir, mais je me demande s'il y aurait assez de matière.

– Ça pourrait être des chroniques s'attardant aux différences culturelles dans tous les domaines de la vie courante, alors. Le premier hiver, par exemple, est un sujet inépuisable ! Si tu m'avais vue en train d'essayer de déblayer mon allée avec ma petite pelle en plastique qui n'a pas tenu plus de trois minutes trois quart ! Pendant un mois aussi, j'ai eu une piètre opinion des fours québécois parce que je n'arrivais pas à cuire mes pizzas en moins d'une heure. Puis j'ai compris que si deux cents degrés, c'est assez quand on mesure en Celsius, ça ne l'est pas du tout avec un four en Fahrenheit !

– Wow, tu as vraiment de la matière ! Envoie-moi trois chroniques de ce style et on s'en reparle, OK ?

– Pas de problème ! Merci !

Je raccroche, aux anges. Finalement, pour une conversation qui avait assez mal débuté, elle s'est finie en beauté ! Je suis en feu et mon cerveau est en ébullition ! J'ai des tas d'idées pour cette chronique, c'est génial ! Alors que je m'évertue à perfectionner ma danse de la victoire, mon téléphone sonne. C'est de nouveau Marion qui me propose une autre mini-enquête, cette fois-ci sur... les gadgets sexuels ! Je m'empresse d'accepter, même si je ne suis jamais entrée dans un sex-shop et que j'en rougis d'avance.

*   *

*

Je compose le numéro de téléphone de Lucie et lance dès qu'elle décroche :

— Alors, comment va la future maman ?

Elle soupire si fort que j'ai l'impression que mon téléphone vibre dans ma main.

— Je suis fatiguééééééééééééééééééééééééééée !!! Je n'arrive pas à dormir la nuit, j'ai trop chaud. Et je me suis transformée en grosse baleine ! Je sais que c'est un cliché, mais je suis vraiment énorme ! Ce n'est pas pour rien si dans le temps, l'accouchement s'appelait la délivrance ! Qu'est-ce que ce serait bien si la cigogne pouvait réellement nous apporter nos bébés !

Je souris malgré moi et ne résiste pas à l'envie de la taquiner :

— Et dire que tu n'as pas encore vécu les contractions ! J'ai hâte de t'entendre me faire un compte rendu détaillé !

— Eh !!!! C'est comme ça que tu me soutiens ??? Tu ris de la misère des autres ? s'exclame Lucie, faussement vexée.

Je me mords la lèvre inférieure pour ne pas éclater de rire.

— Excuse-moi, c'était plus fort que moi. Mais je suis sûre que ta grossesse t'apporte aussi son lot de joies.

— Oui, c'est vrai, mais je suis trop fatiguée pour m'en rendre compte !!!!!!!!

— Courage, il ne te reste même pas deux mois. Et puis, dis-toi que quand ton bébé sera là, tu vas regretter de ne plus l'avoir pour toi toute seule.

– J'avoue que c'est vraiment magique, cette relation fusionnelle que je développe avec lui. Je le sens bouger tout le temps et je prends conscience que mon corps est en train de fabriquer la vie, c'est fou quand on y pense. Je suis heureuse d'être une femme juste pour pouvoir vivre ça.

– Ah, tu vois que tu aimes être enceinte finalement !

– Oui, mais c'est un vrai bouleversement pour mon corps. On en reparlera quand tu vivras cette expérience à ton tour !

Je m'esclaffe à cette idée.

– Ce n'est pas demain la veille !

– Ça arrive plus vite qu'on ne le pense.

– Quand on est en couple, peut-être, mais là, à part en devenant la nouvelle Vierge Marie, je ne vois pas comment je pourrais tomber enceinte. Et puis, je ne suis pas prête. J'attends d'être adulte.

– Arrête avec ça ! lance Lucie, exaspérée. Tu es adulte, on l'est tous ! Pourquoi tout le monde s'accroche à son syndrome de Peter Pan et refuse de grandir ? Qu'est-ce qu'il y a de si affreux dans l'âge adulte que chacun veut éviter, peux-tu me le dire ?

Surprise par ses propos, je réplique, un peu confuse :

– J'ai dit ça comme ça.

Lucie soupire.

– Je sais. Excuse-moi. Je ne voulais pas paraître blessante. Je suis victime de mes hormones !

– Ne t'inquiète pas, je ne l'ai pas mal pris. Et puis, tu n'as pas tort, on dirait que depuis une dizaine d'années, affirmer haut et fort qu'on s'amuse et qu'on vit comme des ados est devenu une mode incontournable. C'est sûr que je ne me sens pas prête à devenir mère, mais je suis capable de m'assumer, de prendre mes responsabilités et d'avancer sur ma route. Je crois que ça ressemble pas mal à l'âge adulte, non ?

– Pas mal, oui... Mais au fait, comment s'est passé ton rendez-vous avec Samuel ? Je suis tellement occupée à être fatiguée que j'avais presque oublié que tu l'avais revu.

Je souris en repensant à ma soirée avec Samuel et dis :

– On a passé un très bon moment et j'ai découvert des tas de choses sur lui.

– De quel genre ?

– Sur la façon dont il me voit, la façon dont il a vécu notre relation, et sur ses sentiments.

– Ses sentiments pour toi ? s'étonne Lucie.

– Non, non, pas pour moi ! je m'exclame en riant. Plutôt sur l'amour et les relations amoureuses.

– Est-ce qu'il s'est passé quelque chose entre vous ?

– On s'est embrassés en bas de chez moi pendant dix minutes.

Lucie laisse échapper un hoquet d'étonnement.

– Tu es sérieuse ? C'est par là que tu aurais dû commencer notre discussion !

– Je voulais faire durer le suspense.

– Et tu continues en délivrant les informations sur votre soirée au compte-gouttes ! Qu'est-ce qui s'est passé après votre baiser ? Est-ce que vous allez vous revoir ?

– Il ne s'est rien passé, il m'a dit « bonne nuit » et il est parti. Je ne sais pas si nous allons nous revoir, mais ça n'a pas vraiment d'importance.

– OK. Pourrais-tu recommencer avec plus de détails, s'il te plaît ? demande Lucie, amusée.

J'étends mes jambes sur le divan et je change mon téléphone d'oreille avant de me lancer. Samuel et moi nous sommes effectivement embrassés pendant dix bonnes minutes après qu'il m'a raccompagnée jusqu'à la porte de mon immeuble. C'était encore mieux que dans mon souvenir. C'était chaud, intense, il goûtait la menthe et j'aurais pu rester ainsi pendant des heures. Je n'avais néanmoins pas envie de plus. J'étais excitée, certes, mais juste par ses baisers. Je ne sais pas si Samuel l'a senti, mais il s'est redressé, m'a regardée avec un sourire dans les yeux et m'a souhaité bonne nuit. Il n'a rien ajouté d'autre. Pas d'explications sur ce qui venait de se passer, pas d'interrogations sur le lendemain, et c'était parfait. À mon tour, je lui ai souhaité une bonne nuit et il est parti. J'ai dormi comme un bébé cette nuit-là. J'étais bien. Lorsque je me suis réveillée, je me suis quand même demandé pourquoi je ne me posais pas de questions sur ce qui s'était passé la veille.

Oui, oui, je sais, je suis mûre pour l'asile ! Ne vous inquiétez pas, j'ai réservé ma chambre. Il n'y a que moi pour me poser autant de questions parce que je ne me pose pas de questions ! (Et il n'y a que moi pour être aussi claire dans mes propos...) N'empêche que j'ai fini par comprendre ce qui se passait et ce que je ressentais : je suis enfin arrivée à un stade où je peux revoir un ex, passer une soirée avec lui et l'embrasser sans déclencher un tsunami personnel dans ma vie. Je peux profiter de certains moments qui s'offrent à moi sans en faire toute une montagne. Les événements qui surviennent sur notre chemin n'ont pas forcément une raison d'être précise. Ils n'ont pas non plus toujours de signification propre. Ils arrivent, c'est tout. On les vit, on les traverse, on les apprécie et on continue. Ce n'est pas plus compliqué que ça. Et c'est ce qui s'est passé avec Samuel.

Ce n'était pas un signe ou quoi que ce soit, le fait qu'on se soit croisés à l'aéroport. Mais on s'est revus ensuite parce qu'on en avait envie. On a discuté, on s'est amusés et on s'est embrassés. Point. Le désir que nous avons l'un pour l'autre s'est exprimé à travers ces baisers et nous n'avons pas eu besoin d'aller plus loin pour le ressentir. Signifiaient-ils autre chose que ça ? Je ne crois pas. Ce n'est pas ce que Samuel veut et ce n'est certainement pas ce que je veux non plus. Nous ne nous sommes pas revus depuis notre soirée au Versa, mais il m'a appelée. Juste pour discuter.

On se reverra sans doute, on s'embrassera sûrement. Et peut-être que ça signifiera quelque chose à ce moment-là. Ou peut-être pas. Mais, pour l'instant, nous en sommes là : nous avons partagé une soirée, une intimité, quelques baisers sans conséquence et il n'y a rien à ajouter.

Lucie est plus que surprise de m'entendre parler ainsi. Moi qui l'avais habituée à mes questions existentielles sur le moindre regard, la moindre phrase énoncée par un gars, me voilà aujourd'hui devenue une femme capable de vivre et de ressentir les choses sans tout décortiquer. C'est tellement rafraîchissant. Tellement apaisant. Et je n'ai qu'une hâte : continuer d'avancer sur ma route et voir ce qui m'attend !

L'homme oriente sa voile,
appuie sur le gouvernail,
avançant contre le vent par la force même du vent.

Alain

Chapitre vingt-cinq

Ça sent l'automne. Les nuits sont fraîches, les couleurs des feuilles changent peu à peu et les abris Tempo ne vont pas tarder à fleurir les rues. Les enfants ont repris le chemin de l'école depuis longtemps, les parents celui du travail et moi, je suis chez moi. C'est étrange d'être travailleur autonome et de ne pas avoir de routine fixe. D'un étrange agréable, on s'entend. J'organise mon temps comme je le souhaite et je suis loin de me réveiller à midi et de passer mes journées avachie sur mon divan devant les feuilletons américains de l'après-midi. Cela dit, j'ai quand même l'impression de ne pas « réellement » travailler. Je vais m'habituer, j'imagine.

Les contrats rentrent les uns après les autres, ce qui ne pouvait pas me faire plus plaisir, mais j'avoue que le plus stressant est de ne pas savoir exactement combien je vais avoir d'argent à la fin du mois. Sans compter que pour l'instant, je ne fais même pas la moitié de mon salaire de conseillère en ressources humaines ! Je sais que c'est normal et que je dois me laisser du temps, mais je n'y peux rien, je stresse. Et je doute. La faute à qui ? À ma mère, vous vous en doutez bien !

Quand j'ai quitté la France, je ne lui ai pas dit que je comptais réorienter ma carrière et donner à l'écriture une place centrale dans ma vie. C'était lâche, mais je n'avais vraiment pas la force de soutenir une autre discussion musclée avec elle. Et puis, je ne voulais pas repartir fâchée. J'ai donc passé sous silence mes projets... jusqu'à la fin de la semaine dernière.

Ma mère m'appelle invariablement chaque samedi matin pour prendre de mes nouvelles. Comme à son habitude, elle m'a posé des tas de questions sur mon avenir professionnel, me demandant pourquoi je n'avais pas encore trouvé un travail. Les fois précédentes, j'avais habilement esquivé son interrogatoire, mais samedi dernier, elle a refusé de lâcher le morceau. Je me suis alors dit qu'il était temps que je lui explique certaines de mes décisions. Ça n'a pas traîné : son flot de reproches s'est déversé sur moi comme une averse diluvienne. Elle n'arrivait pas à comprendre pourquoi je ne lui avais pas tout raconté plus tôt et surtout pourquoi j'avais pris ce virage dans ma carrière. Elle a ressassé les possibilités que je laissais échapper, l'argent que je pourrais avoir et le confort qui vient avec. Je n'écoutais que d'une oreille, attendant que ça passe, mais aujourd'hui, je me rends compte qu'elle a réussi à insuffler en moi le doute, et je suis persuadée que c'est ce qu'elle cherchait. Conclusion : je me demande si j'ai pris la bonne décision en devenant pigiste.

— *Tu ne vas pas déjà remettre en question une décision que tu as prise il n'y a même pas six mois et que tu suis depuis quelques semaines seulement ? Vas-tu passer ta vie à faire la girouette ?*

Et c'est reparti ! Je serre les dents et rétorque :

— *Ce n'est pas en m'assommant de reproches que je vais y voir plus clair !*

— *Voir plus clair dans quoi ? Tu veux déjà abandonner ? Tu savais que ça allait être difficile, non ?*

— Oui, mais ce n'est pas évident de gérer la part d'inconnu qui vient avec une nouvelle voie professionnelle.

— C'est pareil pour tout le monde, Isa ! Mais ceux qui réussissent sont ceux qui persévèrent ! Tu ne peux pas abandonner dès que ça devient difficile !

— Ce n'est pas ça du tout, j'ai juste peur de me tromper.

— Et quand bien même ? Tu n'as pas signé un contrat pour vingt ans ! Si ça ne marche pas, tu pourras toujours faire autre chose, mais tu dois t'accrocher un certain temps. Tu te rappelles combien tu avais peur de te lancer dans une relation amoureuse avec Maxim au début ?

— Euh... je ne vois pas très bien le rapport.

— Eh bien, achète-toi des lunettes parce qu'il est très clair ! Tu avais peur, mais tu t'es lancée et tu as vécu quelque chose de magnifique.

— Je pense que tu oublies la façon dont ça s'est terminé entre nous, je réplique, moqueuse.

— Et toi, je pense que tu oublies que tu as tout surmonté. Tu as affronté votre rupture, peut-être pas de la meilleure manière, mais tu l'as affrontée et tu en es sortie plus forte.

Hum... Qu'est-ce que ça peut m'énerver quand ma petite voix a raison !

— Est-ce que tu regrettes ce que vous avez vécu, Maxim et toi ? enchaîne-t-elle.

— Évidemment que non.

— Mais tu l'aurais regretté si tu n'avais pas foncé.

– *Mouais.*

– *Tu t'étais donné jusqu'à la fin de l'année pour décider si oui ou non tu persistais dans la voie de pigiste, il te reste encore trois mois, et il faut que tu ailles jusqu'au bout.*

– *Ce n'était pas toi qui avais de gros doutes sur ma capacité à devenir pigiste ?*

– *Oui, et tu m'avais cloué le bec de manière assez retentissante, si je me souviens bien. Ce serait génial si tu pouvais retrouver cette conviction.*

Ma mère a-t-elle vraiment réussi à annihiler cette foi que j'avais en mes décisions en une conversation de seulement dix minutes ? Suis-je si influençable ? Si peu sûre de moi ? Après tout, c'est normal d'avoir des doutes. Il faut que je me concentre sur les raisons qui m'ont fait emprunter le chemin que j'emprunte actuellement, sur ma passion pour l'écriture et, surtout, sur l'envie de me construire une vie à mon image.

J'adore écrire. Et je me rends compte que je suis aussi capable d'écrire sur des sujets qui m'intéressent moins, comme les gadgets sexuels. Bon, oui, ça m'intéresse, mais dans l'intimité et certainement pas au point de rédiger trois feuillets là-dessus. Marion a beaucoup aimé, cela dit. Elle trouve même que j'écris mieux quand je traite de choses qui me rejoignent moins. Elle a aussi accepté mon idée de chronique, que j'ai intitulée *Une fille au Québec,* et je prends un plaisir incommensurable à la tenir. Je me replonge dans mes souvenirs de ma première année ici et mes doigts filent sur mon clavier. La première, qui paraîtra le mois prochain, aborde la recherche d'appartements et les quiproquos qui peuvent en découler quand on lit, par exemple, dans le journal ou sur des babillards quelconques :

« Trois et demi à louer, chauffé, pas éclairé. »

« Ah, bon, je ne pourrai occuper que trois pièces plus une demi ? Mais qui va occuper l'autre moitié ? Ils sont vraiment faits bizarrement, les appartements au Québec, si on doit partager une pièce de son appartement – laquelle, je vous le demande ! – avec une autre personne. Et puis, qu'est-ce que ça veut dire, pas éclairé ? Il n'y a pas de système d'électricité, il faut s'éclairer à la bougie, c'est ça ? » J'ai passé des heures à essayer de décoder les petites annonces. C'est normal, me direz-vous. Ceux qui débarquent en France doivent aussi se creuser les méninges pour essayer de comprendre ce que peut bien être un T4 et quelle est la différence avec un F4. Euh, désolée, je ne le sais pas moi-même ! Tout ce que je peux vous dire, c'est que le quatre représente le nombre de pièces de l'appartement, salle de bains et cuisine exclues.

Bref, tout ça pour dire que j'adore ma chronique, que je commence à collaborer avec plusieurs magazines, principalement avec *Femmes d'aujourd'hui*, et que j'ai du temps pour écrire mon deuxième roman. Eh oui, je me suis enfin lancée. Après des mois d'hésitation, de faux départs, de chapitres inachevés, me voici maintenant totalement plongée dans la rédaction d'un roman pour adolescents. Je me suis rendu compte que j'avais beaucoup de choses à dire sur l'adolescence. Ces quelques années sont si importantes dans notre vie. Aucun laps de temps si court n'atteint cette importance par la suite. Ce que nous vivons pendant cette période nous marque plus que jamais, mais ces moments ne doivent pas non plus nous définir pour toujours. Et je sais de quoi je parle ! J'ai vécu ma vingtaine en tentant d'effacer les souffrances de mon adolescence. C'était humain, logique presque, mais j'en ai eu assez d'être cette fille effrayée par l'amour, par la souffrance, par l'abandon. Ce qui ne nous tue pas nous rend plus fort, comme disait Nietzche, et il avait parfaitement raison. Les obstacles sont faits pour être surmontés. Ce qui me fait penser que je devrais suivre mes propres conseils et arrêter de douter de mon avenir.

Forte de ma nouvelle énergie, je glisse mon portable dans mon sac et me rends dans un café de la rue Cartier que j'appelle mon bureau. Je ne peux pas rester enfermée toute la journée dans mon appartement. J'ai besoin de sortir, de prendre l'air et de côtoyer des gens.

Je m'installe à ma table habituelle, je commande mon chocolat chaud et j'ouvre mon ordinateur. Le WiFi gratuit me permet d'accéder à ma boîte de courriels et de découvrir un message de Samuel.

De Samuel à moi :

« Objet : Qu'est-ce que tu fais en fin de semaine ?

Salut, toi,

Comment ça va ? J'espère que ta nouvelle vie de pigiste se passe bien ! Tu l'auras deviné avec l'objet de mon message, je t'écris pour savoir si tu es libre en fin de semaine. J'ai très envie d'aller faire une petite randonnée dans le parc de la Jacques-Cartier. Comme je sais que tu aimes marcher en pleine nature, je me suis dit que tu aimerais peut-être venir avec moi.

Donne-moi des nouvelles !

Samuel

Une randonnée dans le parc de la Jacques-Cartier avec lui ? Oui, pourquoi pas ? J'adore cet endroit et, même si les couleurs ne sont plus aussi vives puisque l'automne est déjà bien entamé, passer l'après-midi là-bas sera vraiment agréable.

Quant à revoir Samuel, je me doutais que ça arriverait un jour et j'ai hâte de découvrir ce que je vais ressentir. Est-ce qu'il va m'embrasser en arrivant ? S'il me laissait le choix, est-ce que je l'embrasserais ? Je ne sais pas trop. Je crois que j'irais selon mes sentiments du moment. C'est parfois grisant de gérer l'inconnu. (C'est moi qui dis ça ?!)

Marie-Anne n'en revient pas de voir la relation que Samuel et moi développons. Elle dit que je suis une fille qui adore être amie avec le sexe opposé. Elle n'a pas tort. Je sais que la plupart des gens ne croient pas en ce genre d'amitié et j'avoue n'avoir jamais été amie avec un gars sans que le sexe et/ou l'amour ne finisse(nt) par exister entre nous, mais j'aime cette relation particulière que je peux avoir avec un gars qui n'est pas mon chum. J'aime cette séduction qui nous enveloppe sans en avoir l'air, faite de non-dits. Et puis, en présence d'un ami, je peux être moi-même, sans retenue.

Quand on veut sortir avec un homme, on se pare de ses plus beaux atours, on s'embellit toujours, que ce soit physiquement ou dans son attitude, son caractère. Quand je suis avec un gars que je considère comme un ami – ou en tout cas, qui n'est pas mon chum, Samuel ne méritant pas encore le titre officiel d'ami –, je n'essaie pas de cacher mes défauts et j'ai l'impression que ce que nous développons est plus sincère. Je sais que lorsqu'on tombe amoureux et que la relation s'installe, on redevient soi-même, avec les bons et les mauvais jours. Mais j'ai l'impression que l'amitié nous permet d'atteindre cette vérité plus vite. Je me trompe peut-être et c'est vrai que l'amitié ne peut pas vraiment se comparer à l'amour. Cela étant, je serai toujours heureuse d'avoir un homme avec qui je m'entends bien dans mon entourage.

Je réponds donc à Samuel que je suis libre et que j'accepte avec plaisir sa proposition de randonnée, lui précisant que je préfère ne pas me lancer dans une marche de six heures. Le connaissant, je suis sûre qu'il aurait été tenté de m'entraîner sur un sentier difficile, histoire de me taquiner sur mon manque de forme physique.

Quelques minutes plus tard, je reçois un autre courriel. Pensant qu'il s'agit de Samuel, je l'ouvre sans même faire attention à l'expéditeur et sens mon cœur s'emballer en découvrant que le message est de Maxim.

Nous ne nous sommes pas donné de nouvelles de l'été. Au début, je dois bien avouer que j'étais plutôt déçue par son silence. Et puis, être à Québec sans lui, c'était assez bizarre. Chaque fois que j'allais quelque part, je nous revoyais ensemble. Il y avait toujours quelque chose qui me renvoyait à lui. Avec le temps, ce sentiment s'est estompé et j'ai pu me créer des souvenirs qui n'appartiennent qu'à moi.

J'ai su par Antoine que son projet de livre avançait bien et qu'il adorait sa vie à New York. Mais, ce qu'il aime par-dessus tout, c'est consacrer tout son temps à la photo. Je suis vraiment contente pour lui, et juste le fait de penser qu'il réalise son rêve me donne l'énergie et le courage de ne pas baisser les bras concernant le mien. C'est peut-être une question d'orgueil, je ne le cache pas, mais c'est surtout parce que je me souviens de toutes ces discussions qu'on avait sur notre avenir quand j'ai emménagé avec lui. On croyait en nous, en notre capacité d'accomplir ce dont nous rêvions depuis toujours, et je refuse de me dire que ce n'étaient que de belles paroles.

Retenant mon souffle malgré moi, je parcours le message de Maxim.

De Maxim à moi :

« Objet : Juste un petit mot

Salut, Isa,

J'espère que tu vas bien et que tu es toujours aussi heureuse d'être revenue t'installer à Québec. Je pense souvent à toi, tu sais, même si je me suis fait discret ces dernières semaines. Je t'envoie ce petit message aujourd'hui pour te dire que je serai de passage à Québec la semaine prochaine et que j'aimerais beaucoup te revoir. Je comprendrais que tu n'en aies pas envie cela dit, alors la balle est dans ton camp.

Maxim

Bon.

...

Maxim vient passer quelques jours en ville et a envie de me revoir. Il a pensé à moi durant l'été, mais a préféré me laisser un peu d'espace, ce qui, après réflexion, n'était pas une mauvaise idée. Alors pourquoi souhaite-t-il qu'on se revoie maintenant ? En ai-je seulement envie ? Oui et non. J'ai peur de ce que je pourrais ressentir. J'ai peur de me créer des attentes et d'être déçue. Je suis enfin en contrôle de ma vie et je ne veux pas perdre ça. Je ne souffre plus en repensant à notre relation et à notre rupture. Je parviens même à m'imaginer tomber amoureuse de quelqu'un d'autre. Maxim fait partie de mon passé et je veux regarder vers l'avant. Il est vrai qu'à un moment donné, je n'étais pas contre l'idée d'essayer de retrouver cette amitié qui nous liait avant qu'on tombe amoureux. Mais j'étais encore en France à l'époque et, dans ma

285

tête, cette amitié ne se composait que de courriels et de coups de téléphone. Les choses ont changé. Ou peut-être ai-je finalement compris qu'il est impossible que nous redevenions amis. Même si j'adore être amie avec les gars, il y en a certains avec lesquels je ne pourrais pas l'être, et Maxim est l'un d'entre eux. Alors, le revoir ? Pour l'instant, je ne crois pas.

L'amitié finit parfois en amour,
mais rarement l'amour en amitié.

Charles Caleb Colton

Chapitre vingt-six

Samuel ne m'a pas embrassée en arrivant chez moi. Il s'est contenté de me faire la bise et de me demander comment j'allais. Ai-je été déçue ? Non. Je ne suis pas sa blonde et il n'est pas mon chum. Nous nous sommes installés dans sa voiture et nous avons pris la route pour le parc de la Jacques-Cartier. Le soleil brillait et le ciel était d'un bleu pur. Quand nous sommes arrivés au parc, Samuel m'a convaincue de tenter un sentier de niveau intermédiaire, arguant que les points de vue tout le long étaient magnifiques. J'ai cédé, mais je dois dire que maintenant, je le regrette un peu. Je suis rouge comme une pivoine, je transpire et souffle bruyamment à chaque expiration. Nous ne faisons que monter depuis une demi-heure et je n'en peux plus. Bien entendu, Samuel s'en amuse et me pousse à continuer. Ils ont intérêt à être magnifiques, ces points de vue, sinon je l'étripe ! Quelques minutes plus tard, nous arrivons – enfin ! – à notre premier arrêt.

OK. J'avoue. C'est assez époustouflant : la vue plongeante sur la vallée, les arbres dont certains ont encore des feuilles jaunes, orangées ou rouges, la rivière sur laquelle se reflète ce début d'automne, si paisible que j'aurais envie d'y plonger. Je reste un moment silencieuse, impressionnée par le spectacle que la nature a à offrir. Ça valait la peine de faire souffrir mes cuisses, mes mollets et mon cœur !

Samuel s'assoit sur un rocher qui ne semble attendre que les randonneurs et je le rejoins. Nous restons un instant sans rien dire, puis il murmure :

— Je ne me lasse pas de ce genre de spectacle... Chaque année, je reviens et je ne m'en lasse pas.

— C'est impossible de s'en lasser. Mais... euh, est-ce que la piste monte encore autant sur le reste du trajet ? Parce que si oui, je crois que tu vas devoir me porter !

— Ne t'inquiète pas, on a fait le plus difficile. Le chemin devient plat et ensuite, on redescend.

— Tu me files des complexes en tout cas ! Je pensais être plus en forme que ça !

— La montée t'a paru difficile parce que tu n'as pas arrêté de te plaindre, ma belle ! Si tu t'étais concentrée sur ta respiration et que tu avais gardé des forces, tu aurais pu arriver ici en courant.

— Mais oui, bien sûr ! Et pourquoi pas sur les mains tant que tu y es !

Samuel éclate de rire.

— Tu es vraiment unique, toi. Ne change pas.

— Je n'en ai pas l'intention, je lui réponds sur le même ton.

— Tu es prête à repartir ?

Je saute sur mes pieds, impatiente de découvrir les beautés savamment dispersées sur le chemin, et m'exclame :

– Allons-y !

Nous reprenons notre route qui s'enfonce de plus en plus dans la forêt. Nous entendons quelques oiseaux gazouiller et le vent bruisser à travers les feuilles des arbres. Nous arrivons près d'un ruisseau dans lequel j'aperçois mon reflet. Je devrais venir ici plus souvent, c'est tellement apaisant. J'ai l'impression que le temps s'est arrêté.

– Alors, commence Samuel, vas-tu enfin me dire ce qui te tracasse ?

– Comment ça ?

– Tu as le regard sombre aujourd'hui.

– Vu que j'ai déjà les yeux sombres, comment peux-tu savoir s'ils sont plus sombres que d'habitude ? je lui demande, mi-amusée, mi-intriguée.

– Disons que c'est un ensemble. Ton visage est plus soucieux.

– Je ne te savais pas si observateur.

Quand on sortait ensemble, je ne lui disais jamais ce que je ressentais vraiment et il n'y voyait que du feu. Ou peut-être qu'il préférait ne pas creuser la question plus loin. Il est maintenant très perspicace, je dois bien l'avouer. J'ai beau être souriante, contente d'être au parc et d'admirer la nature, au fond de moi, je n'arrive pas à m'enlever Maxim de la tête.

Je jette un œil à Samuel, hésitante. Lui parler de Maxim et de ma relation avec lui m'apparaît vraiment étrange. Incongru presque. Nous avions abordé le sujet lors de notre souper au Versa, mais c'était surtout pour que ce soit réglé et nous ne nous y étions pas attardés. Je ne suis pas sûre que ça lui tente de m'entendre lui expliquer mes états d'âme concernant la prochaine visite de Maxim à Québec. Je dis donc :

— Je ne pense pas que tu as envie de savoir ce qui me tracasse.

Samuel hausse les sourcils.

— Ce n'est quand même pas notre relation ?

— Euh, c'est la deuxième fois qu'on se voit, je ne vais pas commencer à me prendre la tête à cause de ça ! J'ai changé moi aussi, tu sais.

Non, mais est-ce que j'étais vraiment si compliquée il y a trois ans ? Hum, faut croire que oui !

— OK, ne monte pas tout de suite sur tes grands chevaux ! Si ce n'est pas notre relation, alors c'est forcément Maxim qui occupe tes pensées, je me trompe ?

— J'ai reçu un courriel de sa part il y a quelques jours. Il sera à Québec la semaine prochaine et il voudrait me voir.

— Ah bon, se contente de répliquer Samuel.

Est-il jaloux ? Non. Il semble plutôt énervé parce qu'il n'aime pas penser à Maxim. Ils n'ont jamais pris le temps de discuter autour d'une bière, mais le courant ne passait pas entre eux. Chacun trouvait l'autre arrogant et prétentieux, ce que je trouvais assez drôle... et pas totalement faux. Ils ne sont pas comme ça tout le temps, mais ils peuvent l'être, à leur manière.

— Tu crois qu'il souhaite reprendre votre relation ? interroge Samuel.

– Je n'en ai aucune idée.

Il a beau m'avoir écrit qu'il pensait à moi, ça ne veut pas dire grand-chose. Même s'il éprouve encore des sentiments pour moi, ça ne veut pas dire qu'il ait envie de redonner une chance à notre relation. Être en amour avec une personne et désirer être avec elle sont deux choses différentes. Je l'ai appris à mes dépens.

– Est-ce que tu l'aimes encore ? reprend Samuel d'un ton qui se veut neutre.

– Non... Oui... Je ne sais pas. Et je crois que je préférerais rester dans le flou.

– Pourquoi ?

– Parce que je m'y sens bien, dans ce flou, même si je sais que ça ne pourra pas durer toujours.

– Ce que je comprends, c'est que tu n'as pas très envie de le revoir.

– Effectivement, non. Mais ce qui m'énerve, c'est que je ne suis pas capable de penser à Maxim sans être toute chamboulée à l'intérieur !

– Arrête de penser à lui, alors.

– C'est plus facile à dire qu'à faire, mon cher !

– Pff ! Je n'ai jamais compris pourquoi toutes les filles se pâment devant lui. Qu'est-ce qu'il a de spécial ? Il vous hypnotise d'un seul regard, c'est incompréhensible ! lance Samuel, un brin agacé.

– Si tu te voyais, tu ressembles tellement à Grincheux, je réponds en éclatant de rire.

L'expression de Samuel, empreinte de jalousie et d'exaspération, est inimitable ! Il me fait tellement rire parfois, et qu'est-ce que ça fait du bien !

– Au lieu de te moquer de moi, réponds à ma question, insiste-t-il sans se dérider.

– Je ne sais pas ce que Maxim a de plus que les autres. Je n'ai jamais fait partie de ces « filles », comme tu dis, qui tombaient en pâmoison devant lui. C'est Maxim, c'est tout.

– Mouais. C'est juste un gars normal, si tu veux mon avis.

– Non. Il est... Il est... Ahhhhhhhhhhhhhh !!!!!!!!!!!!!!!!!!!!!!!!!!

Mon cri strident fait sursauter Samuel qui s'exclame, inquiet :

– Qu'est-ce qu'il y a ?

Je m'immobilise, lui agrippant le bras pour le forcer à s'arrêter à son tour, et hurle :

– C'est quoi ça, là-bas ?

– Quoi ? Où ?

– Là-bas ! À gauche ! La masse noire près des arbres ! C'est un ours !

– Je ne vois rien, moi, s'obstine Samuel, certain que j'ai la berlue.

– Je te le dis, c'est un grizzli !

– Un grizzli ? répète-t-il en riant. Pourquoi pas un ours polaire tant qu'à y être ! Ça ne peut pas être un grizzli, on n'est pas dans l'Ouest canadien, ma belle.

– Peu importe la sorte, c'est un ours !!! Tu ne le vois vraiment pas ??? La boule noire à gauche !!!

– OK, je vois un truc noir, mais je ne pense pas que ce soit un ours !

– Tu as besoin de lunettes dans ce cas ! On va mourir, Samuel ! Il va nous attaquer et se nourrir de notre carcasse pendant tout l'hiver ! D'ailleurs, ce n'est pas censé hiberner, les ours ?

– C'est un petit peu tôt pour ça.

– Et sa meute, elle ne doit pas être bien loin ??!

– Ce sont les loups qui vivent en meute, pas les ours, précise Samuel, toujours amusé.

– Penses-tu vraiment que c'est le temps de me faire un cours sur la faune québécoise ! J'ai toujours cru que c'était un mythe de rencontrer des animaux sauvages en pleine nature au Québec. Je me moquais de mes amis en France qui me demandaient si j'avais déjà croisé des ours. Comme si on croisait des ours en ville ! N'empêche que je suis punie à cause de mes moqueries ! Je vais mourir tuée par un ours ! Tu n'as pas du poivre de Cayenne ? Qu'est-ce qu'on fait pour se défendre ? Il me semble avoir lu des recommandations sur Internet, mais rien ne me revient !

– Tout ce que je peux te dire, c'est qu'il ne faut pas grimper aux arbres...

– Yeah ! Je n'aurai pas à grimper dans un arbre ! Une humiliation de moins ! Me voilà soulagée d'un grand poids !

– Arrête d'être si dramatique !

– Et toi, arrête d'être si calme !

– Ce n'est pas un ours, Isa.

– Bon, en attendant que tu décides si oui ou non, c'en est un, moi, je m'en vais dans l'autre direction, d'accord ?

Joignant le geste à la parole, je lâche le bras de Samuel et tourne les talons. Alors que je me retiens pour ne pas courir – d'un coup que ça énerve l'ours brun/grizzli/boule noire non identifiée –, j'entends Samuel éclater de rire. Je me retourne et le vois plié en deux, à deux ou trois mètres à peine de la bête.

– Ce n'est pas un ours, Isa ! crie-t-il tellement fort que ça en devient écho. C'est un porc-épic !

« Un porc-épic... Un porc-épic... Un porc-épic... » L'écho ne va jamais s'arrêter et toute la vallée de la Jacques-Cartier va savoir qu'une dénommée Isa a confondu un ours avec un porc-épic ! Il n'y a que moi pour faire des confusions de ce genre ! Mortifiée, je retourne sur mes pas et rejoins Samuel qui n'a pas cessé de rire. Je m'approche et j'examine la masse noire qui, effectivement, ne ressemble ni de près ni de loin à un ours. Je suis une vraie fille de ville, incapable de distinguer un porc-épic d'un ours. Je regarde Samuel, toujours secoué par un rire sans fin. Vexée, je lui tape l'épaule du revers de la main.

– Eh, ça suffit maintenant !

294

Je me suis transformée en clown ambulant depuis quelques mois. Entre Daniel, qui se moque de moi en ski parce que je reste accrochée au télésiège, ou mon père, parce que je détruis son potager et ses rosiers avec la voiture, et Samuel, je suis servie ! Celui-ci finit par se calmer.

– Tu es vraiment unique, répète-t-il pour la deuxième fois de la journée.

– Je sais, je réponds en serrant les dents.

Nous repartons, mais un caillou dans ma chaussure m'oblige à m'arrêter. Je m'appuie contre un arbre près du ruisseau, mais, encore effrayée par ma rencontre avec un porc-épic déguisé en ours, décontenancée par ma méprise et irritée par les rires de Samuel, je perds l'équilibre et m'étale de tout mon long dans le ruisseau.

Je rêve.

Pincez-moi, quelqu'un !

Samuel se précipite vers moi et s'écrie :

– Isa, ça va ? Tu ne t'es pas fait mal ?

Je me redresse, essayant de voir si je suis blessée, mais à part mon orgueil, tout semble intact.

– Je n'ai rien. Je suis juste...

Un bruyant éternuement m'interrompt et me secoue des pieds à la tête. Je reprends :

– ... trempée.

Samuel me lance un regard désolé. Au loin, alors que le porc-épic s'éloigne, je suis certaine d'entendre son rire résonner dans la vallée.

Les ours se suivent et ne se ressemblent pas.

Pierre Perret

Chapitre vingt-sept

Samuel et moi terminons notre randonnée à la hâte. Je suis trempée jusqu'aux os et je tremble comme une feuille, tellement je suis frigorifiée. Samuel a tenté de me convaincre de mettre son chandail, mais il n'était pas question qu'il fasse le reste de la route torse nu et que ce soit lui qui meurt de froid. J'assume mes bêtises et mes maladresses jusqu'au bout ! Ou du moins, j'essaie.

Dès que nous arrivons au stationnement, je me précipite au poste d'accueil et remercie le ciel qu'il y ait une « boutique touristique ». J'attrape le premier chandail que je vois – celui avec une tête de loup, un amérindien et un tipi en plein centre. Typique dans ce genre de magasin... – et je cours jusqu'à la voiture de Samuel, impatiente de me changer. Je m'installe à l'arrière tandis qu'il démarre. Je me débarrasse de mes vêtements mouillés et remarque que Samuel jette de fréquents coups d'œil dans le rétroviseur. Je secoue la tête, amusée.

– Je te vois, tu sais.

– Quoi ?

– Je te vois me regarder.

Il rougit légèrement, mais proteste :

– Pff ! Même pas vrai ! De toute façon, je t'ai déjà vue nue, je te rappelle, et j'ai une excellente mémoire !

– Ouais, ouais, ouais.

J'étends mon pantalon sur la plage arrière et passe sur le siège avant en riant. Une fois installée, je dis :

– Ça me rappelle la scène dans *Dirty Dancing* quand Johnny et Bébé rentrent au centre de vacances après avoir dansé et qu'elle se change dans la voiture. Johnny la regarde discrètement dans le rétroviseur jusqu'à ce qu'elle termine.

– Oui, je me souviens.

Je me tourne vers Samuel et lui lance un regard surpris.

– Tu connais *Dirty Dancing*, toi ?

– Ma sœur est fan et, pendant un an quand on était ados, elle regardait la cassette tous les vendredis soirs. À force, j'ai fini par connaître certaines répliques par cœur !

– Oh, moi aussi, je connais les répliques par cœur ! Je peux te tester si tu veux !

Samuel fronce les sourcils en grimaçant.

– Euh, tu es gentille, mais ce sera pour une autre fois.

Faussement dépitée, je gémis :

— Moi qui croyais qu'on allait disserter sur *Dirty Dancing* pendant tout le trajet, je suis déçue !

Nous discutons des films que nous aimons jusqu'à notre retour à Québec. Je me recroqueville sur moi-même pour essayer de me réchauffer. Malgré la chaleur de la voiture, je grelotte toujours et je n'ai qu'une hâte, prendre une douche brûlante, enfiler mon pyjama et me glisser sous ma couette avec un thé vert. Lorsque nous arrivons, je récupère mes affaires, remets mon pantalon encore humide et sors de l'auto à la hâte.

— Ça va aller ? demande Samuel en me rejoignant.

— Oui, oui, ne t'inquiète pas, j'ai juste besoin de me changer.

— J'espère que cet incident ne t'empêchera pas de revenir faire des randonnées avec moi.

Pff ! Il rêve, celui-là ! On retournera au parc, oui, mais pas avant que j'aie appris à différencier tous les animaux de la forêt !

Samuel se penche vers moi pour m'embrasser mais, avant qu'il n'atteigne ma bouche, j'éternue plusieurs fois sans parvenir à me retenir.

— Je suis désolée, lui dis-je en riant, une fois la crise passée.

— Rentre et repose-toi, répond-il, un sourire aux lèvres. Je t'appelle bientôt.

Je le regarde retourner à sa voiture, un peu frustrée qu'il n'ait pas réessayé de m'embrasser. Il faut toujours que j'aie des

réactions bizarres dans les moments les plus inappropriés !
Enfin, c'est la vie, comme on dit ! Place à une soirée au chaud
et bien tranquille.

* *
*

Douze heures plus tard, je me réveille avec un mal de tête
lancinant et le nez dégoulinant. Super ! Je me drogue aux
médicaments toute la journée, mais je me sens de plus en
plus mal. Bon, on dirait bien que je ne pourrai pas éviter le
coup de froid qui s'en vient et, bien sûr, j'ai un papier à rendre
dans deux jours ! Grr ! Je suis affublée de défenses immuni-
taires pathétiques, d'un nez de clown fait maison et de malchance chronique ! Je me demande pourquoi mon corps me
laisse tomber dans les pires moments. Ce qui est sûr, c'est que
je ne cesserai jamais de me plaindre, vous voilà prévenus !

Le lendemain, ma fièvre monte jusqu'à trente-neuf degrés
– je précise que c'est en Celsius, parce que si c'était en Fahrenheit, je serais morte à l'heure qu'il est ! – et, tout en continuant ma cure d'aspirine, je décide de prendre le taureau par
les cornes et d'ajouter une boisson énergisante à mon cocktail
de médicaments. C'est que j'ai un article à écrire ! Ce mélange
produit néanmoins un effet plutôt bizarre sur moi. J'ai
l'impression d'avoir descendu une bouteille de vodka d'un
litre ! Je ricane toute seule devant mon écran depuis dix
minutes et celui-ci ne contient qu'une page blanche ! Je crois
que je ferais mieux d'aller me reposer quelques heures. Je préfère ne pas imaginer quel genre de papier je pourrais produire
dans mon état.

Vers midi, le téléphone sonne. Mon mal de tête me mar-
tyrise toujours et c'est avec peine et misère que je me traîne
jusqu'au salon. C'est Samuel. Il m'a déjà appelée hier pour
prendre de mes nouvelles et tient à savoir si je vais mieux. En
entendant ma voix fatiguée, il décide de prendre un après-midi

300

de congé pour venir me préparer de la soupe. Sincèrement touchée, je proteste néanmoins : je ne suis pas si malade que ça, je sais encore réchauffer de la soupe au poulet et aux nouilles au micro-ondes. Il insiste et je finis par capituler. Je suis contente qu'il vienne me voir. Je raccroche et regarde autour de moi. Mon appartement aurait besoin d'une femme de ménage : quelques assiettes traînent dans l'évier, le comptoir de la cuisine est savamment décoré de boîtes en carton vides, témoins de tous les repas préparés que je me fais livrer depuis deux jours, et des mouchoirs usagés jonchent le sol du salon et de ma chambre. Beurk ! Et, pour couronner le tout, je ressemble à un vampire ambulant tellement je suis pâle. Mon niveau séduction se situe quelque part en dessous de mille. Tant pis ! Samuel ne vient pas ici avec l'idée que je l'accueille en robe de soirée, après lui avoir préparé un succulent souper ! Il nous prendra mon appartement et moi tels quels !

Vingt minutes plus tard, je lui ouvre la porte et retourne immédiatement me coucher. Je m'excuse en lui disant que j'ai de terribles vertiges. Il s'assoit près de mon lit et dépose une main sur mon front. Il sort de ma chambre et je l'entends farfouiller dans la cuisine. Il revient avec un verre d'eau.

– Tiens, prends ça, dit-il en me tendant deux comprimés d'Advil. Je me suis arrêté à la pharmacie et je t'ai acheté quelques médicaments.

Je le remercie et m'exécute docilement.

– Repose-toi, ajoute-t-il tandis que je me pelotonne sous ma couette, je vais te faire chauffer un peu de soupe.

– Tu n'es pas obligé, c'est juste un coup de froid, ça ira mieux dans deux ou trois jours.

– Je sais, mais j'aime jouer au garde-malade.

– Mon Dieu, que c'est romantique ! je m'exclame malgré moi avant de tomber profondément dans les bras de Morphée.

Lorsque je me réveille, le silence règne dans l'appartement. Je jette un œil au cadran de mon réveil. Il est plus de seize heures. Samuel doit être rentré chez lui. J'avale un autre Advil avant de me lever pour me servir un verre d'eau. Je me sens complètement déshydratée, mais j'ai moins mal à la tête et je n'ai plus de vertiges.

– Isa ?

Je sursaute en entendant la voix de Samuel qui me parvient du salon. Lorsqu'il apparaît dans la cuisine, je m'exclame, surprise :

– Tu n'es pas parti ?

– Je n'allais pas partir pendant que tu dormais. Comment ça va ?

– Toujours fatiguée, mais tes médicaments m'ont fait du bien.

J'ouvre une autre bouteille de boisson énergisante que j'avale d'un trait. Je quitte la cuisine pour le salon et m'installe devant mon ordinateur. Samuel me regarde en fronçant les sourcils.

– Je peux savoir ce que tu fais ?

– J'ai un article à rendre demain matin et je n'ai pas écrit une ligne !

– Ça ne peut pas attendre ?

– Non, je débute dans le métier et je dois absolument respecter mes échéances ! Peux-tu me réchauffer un peu de soupe ? J'ai vu que tu en avais fait une marmite entière !

– Tu la congèleras pour l'hiver... et je persiste à dire que tu devrais te reposer, lance Samuel avant de disparaître dans la cuisine.

– Oui, j'aimerais bien me reposer, mais pas avant d'avoir pondu trois feuillets à propos des rencontres sur Internet d'un point de vue humoristique. Très facile de faire de l'humour dans mon état...

Je me relève, soudainement illuminée par une idée de génie. C'est Marie-Anne, l'experte des relations sur Internet ! Je ne voulais pas l'ennuyer parce que je tenais à me débrouiller seule et à arrêter d'appeler mes amies à la rescousse pour mon travail, mais là, il y a comme une urgence ! J'attrape mon cellulaire et je lui résume la situation en insistant sur mon état – je suis malade, fatiguée, désespérée, sous l'effet des médicaments et des boissons énergisantes. Marie-Anne promet de m'envoyer un premier jet avant la fin de la soirée. Je la remercie et me tourne vers Samuel, planté derrière moi.

– Samuel, Samuel, Samuel, sais-tu que tu es un cas spécial, toi ?

Il sourit.

– Comment ça ?

– Je n'ai jamais su sur quel pied danser avec toi ! Il y a trois ans, tu n'arrêtais pas de te défiler et aujourd'hui, tu es là et je ne sais toujours pas ce que tu attends de notre relation.

– Je croyais que tu ne te posais pas de questions sur nous, remarque-t-il, un brin taquin.

– Ah, mais je ne me pose pas de questions sur *nous*, je m'en pose sur *toi*, j'essaie de comprendre qui tu es !

– Je suis un gars très simple.

– Oh non ! Non, non, non ! Non ! Tu es...

Deux coups frappés à la porte m'empêchent de terminer ma phrase. Ça tombe bien, je n'étais pas très sûre de la tournure qu'elle allait prendre ! Je m'écrie :

– C'est Marie-Anne ! Elle m'a dit qu'elle allait m'envoyer par courriel un résumé de ses expériences sur Internet.

– Les courriels frappent à la porte, maintenant ? lance Samuel, sceptique.

– Peut-être qu'elle a tenu à me l'apporter elle-même pour prendre de mes nouvelles !

– Je sais que tu l'admires beaucoup et qu'elle t'impressionne professionnellement parlant, mais je ne crois pas qu'elle soit capable d'écrire un article et de venir jusque chez toi en cinq minutes.

– Alors c'est qui ?

– Tu as juste à aller ouvrir la porte pour le découvrir... Non, laisse, j'y vais.

Joignant le geste à la parole, il passe devant moi et se dirige vers l'entrée. Je m'écroule sur mon divan, soudainement très fatiguée d'avoir essayé de deviner qui était mon mystérieux invité-surprise. Quand Samuel réapparaît et que je découvre l'identité de celui qui l'accompagne, la seule chose appropriée que je trouve à dire, c'est : « Oups ! »

Le beau, c'est l'imprévu.

Thomas Bernhard

Chapitre vingt-huit

OK. Maxim est là. J'attends le déferlement d'émotions, mais je ne ressens rien. D'une, ce genre de situation est monnaie courante dans ma vie. De deux, j'aurais dû me douter qu'il passerait outre mon silence à son courriel, qu'il n'en ferait qu'à sa tête (de mule !) et qu'il viendrait me voir. Et, évidemment, il a choisi le meilleur moment ! D'ailleurs, la situation a comme un air de déjà vu... Retour en arrière de dix mois : Maxim débarque chez moi à Lyon alors que je viens d'embrasser Daniel. Si la confrontation entre eux n'a pas eu lieu, j'ai bien peur qu'elle ne soit inévitable entre Samuel et lui. Je lance :

– Maxim, Maxim, Maxim ! Qu'est-ce que tu fais là ? Vas-tu te battre avec Samuel ?

Aucun contrôle sur mon cerveau et encore moins sur ma bouche ! La boisson énergisante mêlée aux médicaments a un effet vraiment bizarre sur moi ! L'interpellé hausse les sourcils, l'air interrogateur.

– Pourquoi tu veux que je me batte avec lui ?

– Ce n'est pas comme si vous étiez les meilleurs amis du monde, hein ! En plus, tu débarques chez moi et c'est lui qui te répond. Je suis sûre que tu t'imagines déjà plein de scénarios dans ta tête, mais je peux te dire que tu as tout faux ! Tout faux, mon chéri !

Il promène son regard de mon visage à celui de Samuel, essayant de comprendre ce qui se passe.

— Est-ce que tu as bu ? me demande-t-il finalement.

— Non, non, non ! C'est mon état normal !

Samuel intervient et lui explique que je suis malade et que l'effet des médicaments associés aux boissons énergisantes me conduit à agir comme si j'étais saoule.

— Mais c'est génial, Maxim ! je précise avec entrain. Je ne ressens rien ! Bon, OK, j'ai très mal à la tête, mais tu es là et je ne fais pas de crise. Je ne pleure pas, je ne panique pas, j'apprécie juste ta présence ! Tu es là, Samuel est là, la vie est parfaite !

— Maxim et moi, c'est ça, ton fantasme ? demande Samuel, un sourire aux lèvres.

— Non, non, non. Je...

— Je préfère ne pas savoir, dit Maxim, m'empêchant de terminer.

— Oh là là, tu n'as tellement pas l'air content. Mais je t'avais dit que je ne voulais pas qu'on se voie !

— Je ne suis pas fâché, mais tu ne m'as jamais dit que tu ne voulais pas qu'on se voie. Tu n'as pas répondu à mon courriel.

– Et ça ne t'a pas allumé de chandelle ?

– Tu veux que je m'en aille ?

– Non, non, non. Maintenant que tu es là, il faut que tu restes.

Maxim jette un œil à Samuel, puis s'excuse :

– J'aurais dû appeler avant, je ne tombe vraiment pas au bon moment.

– Tu es fâché ? Je suis sûre que tu es fâché !

– Mais non, insiste-t-il. Je suis juste surpris. Je ne m'attendais pas à... cette situation.

C'est vrai qu'il n'a pas l'air fâché, ni même préoccupé. Il n'a pas ce pli qui lui barrait le front presque chaque jour durant les derniers mois de notre relation. Je prends le temps de l'observer et m'aperçois qu'il semble plus serein, plus calme, plus souriant même. Il ressemble au Maxim du tout début et dont je suis tombée amoureuse.

– Alors, comment c'est, la vie à New York ? As-tu rencontré Carrie Bradshaw ?

– Qui ?

Je lève les yeux au ciel et me désole :

– Oh là là, tu ne connais pas tes classiques !

– Isa, je pense que tu devrais aller te coucher, suggère Samuel.

Lui non plus n'a pas l'air fâché par l'arrivée inopinée de Maxim. Ils sont super, mes hommes ! Ils agissent en adultes, restent en parfaite maîtrise d'eux-mêmes. Ils m'impressionnent ! Jugeant l'idée de Samuel excellente, je retourne dans mon lit sans plus attendre. Je suis épuisée. Je les entends discuter, mais ne parviens pas à distinguer ce qu'ils se racontent.

– Eh, arrêtez de parler de moi ! je leur crie de ma chambre.

Leur conversation s'arrête. J'entends quelques pas, puis la porte d'entrée s'ouvrir et se refermer. Conclusion : soit ils sont partis tous les deux, me laissant à mon sort, soit ils sont sortis poursuivre leur discussion sur le palier afin que je ne les dérange pas. Où est passée la galanterie, je vous le demande ! Abandonner comme ça une pauvre femme fragile et malade ! Quelques minutes plus tard, Maxim entre dans ma chambre, seul. Je lui demande s'il a tué Samuel et caché le corps sous mon paillasson pour que je sois accusée du meurtre. Il éclate de rire.

– Isa, tu es tellement dans un état... étrange !

– Je sais.

– Tu m'as manqué.

– Ah oui ? Tu t'es ennuyé de mon excentricité, de ma tendance à bouder et à me comporter comme une gamine, de mon intransigeance quand les choses ne se passent pas comme je le désire... *Oh my God*, je suis comme ma mère ! Je tape du pied et hurle si les gens n'agissent pas comme je l'entends !

– Qu'est-ce que tu racontes ? demande Maxim en s'asseyant sur le bord de mon lit.

– Je suis enfin lucide sur mon comportement ! Tu m'as donné un ultimatum quand on s'est vus à Lyon, ça ne m'a pas plu et j'ai choisi de rester en France. Quand tu n'as pas répondu à mes courriels, j'ai décidé que c'était terminé. C'est horrible, je suis *vraiment* comme ma mère ! C'est vrai ce qu'on dit : on ne peut pas y échapper, on devient toujours comme ses parents !

Maxim secoue la tête, le visage assombri tout à coup, et murmure :

— J'ai mes torts dans l'échec de notre relation, je pense même que c'est à cause de moi si on a rompu.

— Tu m'as tellement fait mal ! Je ne te l'ai jamais dit, mais j'ai beaucoup souffert de notre rupture !

Maxim dépose sa main sur la mienne.

— Je sais, je suis désolé.

— Ne sois pas triste, ce n'est pas grave ! Je m'en suis remise ! La vie est belle !

Abasourdi par ma réaction, il reste un moment sans rien dire, puis semble se rappeler mon état.

— Je n'ai vraiment pas choisi le meilleur moment pour venir te voir.

— Mais oui, mais oui, je suis contente que tu sois là ! Tu es toujours aussi beau, et je me rends compte que je ne pourrai jamais arrêter de t'aimer. C'est plus fort que moi ! Samuel avait raison quand il m'a demandé si tu hypnotisais les filles. Tu m'as hypnotisée ! En tout cas... Et sinon, comment vont tes amours ?

Maxim ne me quitte pas des yeux.

— Qu'est-ce que tu viens de dire ?

– Oh, tu as perdu un peu de ton audition dans le brouhaha de la Grosse Pomme ? J'ai dit : ET SINON, COMMENT VONT TES AMOURS ?

– Non, avant ça ?

– Que je ne pourrai jamais arrêter de t'aimer parce que tu m'as hypnotisée.

– Isa, est-ce que tu vas te rappeler notre conversation demain ?

– Bien, oui, c'est sûr. Je n'ai pas la mémoire d'un poisson rouge, tu sais.

– Hum, je crois que tu oublies la première fois que je t'ai dit que je t'aimais ; tu as mis trois mois avant de t'en rappeler ! plaisante-t-il.

Je me tape le front avec la paume de ma main.

– Ah, oui, c'est vrai ! C'est tellement loin !

Maxim retient doucement ma main et murmure :

– Ne te frappe pas, tu vas avoir encore plus mal à la tête.

– Bof, ça ne peut pas être pire.

Il secoue la tête avec un sourire, puis redevient sérieux :

– Je t'aime aussi, Isa.

– C'est beau, alors, c'est comme dans un conte de fées !

– Non, c'est beau comme dans la vie.

312

Maxim se rapproche de moi, mais je m'exclame :

– Il ne faut pas que tu m'embrasses ! Je vais te contaminer ! Mais tu peux te coucher à côté de moi si tu veux.

Il enlève ses chaussures et se glisse sous la couette près de moi. Je me blottis contre lui tandis qu'il me caresse les cheveux.

– Dors, mon étoile des neiges, chuchote-t-il avec une infinie tendresse.

– Ça fait une éternité que tu ne m'as pas appelée comme ça, je marmonne avant de plonger dans un sommeil profond.

*　　*

*

Lorsque je me réveille le lendemain, je suis seule dans mon lit. Je mets quelques minutes avant d'émerger totalement de ma torpeur. Je me sens mieux. Je ne pourrais pas encore courir le marathon – cela dit, même en pleine forme, je mourrais avant la ligne d'arrivée –, mais je suis moins fatiguée et, surtout, je n'ai plus mal à la tête. Les événements de la veille me reviennent petit à petit et je fronce les sourcils. Ai-je rêvé l'apparition de Maxim ? Les hallucinations font-elles partie des effets secondaires du cocktail explosif médicaments/boissons énergisantes ? Je me souviens de tout dans les moindres détails, mais impossible de savoir si c'était réel ou si c'était le fruit de mon imagination. Et si en m'assoupissant après l'arrivée de Samuel, hier en début d'après-midi, j'avais dormi d'une traite jusqu'à ce matin et rêvé la discussion que j'ai eue avec Maxim ? Il ne m'a fait aucun reproche concernant Samuel et ça ne lui ressemble pas. À bien y réfléchir, la totalité de la conversation que nous avons eue ne lui ressemble pas !

Hum.

Je me lève et pars à la recherche d'une éventuelle trace du passage de Maxim dans mon appartement. Bredouille, je prends une longue douche en essayant de contenir ma déception. J'aurais tellement aimé que Maxim soit là, qu'il me prenne dans ses bras, qu'il me murmure des mots doux à l'oreille.

Je passe la matinée à rédiger mon article grâce au premier jet de Marie-Anne et me promets de l'inviter dans un grand restaurant pour la remercier. Vers midi, je décide de retourner me coucher. Je ne suis pas totalement guérie. En remontant la couette sur ma poitrine, je remarque une enveloppe sur laquelle mon nom est écrit qui glisse sur le sol. Je la ramasse et reconnais l'écriture de Maxim. Mon cœur bat subitement la chamade tandis que, stupéfaite, je réalise que je n'ai rien inventé de ce qui s'est passé hier. Je décachette l'enveloppe et j'en ressors une longue lettre. Je prends une profonde inspiration et commence ma lecture.

Ma belle étoile des neiges,

Je t'ai longuement regardée dormir cette nuit. Tu étais toute paisible. Tu souriais presque. Je ne sais pas à quoi tu rêvais, mais j'aurais aimé pouvoir te rejoindre.

Isa, je t'écris cette lettre aujourd'hui parce que j'ai tant de choses à dire et que ce sera peut-être plus facile pour toi si tu la lis seule, quand tu te sentiras mieux. Et puis, c'est aussi plus facile pour moi de t'écrire.

Quand on a commencé à sortir ensemble, je nous imaginais heureux jusqu'à la fin des temps. Ça fait un peu quétaine à dire, mais c'est vrai. J'ai été heureux comme ça ne se quantifie même pas. Tout ce que nous avons vécu a été précieux. Unique. Le bon, comme le moins bon. Je suis tellement triste de constater ce que j'ai fait de notre relation. J'ai commis tant d'erreurs. Je croyais que tout serait différent pour nous, qu'on ne se ferait pas avoir par la routine, qu'on ne se laisserait pas bouffer par le travail, qu'on ne s'éloignerait jamais l'un de l'autre. J'étais arrogant et beaucoup trop sûr de moi.

Je n'aurais jamais pensé qu'on en arriverait là, ni que ce serait en grande partie ma faute. Je n'étais pas prêt à vivre une relation de couple, je le sais aujourd'hui. J'avais trop de choses à régler. Il est faux de croire que l'amour règle tout. Je croyais que je n'avais pas besoin d'affronter mon passé, que seul l'avenir comptait. Je ne dis pas qu'on doit se définir par notre passé, mais on ne peut pas l'occulter, surtout quand il recèle des événements et des émotions qu'on aimerait mieux oublier. Il faut prendre conscience de ce qui ne va pas, de ce qui nous fait mal. Ça semble évident, pourtant on refuse tous de le faire à un moment ou à un autre. En tout cas, moi, je l'ai fait bien trop tard. Après t'avoir perdue. Et ce sera toujours mon plus grand regret.

Je ne te l'ai jamais dit, mais pendant tout le temps qu'a duré notre relation, j'ai vécu avec la peur que tu partes, comme ma mère l'avait fait. Je sais que, toi aussi, tu avais cette crainte quand on s'est avoué nos sentiments, mais tu l'as vite dépassée. Moi, j'ai préféré l'enfouir au plus profond de moi et agir comme si elle n'existait pas, sauf que je n'ai jamais réussi à la contenir ou à la maîtriser. Si je me suis éloigné de toi, ce n'est pas seulement à cause de mon travail, ce n'est pas parce que tu étais prise par la sortie de ton livre, c'est parce qu'inconsciemment, j'étais certain que tu partirais un jour. Alors, au lieu d'attendre que ça arrive, c'est moi qui suis parti.

Tu le sais, après ton départ pour la France et quand nous avons rompu ensuite, j'ai vécu une vraie descente aux enfers et j'ai commencé une thérapie. J'ai pris conscience de certains de mes comportements, de leur raison d'être.

315

J'ai commencé à me rapprocher de Louise et j'ai quitté ma job après mon congé forcé. Tu m'as inspirée, Isa. Pas seulement grâce à la publication de ton roman, mais par la façon dont tu tentes de pardonner à ton père. J'aurais dû essayer de me rapprocher de Louise bien avant. Quand Antoine et toi avez organisé ce souper avec elle qui a si mal tourné, j'aurais dû prendre sur moi et lui parler. Je suis persuadé que si je l'avais fait ce jour-là, si mon orgueil ne m'en avait pas empêché, on n'aurait pas rompu toi et moi. J'aurais affronté ma crainte que tu partes en essayant de comprendre pourquoi Louise, elle, l'avait fait. Cet événement ne m'aurait plus rongé après cela.

Mais bon, ce qui est fait est fait, comme on dit, et puis, j'ai quand même réussi à dépasser tout ça. Aujourd'hui, même si je ne comprends toujours pas pourquoi Louise nous a quittés, c'est derrière moi. Enfin. Ç'a été long, ç'a été dur et c'est moi le seul responsable. C'est moi qui ai coupé les ponts avec Louise, qui ai creusé ce fossé entre nous. Si je n'avais pas été aussi buté, si je ne m'étais pas concentré sur le mal qu'elle m'avait fait, je me serais évité bien des souffrances, et je t'en aurais évité aussi.

Si je te raconte tout ça, c'est parce que je veux que tu saches que j'ai changé. J'ai affronté mon passé, j'ai mis de l'ordre dans ma vie et je suis prêt. Prêt à tout faire pour que tu me redonnes une chance. Tu m'as avoué hier que tu m'aimais encore, je ne sais pas si tu le pensais, mais au moment où j'écris ces lignes, j'espère de tout cœur que oui.

Je suis conscient de t'avoir fait beaucoup de mal et je ne peux pas te promettre que je ne t'en referai plus si jamais tu décidais d'accorder un deuxième essai à notre histoire. Mais je peux te jurer une chose, c'est que je considérerai toujours notre relation comme un trésor et que je ne perdrai plus jamais de vue sa valeur. Je suis persuadé que, cette fois, ça pourrait marcher, Isa. Je n'étais pas prêt à Noël, même si j'ai voulu croire que oui quand j'ai pris l'avion pour Lyon. Aujourd'hui, les choses sont différentes. Je veux te donner le meilleur de moi. Notre chance n'est pas passée, et si tu reviens vers moi, le seul but de ma vie sera de te rendre heureuse.

Tu sais, je me souviens du jour où l'on s'est rencontrés comme si c'était hier. Je me souviens de notre discussion dans la cuisine, une tasse de thé pour toi, une tasse de café pour moi. Je me souviens de la naissance de notre amitié, de nos soirées sur le divan du salon. Et puis, je me souviens du jour où je suis tombé amoureux de toi. Je ne l'ai pas su tout de suite. Il a fallu qu'Antoine m'ouvre les yeux. Mais en y repensant, je sais exactement quand j'ai commencé à t'aimer.

C'était un soir de semaine, environ deux mois après ton emménagement. Tu faisais une tarte aux pommes et tu avais de la farine partout : sur les mains, dans les cheveux, sur ton visage. Tu chantais, aussi, imitant Madonna. Quand tu m'as vu, tu as paru mortifiée, mais tu as éclaté de rire. Je t'ai trouvée tellement authentique. Tu te fichais de ce dont tu pouvais avoir l'air, et pourtant tu étais si belle. Tu faussais horriblement, mais ça ne te faisait rien. Tu étais toi-même, sans jeu des apparences, sans faux-semblants, et j'ai eu envie de rire avec toi pour toujours.

Je t'aime, Isa, et ça ne changera jamais. Je n'aimerai personne d'autre comme je t'aime toi.

Maxim

Qui n'a pas appris à dire « elle et aucune autre » sait-il ce que c'est que l'amour ?

Vincent Van Gogh

317

Chapitre vingt-neuf

Je n'étais pas préparée à ça. Et je n'ai pas de mots. Les yeux embués, j'ai relu la lettre de Maxim trois fois et je n'ai toujours pas de mots. Je ne m'attendais pas à plonger dans son cœur comme ça ! Dans son être. Il vient de m'ouvrir une porte sur des émotions que je soupçonnais à peine, et l'échec de notre relation m'apparaît sous un nouveau jour. Son début aussi. Je n'avais jamais demandé à Maxim s'il se souvenait du jour où il était tombé amoureux de moi, pensant que ses sentiments avaient évolué avec le temps, comme les miens pour lui. Je ne me souviens même pas du moment qu'il décrit dans sa lettre. C'était un jour comme un autre pour moi, sauf qu'il nous a changés à jamais. Maxim est tombé amoureux de moi et le reste s'est enchaîné.

Il m'aime vraiment. Même si je n'en ai jamais douté quand on était ensemble, après notre rupture, je me suis néanmoins mise à questionner la force de ses sentiments. Je me disais que s'il ne s'était pas battu pour notre relation, c'était parce que, finalement, il n'y tenait pas tant que ça. Je n'avais jamais fait l'effort de me mettre à sa place, d'essayer de comprendre ce par quoi il passait. On est très égocentrique quand on vit une peine d'amour. On se replie sur soi-même, sur notre souffrance.

Maxim dit qu'il va mieux et je le crois. Je n'étais pas dans un état idéal pour en juger quand on s'est vus hier, mais je l'ai tout de suite remarqué. Il est en paix avec son passé, avec sa mère. Est-ce que ça signifie que, de mon côté, je suis prête à lui faire de nouveau une place dans ma vie ? Dans mon cœur ? Je ne sais pas. Si je ne voulais pas le voir, c'était parce que je ne me sentais pas le courage d'affronter mes sentiments, les siens et toute question sur notre avenir, commun ou pas. Nous avons essayé d'être un couple et ça n'a pas marché. Je ne regrette pas qu'il soit venu chez moi hier et d'avoir partagé ce moment d'intimité avec lui. Quant à sa lettre, même si elle est sublime, elle ne règle pas tout. Il faut qu'on se parle. J'attrape mon téléphone et je compose son numéro de cellulaire. Nous convenons de nous retrouver sur les plaines d'Abraham, près du jardin Jeanne-d'Arc.

Le soleil tente une percée à travers les nuages lorsque j'arrive à notre rendez-vous. Des touristes se promènent le long des allées, l'automne resplendit, mais le froid commence déjà à pointer le bout de son nez. Maxim me rejoint quelques minutes plus tard et nous prenons le chemin qui mène vers le fleuve. Nous nous asseyons sur un banc près des tours Martello, contemplant la Rive-Sud de l'autre côté.

Me décidant enfin à aborder le sujet qui nous intéresse tous les deux, je dis :

— Ta lettre m'a... beaucoup touchée. Vraiment.

Maxim reste silencieux et je poursuis :

— Je ne savais pas exactement par quoi tu étais passé durant les derniers temps de notre relation. J'aurais aimé que tu me parles de tes craintes à l'époque, mais je peux comprendre que tu ne l'aies pas fait. On n'était pas prêts à se lancer dans une relation sérieuse quand on a commencé à sortir ensemble. Je me souviens qu'un peu avant Noël, après ta visite-surprise à Lyon, tu m'as dit qu'on s'était peut-être rencontrés trop tôt et tu avais raison. On n'était pas prêts.

– Je le suis aujourd'hui.

– Oui, je crois sincèrement que tu l'es, mais... pas moi.

C'est vrai, je ne le suis pas. Je n'ai pas arrêté de me repasser le film de ma vie des dernières années tandis que je marchais jusqu'aux plaines. Je me suis revue à mes débuts avec Samuel, lorsque je voulais à tout prix qu'il tombe amoureux de moi. J'ai repensé à cette soirée où Maxim m'a avoué ses sentiments, une soirée qui a été le point de départ de tant de choses. Je nous ai revus heureux, persuadés que rien ne pourrait nous arriver. Et puis, inexorablement, mes pensées se sont focalisées sur notre rupture et tout ce qui nous y a menés. J'ai repensé à mon voyage en France, à ma rencontre avec Daniel, à ma décision de ne pas retourner au Québec avant plusieurs mois, à la visite-surprise de Maxim à Lyon. À cette distance qui s'était installée entre nous. Une distance qui est encore là aujourd'hui.

Je jette un œil à Maxim qui me regarde avec tendresse.

– Je sais que tu n'es pas prête, dit-il doucement. Mais j'aimerais savoir si... Quand tu m'as avoué hier que tu m'aimerais toujours, tu étais sérieuse ?

– Je t'aime et je t'aimerai toujours. Mais ça ne change rien, je ne peux pas me relancer dans une relation avec toi de façon précipitée. J'ai besoin d'y penser, mais surtout, j'ai besoin de continuer à vivre pour moi, à faire des choses pour moi et seulement pour moi. Je ne sais pas si tu comprends. Je commence une nouvelle carrière et j'ai envie de m'y consacrer. J'ai envie de légèreté, de vivre sans réfléchir, sans que chacune de mes décisions ne soit suivie de conséquences. J'ai besoin d'être seule, tout simplement, et je ne sais pas pour combien de temps. Je te l'avoue, j'ai peur de faire une erreur en te disant tout ça, j'ai peur de passer à côté d'une relation merveilleuse avec toi, mais je n'ai pas le choix. Si on veut se retrouver un jour, si on veut que ça marche, il faut que je sois prête à me donner entièrement et je ne le suis pas présentement.

Maxim me caresse la joue. Il ne semble pas déçu, peiné ou en colère. Il me regarde avec une telle compréhension dans les yeux que je sens une boule d'émotion monter en moi.

– Je vois bien que tu n'es pas prête, Isa. Si je t'ai écrit cette lettre, c'était pour que tu saches ce que je ressentais, pas pour te dire que je voulais qu'on reprenne notre relation aujourd'hui. Je vis à New York, tu vis ici, je m'épanouis dans mon métier de photographe et j'ai envie de m'y consacrer. Mais je n'ai pas perdu espoir pour nous. J'attendrai...

Je secoue lentement la tête.

– Je ne veux pas que tu m'attendes, je veux que tu vives ta vie.

Maxim sourit.

– C'est mon choix, et tu ne pourras pas me faire changer d'avis. Mais je comprends ce que ça sous-entend : tu ne veux pas que je m'empêche de vivre parce que tu ne veux pas t'empêcher de vivre de ton côté.

– Exactement. Je te mentirais si je te disais que j'aime t'imaginer avec d'autres filles, mais chacun a ses besoins et la patience a ses limites.

– Et moi, je te mentirais si je te disais que j'aime t'imaginer avec Samuel. Mais si c'est lui qui t'apporte cette légèreté dont tu as besoin en ce moment, alors... tant mieux. Aimer une femme, c'est aussi savoir la laisser s'éloigner quand elle en a besoin.

La gorge nouée, touchée par les sacrifices que Maxim est capable de faire pour moi, pour que je sois heureuse, je pose ma main sur la sienne, toujours sur ma joue, et murmure :

– Oui, mais pas trop.

Il hoche la tête.

– D'accord. Pas trop.

J'inspire profondément, essayant de retenir les larmes qui me montent aux yeux.

D'une voix un peu trop aiguë, je dis :

– On s'écrira, OK ?

– Évidemment.

– Et on se verra aussi, le temps que tu termines ton contrat à New York. On a commencé notre relation par l'amitié et c'est par là que j'aimerais la reprendre. J'ai adoré être ton amie, Maxim. J'ai adoré.

Il me regarde avec une telle intensité que j'ai l'impression de me voir dans ses yeux. Doucement, il dit :

– Moi aussi, j'ai adoré. Et si c'est par là que tout doit recommencer, alors allons-y, recommençons.

Oui. Recommençons.

Dans la vie,
quand on pense le dernier acte arrivé,
on s'aperçoit souvent que la pièce ne se comprend pas
sans son épilogue.

Richard Joly

ÉPILOGUE
Mars, cinq mois plus tard

J'admire ceux qui lâchent tout pour se consacrer à l'écriture. Ceux qui s'assurent du strict minimum pour vivre et qui consacrent le reste de leur temps à leur passion. Personnellement, je ne pourrais pas. Je suis sans doute matérialiste, mais j'aime mon confort. J'aime pouvoir agrémenter ma vie de petites folies qu'il me serait impossible de m'offrir si je ne gardais pas mes contrats de pigiste pour mes besoins essentiels. J'aurais certainement plus de temps pour écrire mes romans, mais vivre d'amour et d'eau fraîche, ce n'est romantique qu'en théorie. Quand j'étais étudiante, je pensais que c'était ça, mon rêve, écrire à temps plein. Je n'y consacre pas tout mon temps, mais l'écriture a totalement envahi ma vie, alors on peut dire que, oui, j'ai réalisé mon rêve. Je l'ai simplement fait évoluer, avec moi.

Si un jour, mes romans me permettent de subvenir à mes besoins, je serais la femme la plus heureuse du monde, mais, pour l'instant, la vie que je mène me convient. Elle me ressemble. L'écriture passe avant tout. Je suis sur le point d'achever le premier jet de mon roman pour ados et j'ai vraiment hâte que mon éditrice le lise. Je lui ai résumé l'histoire – une Française de quinze ans qui débarque au Québec avec sa famille, qui en veut à mort à ses parents de l'avoir déracinée, mais qui va néanmoins découvrir des tas de choses sur elle et sur sa capacité d'adaptation –, et elle a paru très emballée.

Chaque semaine, j'envoie à Marie-Anne, Cécile et Lucie un chapitre de mon roman, le dernier que j'ai écrit, et elles me font leurs commentaires. Elles adorent cette façon de procéder et moi aussi. Ça me motive et ça me permet par la même occasion d'éradiquer consciencieusement la procrastination, mon ennemie jurée. Ce qui m'interpelle, c'est qu'elles ne sont pas toujours d'accord sur tel ou tel passage. Marie-Anne m'envoie un message dans lequel elle vante l'humour d'un chapitre ou le dénouement d'une intrigue. Je commence alors à sautiller de joie, galvanisée par ses encouragements. Et puis, deux heures plus tard, je reçois un message contraire de Lucie, qui trouve que l'humour tombe un peu à plat ou que l'intrigue n'est pas assez... intrigante. De quoi me coller des sueurs froides ! Je fais quoi, moi, avec ces avis contradictoires ? J'écris un roman différent pour chacune ? Non. Je tranche et j'écris ce qui me convient. Ce qui me plaît.

Ma vie professionnelle me comble. Après des semaines de vaches maigres et de doutes lancinants, j'ai fini par me tailler une place dans la jungle des pigistes et les contrats rentrent régulièrement. Je ne ferai jamais autant d'argent que si j'avais continué à travailler dans la gestion des ressources humaines, si j'avais gravi les échelons dans ce domaine, mais je vis confortablement et c'est tout ce dont j'ai besoin. J'ai toujours été éprise de liberté et j'ai fini par la trouver. Je déteste la routine, je déteste être enfermée dans un bureau huit heures par jour, je déteste l'absence de défi. Bien sûr, être pigiste ne signifie pas moins travailler, au contraire. Je travaille le matin, le midi, le soir, les fins de semaine, mais j'organise mon emploi du temps comme je le désire et ça, c'est un luxe dont je ne pourrai plus me passer. Mon bureau se trouve tour à tour dans mon appartement, dans un café de la rue Cartier, à la bibliothèque, et j'adore ma vie. Je pense que c'est la première fois depuis longtemps que je peux dire que j'adore ma vie.

Lucie à accouché d'un beau garçon de trois kilos cinq cents après dix-sept heures de travail soutenu. Il s'appelle Thomas et il est magnifique. Lucie m'envoie des photos de lui régulièrement. On se parle avec nos webcams et j'ai l'impression qu'il me reconnaît. Je ne l'ai vu qu'une fois en vrai, quelques jours après sa naissance, mais ça ne m'empêche pas de l'aimer comme si je passais chacune de mes journées avec lui. Il est faux de dire que le manque s'apaise avec le temps. On apprend seulement à gérer la douleur née de la séparation.

Je n'arrête pas d'acheter des cadeaux à Thomas. Dès que je vais magasiner, si j'ai le malheur d'apercevoir une boutique pour bébés, j'entre et je ressors dix minutes plus tard avec un paquet emballé que je lui envoie par la poste. Postes Canada m'adore depuis quelques mois ! Je retourne en France trois semaines, cet été au mois de juillet, pour son baptême et pour revoir tout le monde, évidemment. J'ai vraiment hâte de devenir officiellement sa marraine. Je ne prends pas mon rôle à la légère, même si j'ai souvent du mal à croire que je sois rendue là dans ma vie.

Je pense à la maternité parfois et je me demande quel genre de mère je serai. Ma pire hantise : devenir comme la mienne ! Quoique j'ai découvert que je l'étais déjà un peu ! Et puis, même si ma mère n'est pas facile à vivre, je ne serais certainement pas celle que je suis sans elle.

Notre relation connaît encore des hauts et des bas. Même à six mille kilomètres, elle parvient encore à m'imposer son avis. Parfois, j'essaie de l'imaginer grand-mère. Je n'y arrive pas. Pour moi, une grand-mère, c'est une femme douce, qui coud, cuisine, tricote et gâte trop ses petits-enfants. Oui, je suis au courant qu'on n'est plus dans les années cinquante, mais je n'y peux rien, c'est l'image qui me vient. Et ma mère est à l'opposé. Je suis même sûre qu'elle ferait une syncope si quelqu'un devait l'appeler mamie.

Est-ce le fait d'avoir trente ans aujourd'hui qui me fait penser à la maternité ? Les hormones sont traîtresses ! C'est donc officiel, j'ai quitté la vingtaine pour la trentaine ! Je me suis réveillée ce matin, attendant que la peine et la désolation s'abattent sur moi. J'attends toujours. Je ne comprends pas pourquoi tout le monde fait tant de cas du passage à la trentaine. Pour l'instant, ça ressemble pas mal à la vingtaine ! Bon, j'avoue que ça risque de me faire un petit quelque chose lorsque je devrai annoncer pour la première fois mon grand âge à un inconnu, mais je devrais réussir à surmonter ce traumatisme sans trop de tracas. J'ai trente ans et je ne me sens pas moins femme ou moins adulte parce que je suis célibataire, parce que je n'ai pas d'enfants ou parce que je ne suis pas propriétaire. Je vivrai ces choses à mon rythme quand je serai prête, et je le serai un jour.

En me levant ce matin, j'ai eu envie de regarder mes anciens albums-photos. Je me suis revue bébé, puis à deux, trois, quatre ans et ainsi de suite. J'ai suivi mon évolution et ça m'a fait sourire. Je n'ai pas déçu la petite fille que j'étais et je ne pouvais pas m'offrir de plus beau cadeau pour mes trente ans.

Maxim revient à Québec ce soir. Définitivement. Il s'est acheté un condo le mois passé et je sais qu'il a vraiment hâte d'y emménager. Il a terminé son contrat de photographe et même s'il a adoré son expérience, c'est ici qu'il veut percer. Ses expériences new-yorkaises ne pourront que lui ouvrir des portes.

Je suis impatiente de le revoir. Nous nous sommes écrit, téléphoné, je suis allée à New York, il est venu à Québec, et nous avons retrouvé l'essence de notre relation dans notre amitié. Reste à voir maintenant si nous sommes prêts à aller plus loin. Je sais que Maxim est prêt. Il l'est depuis des mois. Au début, je craignais qu'il se lasse d'attendre que je finisse ma période « j'ai besoin de me retrouver seule » et se laisse séduire par une femme moins compliquée que moi, mais je dois dire qu'aujourd'hui, je suis convaincue que, quoi que je fasse, il sera toujours à mes côtés. Il a peut-être eu des aventures à New York, moi-même, je n'ai pas vécu une relation totalement platonique avec Samuel, mais il est là, dans ma vie et il n'en sortira jamais plus. Mon cœur se gonfle de joie à l'idée de le revoir, même si je suis aussi un peu stressée. J'ai imaginé des centaines de fois cette soirée et j'ai peur que la réalité ne fasse pas le poids. Rien n'est plus important pour moi que de réussir à me laisser aller et à vivre cet amour que je ressens pour Maxim. J'espère seulement en être capable.

Marie-Anne et Cécile m'ont organisé une soirée dans un restaurant chic du Vieux-Québec. Antoine, Maxim ainsi que quelques collègues et amis seront là. Sans oublier Samuel. Contre toute attente, nous sommes devenus assez proches avec le temps. Si, au début, je me suis tournée vers lui parce que c'était simple, je me suis rapidement rendu compte que ça allait plus loin que ça. J'aime passer du temps avec lui. Bien sûr, il y a toujours ce désir physique entre nous, mais nous avons su le dépasser pour laisser notre relation entrer dans une sphère beaucoup plus profonde. Je ne renoncerai jamais à l'amitié entre hommes et femmes, et j'ai trouvé en Samuel un ami précieux avec lequel je peux discuter, me confier, rire. Il est d'une écoute exceptionnelle et toujours prêt à dédramatiser une situation avec 1) une blague dont il a le secret, 2) une initiation de cris dans un oreiller, 3) de l'alcool. Il ne perd jamais non plus une occasion pour m'inciter à repousser mes limites, et j'aime ça. Qui aurait cru que Samuel et moi deviendrions amis ? C'est la preuve que la première impression que nous avons d'une personne n'est pas forcément la bonne. Samuel est toujours cet homme prétentieux et arrogant parfois, cet homme qui adore me taquiner dès qu'il le peut, mais il est aussi plus que ça.

Bon, Isa, il est temps de te préparer ! Les filles ne vont plus tarder et tu es loin d'être prête !

Ah, ma petite voix, toujours là pour me rappeler à l'ordre. Je la déteste souvent, j'ai envie qu'elle se taise tout le temps, mais je ne pourrais pas me passer d'elle. Je saute dans la douche, impatiente de vivre la soirée qui m'attend, et suis encore à hésiter sur ma tenue quand on frappe à la porte. En peignoir, je me précipite et m'exclame :

– Je suis désolée, mais je n'ai même pas encore choisi ma robe ! Vous...

Je m'interromps tandis qu'une décharge électrique me traverse de haut en bas. Maxim se tient debout devant moi. Vêtu d'un complet gris anthracite et d'une cravate assortie, il me regarde en souriant. Complètement retournée, je pose une main sur ma poitrine et tente de calmer les battements de mon cœur. Nous restons un moment en silence, les yeux dans les yeux.

– Qu'est-ce que tu fais là ? je finis par lui demander, le souffle à moitié coupé.

– J'ai demandé à Marie-Anne et Cécile de me laisser venir te chercher.

Devant la surprise qui colore toujours mon visage, il ajoute :

– J'aurais dû te prévenir. Tu préfères que je m'en aille ?

– Non, je réponds avec précipitation. Surtout pas.

Une vague de soulagement traverse les yeux de Maxim et ils s'éclaircissent. Il est là, devant moi. Et mon cœur bat au rythme de l'amour que je ressens et je n'arrive plus à savoir pourquoi j'angoissais de le revoir. La vie peut être tellement limpide parfois ! Nos choix aussi. J'avais besoin de passer ces derniers mois seule, de me centrer sur mes désirs. Aujourd'hui, c'est terminé. Aujourd'hui, j'ai besoin de Maxim.

Je m'approche lentement de lui. Il me caresse la joue d'une main et j'enfouis ma tête dans son cou. Il me serre contre lui, dépose sa bouche sur ma nuque et remonte vers ma joue. Un feu d'artifice s'apprête à exploser dans mes veines. Je retiens mon souffle tandis que nos lèvres se rejoignent. J'ai tellement rêvé de ce baiser, mais le rêve n'est rien comparé à la réalité. Il fait pâle figure. Je ne sais pas combien de temps nous restons ainsi, à nous embrasser. Je voudrais que ce moment ne finisse jamais. Je voudrais que cet instant soit le début du plus grand bonheur de ma vie. Nous étions encore si proches de l'adolescence quand nous sommes tombés amoureux, nous avions notre enfance entre nous. Quatre ans plus tard, nous voilà adultes, prêts à tout recommencer. Je n'aurais jamais pu imaginer tout ça quand, lors de mes vingt-six ans, nous avons fait passer notre relation de l'amitié à l'amour. J'avais des étoiles dans les yeux, des papillons dans le ventre et je ne savais pas ce que ça allait demander comme énergie de faire marcher une relation. On était idéalistes, éblouis par nos ambitions. Aujourd'hui, j'ai toujours mes étoiles et mes papillons, j'ai parfois la tête dans les nuages, mais mes pieds sont solidement posés sur terre. Ceux de Maxim aussi. Et c'est maintenant, à un autre de mes anniversaires, que nous nous retrouvons, prêts à avancer ensemble, pour le reste de notre vie.

J'entraîne Maxim dans ma chambre, mais celui-ci m'arrête :

– On est déjà en retard, Isa.

– C'est ma fête, j'ai le droit d'arriver en retard, je susurre en me collant contre lui.

– On aura tout le temps de faire l'amour, mais ce qui t'attend ce soir ne se produira qu'une fois.

Intriguée par le ton volontairement mystérieux de Maxim, je fronce les sourcils et demande :

– De quoi tu parles ? C'est seulement une soirée entre amis.

– Habille-toi et laisse-toi surprendre.

De plus en plus curieuse, je le bombarde de questions, mais il reste de marbre. J'enfile alors une robe à bustier drapée en taffetas, de couleur prune, dont la grande ceinture blanche accentue la taille et retombe d'une manière faussement négligée sur mes hanches. Je me tourne vers Maxim, lissant machinalement le tissu et lance :

– Verdict ?

– Tu es... splendide, répond-il tandis que le désir s'allume dans son regard.

– Non, non, c'est trop tard ! je m'exclame en riant, devinant ses pensées. On s'en va !

Après vingt minutes de trajet, nous entrons dans le restaurant où j'ai invité tout le monde. J'entends Maxim expliquer discrètement quelque chose à l'hôtesse et celle-ci nous conduit dans une salle privée.

– Est-ce que vous allez tous crier « Surprise ! » quand je vais entrer, comme dans les films ? je lance, un brin taquine.

– Ça se pourrait bien !

L'hôtesse nous souhaite une excellente soirée et nous laisse devant une porte fermée. Je sens l'excitation atteindre son paroxysme. Qui se trouve derrière la cloison ? Je ne doute pas de voir Samuel, Marie-Anne, Cécile et Antoine, ainsi que quelques autres amis que j'ai invités, mais que me réservent-ils ?

– On entre ? propose Maxim.

Je pousse doucement la porte et une tonne de confettis se déversent sur moi tandis que tout le monde entonne un « Joyeux anniversaire » que je qualifierais de très faussé. (Il n'y a vraiment pas de chanteurs parmi mes proches !) Je débarrasse mes cheveux et ma robe des confettis, relève la tête et reste pétrifiée.

Ma mère et Bertrand sont là (!). Mon père, Catherine, Ophélie et Olivier aussi (!!). Un peu plus loin, j'aperçois Lucie, Justin et Thomas dans son berceau (!!!). Ce n'est pas possible ! Ils n'ont pas tous fait le voyage pour être avec moi ? Et puis, il n'y a pas qu'eux. Manon, mon éditrice au Québec, et un homme que je devine être son chum, des collègues et amis, des lectrices de mon blogue que j'ai rencontrées plusieurs fois... La liste n'en finit plus. Je me couvre la bouche d'une main, complètement abasourdie. J'en ai la tête qui tourne.

– Je crois que je vais m'évanouir.

– Mais non, murmure Maxim en m'enlaçant la taille pour me soutenir.

Marie-Anne, Cécile et Antoine s'approchent de moi et je les embrasse tous les trois.

– C'est vous qui avez préparé tout ça, pas vrai ? je demande la voix tremblante d'émotion.

Ils hochent chacun la tête, un énorme sourire aux lèvres.

– Merci ! Merci à vous trois. Je ne m'attendais tellement pas à ça. Vous êtes des amis exceptionnels, vous savez.

– Oui, on le sait, réplique Cécile en riant.

Ne se retenant plus, Ophélie se joint à nous et me saute au cou. Lucie, Justin, mon père et ma mère la suivent de près. Les embrassades, les larmes, les cris de joie n'en finissent plus.

– Je n'arrive pas à croire que vous soyez là ! Vous avez fait le chemin jusqu'ici ? Vous n'êtes pas des clones de ma famille et de mes amis, hein ? Ni des poupées de cire ?

– Mais si, répond Lucie en riant. D'ailleurs, à minuit, pouf ! on disparaît, comme le carrosse de Cendrillon ! En passant, Nathalie, Christelle et Marjorie auraient vraiment aimé prendre un avion elles aussi, mais elles n'ont pas pu se libérer. Elles t'embrassent quand même très très fort.

Je hoche la tête, trop émue pour parler, puis me penche vers le berceau où Thomas est allongé. Il a les yeux grands ouverts, comme s'il essayait de comprendre où il se trouve et pourquoi. Je passe la paume de ma main contre son visage. Il me sourit. Je ne résiste pas et le prends dans mes bras. Je reste un moment à le cajoler, puis répète :

– Je n'arrive toujours pas à croire que vous soyez là, avec moi !

– On n'allait quand même pas manquer tes trente ans, dit Lucie.

— Merci d'être venus. Je vous aime tous ! Je vous aime tous très fort !

— Allez, arrête de pleurer, ordonne ma mère. Tu es en train de gâcher ton maquillage. Tu ne voudrais pas avoir l'air d'une noyée sur les photos de ton anniversaire ?

Ah, ma mère ! On ne la changera pas, n'est-ce pas ? J'essuie néanmoins mes larmes, prête à vivre l'un des plus beaux moments de ma vie. Je discute un moment avec chacun des invités, puis nous passons à table. Le choix de ce restaurant se révèle excellent : la nourriture est délicieuse, le décor est raffiné et le service, chaleureux. À la fin du repas, Lucie et Marie-Anne, qui ont organisé de main de maître cette soirée, demandent l'attention de tout le monde. Un écran plasma est accroché au mur et elles s'apprêtent à diffuser une série de photos de moi, accompagnées tour à tour de chacune des personnes présentes. Je sens les larmes monter de nouveau. Je n'étais pas préparée à ce déferlement d'émotion.

Des images de Lucie, Marjorie, Nathalie, Christelle et moi, ados, défilent sur l'écran, provoquant de temps à autre des éclats de rire, et pour cause : nos tenues ou nos coiffures témoignent parfois d'un manque de goût flagrant. Des photos de mes parents, puis d'Ophélie et moi, remplacent les précédentes. Celles prises au Québec, avec Maxim, Antoine, Cécile, Marie-Anne et Samuel viennent clôturer la projection.

Alors que je ne pensais pas pouvoir être plus émue, Lucie dépose devant moi un dossier relié, ressemblant à un travail scolaire, mais dont l'intitulé l'apparente tout de suite à quelque chose de plus personnel : « Souvenirs de nous. Pour tes trente ans ». Les signatures manuscrites de chacun des invités entourent le titre.

— C'est un peu comme un livre d'or, m'explique ma meilleure amie. Nous avons tous écrit un texte racontant un souvenir, une anecdote ou une confidence que nous avons partagé avec toi.

Je caresse la page de présentation d'une main en murmurant, la voix enrouée par l'émotion :

– Merci. Je ne sais quoi dire d'autre.

– Ça me fait plaisir, Isa. C'est moi qui ai collecté les textes, mais rassure-toi, je ne les ai pas lus. Bonne lecture.

Mon cœur s'accélère tandis que je saisis ce que Lucie a judicieusement appelé un « livre d'or ». Il va me falloir plus de mouchoirs, c'est certain. Je feuillette les pages de ce trésor imprimé et m'arrête sur le texte d'Ophélie. Elle y parle de notre première rencontre, après des mois de correspondance virtuelle. Elle me confie les craintes qu'elle éprouvait, les attentes qu'elle avait, l'espoir qu'elle nourrissait. Elle m'avoue ensuite qu'elle n'aurait pas pu demander mieux comme sœur et que je ne l'ai jamais déçue.

Tu es ma grande sœur, celle dont je rêvais quand j'étais petite, celle que j'imaginais et, pour rien au monde, je n'aurais voulu en avoir une autre que toi. Je t'aime plus fort qu'il n'y a de mots pour le dire.

Ma vue se brouille. Une larme coule le long de ma joue. Je me sens tellement choyée, tellement privilégiée. Il n'y a rien de plus précieux que les liens qu'on tisse avec ceux qui nous entourent. Vivre recluse me tuerait inexorablement. Je me sens aimée comme jamais ce soir. Je ne pourrai pas lire ces textes d'un trait. Je veux savourer chaque mot, chaque intonation devinée, chaque souvenir évoqué. Cela fait presque deux heures que Maxim et moi sommes arrivés au restaurant et je ne réalise toujours pas que ce que je vis est réel. Mes proches ont pris l'avion pour être avec moi pour mes trente ans ! Ils resteront quelques jours à Québec. Pas longtemps. À peine cinq jours, mais ce n'est jamais assez long de toute façon.

La musique envahit les haut-parleurs de la salle. On pousse les chaises sur les côtés, on improvise une piste de danse. Pas de quoi transformer la salle en boîte de nuit, mais l'ambiance devient soudain plus électrique. Ophélie vient s'asseoir près de moi. Elle est un peu triste. Olivier ne repart pas en France avec elle, son permis de travail ayant expiré. Ils se verront cet été et ensuite... ensuite ils ne savent pas. Comment vivre une relation quand on est séparés par un océan ? Tentant de lui remonter le moral, je l'entraîne sur la piste de danse. Elle retrouve immédiatement son sourire. Elle n'a pas besoin de grand-chose. C'est ce qui fait sa force.

Après quelques minutes, Maxim s'approche de moi. Nous ne nous sommes pas beaucoup vus depuis notre arrivée. Samuel, Marie-Anne, Cécile, Antoine et lui sont volontairement restés en retrait, laissant à ceux qui ne me voient pas souvent la chance de profiter de ma présence. J'ai ainsi pu passer du temps avec mon père et constater que notre relation s'approfondit chaque fois que nous nous voyons.

— Je suis heureux de partager ce moment avec toi, m'a-t-il dit après m'avoir embrassée. Tu es belle. Vraiment. Je n'arrive pas à croire que j'ai une fille de trente ans.

— Je sais ! Ça ne nous rajeunit ni l'un ni l'autre, pas vrai ? Mais nous avons encore de belles années devant nous à partager.

Mon père et moi n'aurons jamais la relation que nous aurions eue s'il n'était pas parti. Cela dit, celle que nous avons aujourd'hui me convient. Il est mon père, je suis sa fille, et je n'avais pas senti ce lien depuis longtemps. Nous avons discuté encore un moment, puis je suis allée retrouver ma mère. Je l'ai remerciée pour sa présence.

– Ne dis pas de sottises. Je n'allais évidemment pas te laisser avoir trente ans sans moi.

– Je suis quand même touchée que tu aies fait le voyage.

– Ma foi, tu as choisi de vivre ici, je m'adapte. Ces quelques jours de vacances nous feront du bien à Bertrand et à moi.

Je l'ai embrassée en retenant un rire désabusé. Notre relation reste la même : ma mère juge, critique, impose, mais elle respecte aussi plus facilement mes choix. Elle réalise que je suis heureuse au Québec et, finalement, c'est tout ce qu'elle souhaite.

Reportant mon attention sur Maxim, je glisse une main dans la sienne et nous nous asseyons près d'une table. La majorité des chaises sont vides, la musique ayant entraîné la plupart des invités sur la piste. Y compris ma mère – mais je crois que c'est parce qu'elle a bu trop de vin ! Du coin de l'œil, j'aperçois Lucie et Justin installés au fond de la salle. Ils discutent et veillent sur leur fils. Celui-ci dort à poings fermés. Ils forment une belle famille tous les trois. Je n'aurais pourtant pas parié sur eux il y a cinq ans. Je suis contente d'avoir eu tort. Lucie est heureuse en tant que mère, en tant qu'amoureuse, en tant qu'amie. Et Justin l'aime. J'en avais toujours un peu douté. J'estimais qu'il ne l'aimait pas de la bonne façon. Aujourd'hui, je sais qu'il n'y a pas qu'un seul mot pour exprimer son amour, ni une seule façon d'aimer. Je l'ai compris, ressenti surtout, et ça m'a permis d'évoluer.

Maxim s'approche encore plus près de moi et me tend un petit paquet. Je souris et déchire le papier-cadeau à la hâte.

À l'intérieur se trouvent deux billets d'avion pour San Francisco, ainsi que les détails d'un séjour d'une semaine. Je relève la tête, sentant une vive excitation me gagner. J'ai toujours rêvé d'aller visiter cette ville ! Et m'y rendre avec Maxim, c'est inespéré ! Je nous imagine déjà prenant le tramway le matin pour aller flâner dans Chinatown, admirer le Golden Gate Bridge ou nous rendre sur l'île d'Alcatraz. Maxim m'a manqué plus que je ne saurais l'exprimer et, à présent, je ne souhaite qu'une chose : donner à notre amour la place qu'il mérite dans nos vies.

— Ce n'était pas une impulsion subite tantôt quand on s'est embrassés ? demande Maxim, incertain. C'est vraiment ce que tu voulais ?

Touchée par ses craintes, je dépose ma main sur sa joue et murmure :

— Tu en doutes ? Ça m'a pris du temps avant de me rendre là où je suis aujourd'hui, mais s'il y a une chose dont je suis sûre à présent, c'est que je t'aime et que je refuse de passer un autre jour sans toi.

Maxim sourit, d'un sourire lumineux que je n'avais jamais vu. Il s'apprête à me répondre, mais Samuel nous rejoint, nous interrompant.

— Allô, les amoureux ! Désolé de vous déranger, mais je tenais absolument à te souhaiter bonne fête une dernière fois avant de partir, Isa !

Je me lève, serre Samuel contre moi et le remercie d'être venu.

— Tout le plaisir était pour moi, ma belle. Je t'appelle dans la semaine, j'aimerais t'inviter à souper pour te présenter ma nouvelle blonde.

— Ça me ferait plaisir, mais Maxim viendra avec nous, je pense. Il va falloir que vous appreniez à vous entendre maintenant ! j'ajoute, malicieuse.

— De retour pour de bon dans la Vieille Capitale, alors ? lance Samuel à Maxim.

— Eh, oui ! La ville est-elle assez grande pour nous deux ? plaisante ce dernier.

— Hum, je ne sais pas, il va falloir qu'on se la partage, à mon avis. Prends la Haute-Ville ; moi, mon quartier, c'est Saint-Roch !

Ils se serrent la main, concluant leur entente.

— Vous êtes tellement bizarres ! je m'exclame en riant.

— On le sait que tu nous aimes comme ça, Isa ! Allez, je vous laisse, bonne fin de soirée !

Samuel s'éloigne, et Maxim, toujours incrédule devant notre relation devenue amicale, me demande :

— Vous êtes vraiment amis, alors ? Il a changé tant que ça ?

— Non, il n'a pas changé, j'ai juste pris le temps de mieux le connaître.

— Mouais, grommelle Maxim, pas convaincu.

— Fais confiance à mon jugement, mon chéri, toi aussi tu finiras par apprécier sa compagnie, tu verras.

Mon chéri. Ça faisait une éternité que je n'avais pas appelé Maxim ainsi et pourtant, c'est revenu tout seul. Comme un automatisme. Je l'aime, il m'aime et il n'y a plus rien entre nous pour nous séparer. Bien sûr, ça ne veut pas dire qu'on ne traversera pas des moments plus difficiles. J'ai encore des craintes, j'en aurai toujours, mais je ne veux plus laisser la peur gouverner ma vie. Il faut oser l'affronter. La combattre. L'anéantir. Et puis, parfois, en la combattant, on se rend compte qu'elle n'était même pas réelle.

Maxim commettra d'autres erreurs, j'en commettrai aussi, mais on apprendra à ne plus nous éloigner l'un de l'autre, à ne plus réagir impulsivement, à ne plus nous lancer des ultimatums. On apprendra et on sera heureux.

L'amour n'est pas simple ou facile. Ça prend du courage pour aimer, mais on ne peut pas tirer un trait sur ce que l'avenir nous offre parce qu'on a souffert. On ne peut pas recevoir que les bonnes choses de l'amour. C'est un tout imbriqué qu'il faut soit accepter, soit refuser.

Et moi, j'ai décidé de l'accepter.

L'avenir n'est jamais que du présent à mettre en ordre. Tu n'as pas à le prévoir, mais à le permettre.

Antoine de Saint-Exupéry

ÉPILOGUE DE L'ÉPILOGUE

On ne peut pas vivre sans projets. C'est impossible. On planifie, on imagine, on attend, on espère. Si on travaille assez, si on a un peu de chance, parfois nos projets se réalisent et nous rendent heureux. Fiers aussi. Atteindre un but qu'on s'est fixé, ce n'est pas rien. C'est même, d'une certaine façon, l'essence de la vie. C'est ce que j'ai vécu avec l'écriture. Je voulais écrire depuis l'enfance, je me suis battue, surtout contre moi-même, et j'ai réussi à publier deux livres qui ont reçu un accueil dépassant mes espérances.

Eh oui, mon deuxième roman est sorti en septembre dernier et rencontre le même succès, si ce n'est un plus grand, que le premier. Bon, je ne suis pas encore Michel Tremblay, mais je reçois chaque semaine des courriels de lectrices qui attendent mes prochains livres avec un enthousiasme sans limites. J'étais très stressée avant la sortie de *Ici comme ailleurs*. J'avais peur de me planter, de décevoir ceux et celles qui avaient aimé *Vodka-Canneberge sans glace* et qui voulaient continuer de me lire, même si mon roman ne les visait pas directement. J'imagine qu'il y a eu des déceptions, elles sont inévitables, mais je vis quelque chose d'extraordinaire avec mes livres et je prie pour que ça ne s'arrête jamais. C'est ce dont j'avais toujours rêvé et le rêve est devenu réalité.

Et puis, à côté des projets auxquels on consacre une partie de sa vie, ceux qu'on imagine dans les moindres détails, il en existe d'autres : ceux auxquels on ne s'attend pas. Et l'inattendu, souvent, c'est ce qu'il y a de plus fort. Ces événements nous prennent par surprise. Ils nous renversent, dans le bon sens du terme, et nous entraînent là où on n'aurait jamais pensé aller. C'est ce que j'ai vécu il y a trois mois. Ce matin-là, je me suis réveillée, j'ai pris mon petit-déjeuner, comme d'habitude, je me suis rendue dans mon café de la rue Cartier et j'ai continué à rédiger le papier que je devais rendre le lendemain. Le soir, Maxim et moi nous sommes retrouvés et avons accueilli l'inattendu dans notre vie.

Nous avons été tellement heureux depuis mon anniversaire. C'était presque indécent. Bien sûr, nous avons dû nous réhabituer à vivre ensemble. Ça ne s'est pas fait du jour au lendemain, d'un claquement de doigts, mais celui qui n'a pas connu notre bonheur n'a pas réellement vécu. Celui qui n'a pas aimé comme j'aime Maxim non plus.

L'amour est un sentiment curieux. Il évolue avec le temps. Avec nous. J'ai toujours aimé Maxim, mais j'étais aussi amoureuse de l'amour. De l'idée d'aimer et d'être aimée. Je ne m'en rendais pas compte à l'époque. Aujourd'hui, je sais que je l'aime pour la personne qu'il est, avec ses défauts et ses qualités.

Après son retour de New York, nous avons emménagé dans son condo et, pour que les choses soient officielles, il a ajouté mon nom sur l'acte de propriété et nous remboursons à deux le prêt qu'il a contracté. Je me suis tout de suite sentie chez moi en y entrant. Maxim m'a alors avoué qu'il avait choisi son condo en pensant à moi. Même quand j'étais en France, avec Daniel, il y avait toujours une partie de lui qui se disait qu'un jour, peut-être, on se retrouverait. Il n'a jamais perdu espoir et, aujourd'hui, nous sommes amoureux comme jamais, propriétaires d'un condo dans Montcalm et... futurs parents d'un bébé à venir. Car, oui : je suis enceinte ! Ce n'était pas prévu, pas planifié, ça nous a renversés et aussitôt transportés dans un monde inconnu. L'inattendu est la plus belle des surprises.

Quelques jours avant la sortie d'*Ici comme ailleurs*, j'ai fait un test de grossesse, en compagnie de Maxim, et c'est ainsi que nous avons appris la nouvelle. J'avais des nausées depuis plusieurs semaines, mais je mettais ça sur le compte du stress. Ce n'est que lorsque j'ai commencé à avoir mal aux seins que je me suis rendue à l'évidence. J'ai appelé Maxim, je lui ai fait part de mes doutes et, quelques heures plus tard, il m'a apporté un test de grossesse qui s'est avéré positif. Moi, enceinte. Je suis restée sous le choc pendant plusieurs heures. S'habituer à l'idée que notre corps fabrique un être humain, ce n'est pas rien. S'habituer à l'idée qu'on deviendra le monde pour ce petit être non plus. Ça prend du temps.

Aujourd'hui, trois mois plus tard, je suis sur mon nuage. Bon, OK, je suis aussi morte de trouille. C'est intimidant de savoir que notre vie ne sera plus jamais la même. Sans compter que c'est toujours la faute de la mère si, à l'âge adulte, nos enfants doivent passer des années sur le divan d'un psy. Super, la pression ! Si je l'embrasse trop souvent, si je lui mets des couches jetables, si je le nourris au biberon, est-ce que je le traumatise pour le reste de sa vie ? Je ne serai pas une mère parfaite, ça, c'est sûr, mais comme j'en suis déjà convaincue, les choses ne pourront que mieux se passer, non ? C'est lorsqu'on essaie d'atteindre la perfection qu'on ne peut que se planter ! Il y a tant d'inconnues devant nous. Mais, d'après Lucie, il va falloir que je m'y habitue.

Elle a presque pleuré d'émotion quand elle a su que j'étais enceinte. Elle a ensuite ajouté qu'elle priait fort fort fort pour que ce soit une fille afin que Thomas et elle puissent se marier un jour. « Ils seront faits l'un pour l'autre, point final ! » a-t-elle affirmé en riant. Je suis contente qu'elle soit passée par la maternité avant moi. Nous discutons presque tous les jours sur Skype. Je lui fais part de mes craintes, de mes aspirations, de mes interrogations, et ce qu'elle me confie me permet d'entrevoir ce qui m'attend mieux qu'aucun livre sur la grossesse ne pourra jamais le faire. Je ne sais pas ce que je ferais sans elle.

Je discute aussi beaucoup de ma grossesse avec Marie-Anne et Cécile, mais là, ce sont elles qui me bombardent de questions. J'étais sûre que Cécile serait la première à être enceinte. Je me trompais. Elle ne se sent pas prête. Elle adore les enfants, mais elle préfère attendre. Antoine est aussi de cet avis. Ils veulent voyager avant de fonder une famille. Je crois que l'expérience de Marie-Anne les inspire. Cette dernière habite à Londres depuis six mois. Quand elle a su que son entreprise ouvrait un poste d'un an là-bas, elle a postulé sur un coup de tête et sa candidature a été retenue. Elle ne s'y attendait pas et a même failli refuser de partir. Et puis elle s'est rendu compte que les changements et les découvertes étaient exactement ce dont elle avait besoin.

J'ai été plus que surprise quand elle m'a annoncé la nouvelle. Je l'ai soutenue et encouragée, mais ç'a été dur de la voir s'envoler. D'autant plus que sa décision était très inattendue. Mais il y a parfois des évidences qui nous apparaissent sans crier gare. Marie-Anne s'amuse comme une folle à Londres, autant professionnellement que sur le plan relationnel – la séduction *made in Britain* la ravit – et je suis ravie pour elle. C'est la première fois que je suis du côté de ceux qui restent et je dois dire que je comprends mieux ce que mes proches ressentent quand je reprends l'avion pour Québec. Surtout maintenant qu'ils vont devoir vivre ma grossesse à distance.

Ma mère a failli s'évanouir quand je lui ai appris la nouvelle. « Quoi ? Tu es enceinte ? Déjà ? Si vite ? Tu ne penses pas que vous auriez dû attendre ? Ah, ce n'était pas prévu. Mais qu'est-ce que tu utilises comme contraceptif ? Oui, je sais, aucune méthode n'est jamais fiable à cent pour cent. Bon, tu es heureuse, c'est bien. As-tu pris rendez-vous chez un gynécologue ? Je n'arrive pas à croire que tu sois enceinte. Tu as intérêt à bien l'élever, cet enfant. Tiens, d'ailleurs, que dirais-tu si je venais passer un mois à Québec après ton accouchement ? Tu auras besoin d'aide les premiers jours. Prépare-toi à ne plus dormir, ne plus manger, ne plus te laver. Et Maxim, lui, comment il prend la nouvelle ? Tu sais, c'est important de parler à son bébé pendant sa grossesse. Et quand il sera né, il faudra le stimuler intellectuellement, mais pas trop quand même. Je t'enverrai quelques titres de livres que tu devras lire. Vous avez des idées de prénoms ? Je me demande à qui il va ressembler. J'espère qu'il n'aura pas ton côté instable. Mais non, je ne dis pas ça pour te vexer. Je reconnais que tu fais des efforts pour construire ta vie. Tiens, Louis, c'est joli comme prénom si c'est un garçon ! Ça fait très royal. Non, je ne pensais pas à Marie-Antoinette pour une fille. Arrête de dire des bêtises ! Il faut que je songe à un autre nom que "grand-mère". Je ne supporterais pas. Ça fait beaucoup trop vieux. Non, mamie gâteau ou mamie groseille ne feront pas l'affaire. Franchement, Isabelle, tu me connais mieux que ça, non ? »

Elle a continué à parler, parler, parler. J'avais l'oreille en feu. Elle m'appelle chaque semaine pour prendre des nouvelles et me donner des conseils de son cru. Et, oui, elle a réservé son billet d'avion pour Québec et arrivera une semaine avant la date prévue pour mon accouchement. Je n'ai pas eu le cœur de refuser sa proposition. J'ai envie qu'elle soit là, avec moi. J'ai envie de partager cet événement unique dans ma vie avec elle. J'espère seulement qu'elle saura rester à sa place et qu'elle ne m'envahira pas trop. J'ai mis les choses au clair de façon très ferme, mais avec elle, on n'est jamais sûr de rien, vous vous en doutez.

347

Mon père aussi a prévu de séjourner quelque temps au *bed and breakfast* « Maxim et Isa ». Il tient lui aussi à être présent. Parfois, je me demande si ce n'est pas par culpabilité, si, inconsciemment, il ne cherche pas à retrouver ce qu'il a perdu avec moi quand il est parti. Je veux qu'il fasse partie intégrante de la vie de mon enfant, mais il ne pourra jamais vivre avec lui ce qu'il n'a pas vécu avec moi. Il faut qu'il en soit conscient. Ophélie m'aide beaucoup à trouver les mots pour lui expliquer ce que je ressens. Elle sait ce qui le touche, ce qui le blesse. Moi, un peu moins. Elle est aux anges depuis l'annonce de ma grossesse. Elle rêve de devenir la tante cool chez qui on se réfugie quand on veut discuter de sexe ou parce que nos parents nous tapent sur les nerfs. Je la vois bien dans ce rôle. Elle sera parfaite.

Olivier et elle se sont finalement séparés. La distance a eu raison de leur relation et la rupture s'est imposée d'elle-même. Ophélie se consacre maintenant à ses études et à la peinture. Il y a deux mois, elle a demandé à Maxim si elle pouvait recontacter Louise. Elle venait de terminer une série de toiles et avait très envie de les lui proposer pour une nouvelle exposition. Maxim a accepté et Louise a été enchantée par la production d'Ophélie. Elle a prévu d'exposer ses peintures à la fin de l'été prochain. Ma sœur ne touche plus terre et je partage sa joie. Je sais que son talent sera reconnu par tous un jour ; ce n'est qu'une question de temps.

Alors, voilà, mes aventures se terminent ici. Ou plutôt non, c'est un nouveau cycle qui prend le relais. J'ai trouvé l'équilibre que je cherchais et c'est l'essentiel. Soyez rassurés, je n'ai pas abandonné ce brin de folie qui me caractérise. Je resterai éternellement givrée – la vie ne serait pas drôle sinon –, mais j'ai évolué. La vie m'a surprise, mais je me suis aussi surprise moi-même. Je suis sortie de ma zone de confort et je n'y reviendrai plus.

Maxim et moi devrons faire face à de nouveaux défis dans les prochains mois. Nous nous disputerons peut-être, mais le lien qui nous unit est indestructible : quoi qu'il puisse se passer, il nous ramènera toujours l'un vers l'autre.

Il y a des personnes qui entrent dans notre vie pour ne jamais en sortir. Pas beaucoup. Quelques-unes si nous avons de la chance. Nous ne le savons pas forcément dès le début. Il faut le vivre, laisser le temps faire son œuvre. Maxim et moi avons traversé tant d'obstacles. Nous avons essayé de continuer notre chemin l'un sans l'autre. Nous avons mis un océan entre nous. Nous n'étions pas censés nous retrouver. Les probabilités étaient contre nous. Et pourtant, nous sommes ensemble. Sommes-nous des âmes sœurs ? L'avenir nous le dira. Pour l'instant, nous sommes seulement un homme et une femme qui sont tombés amoureux et qui, au fil des épreuves, ont découvert que c'était pour toujours.

*Il faut avant de donner la vie,
l'aimer et la faire aimer.*

Henry Bordeaux

ÉPILOGUE DE L'ÉPILOGUE DE L'ÉPILOGUE

Non, je plaisante. Il va bien falloir que je vous quitte un jour, pas vrai ? Le moment est venu. D'ailleurs, je suis attendue. Je passe à la radio dans trois minutes. Correction. J'*anime* une émission de radio dans trois minutes. Eh oui ! Voilà où m'a conduite ma vie de pigiste : animatrice à la radio. OK, c'est une radio communautaire et c'est un remplacement d'une durée de deux mois, mais qu'est-ce que je suis fière ! Ah, oui, et aussi complètement pétrifiée ! Pourquoi j'ai accepté ce poste ? Pourquoi ?!

Je tiens la barre d'une émission hebdomadaire d'une heure qui traite de l'immigration au Québec. Je peux faire absolument tout ce que je veux – parler de mon expérience, interroger des invités, parler de l'actualité, de politique (ah, ah, oui, vous avez bien lu !), de livres, etc. – du moment que je reste en lien avec mon sujet. À force de faire des chroniques s'y rapportant et ayant été invitée plusieurs fois par des radios différentes pour aborder le sujet, j'ai été remarquée par le directeur de la station et il m'a contactée pour me proposer ce travail. Je n'ai pas réfléchi, j'ai dit oui. J'aurais peut-être dû y penser à deux fois ! Je n'ai aucune formation et ce n'est certainement pas six ou sept passages derrière le micro qui peuvent préparer à animer une émission en solo ! Oh et, pour couronner le tout, mon ventre me tire comme pas possible ! Lucie avait raison, ce n'est pas une sinécure d'être enceinte !

– Isa, tu es prête ? me demande l'assistant de l'émission dans mon casque. C'est à toi dans trente secondes.

Oh my God, où sont mes notes ? Où sont mes notes ? Où sont mes notes ?

On ne peut jamais savoir où l'on va finir. Tenez-vous-le pour dit ! Sur ce, je plonge ! Cinq, quatre, trois, deux, un ! Go !

– Bonsoir, ici Isabelle Sirel pour l'émission *Caribou givré*, en direct de CLK.

Je sais ce que vous pensez mais, non, ce n'est pas moi qui ai choisi le titre de l'émission ! Le lien avec l'immigration ? Eh bien, les caribous, le froid, les... OK, j'avoue, je le cherche encore !

Mes promesses

Me voici de retour une dernière fois pour vous confier le secret des recettes qui ravissent mes papilles (ou aiguisent mon désir, dans le cas des mets aphrodisiaques !). Bonne soirée avec vos amoureux et amusez-vous bien ! ;-)

Gâteau aux marrons

Gâteau

- 2 cuillères à soupe (30 ml) de chapelure, fine
- 1/2 tasse (125 ml) d'amandes en poudre
- 1 cuillère à thé (5 ml) de poudre à pâte
- 1/4 cuillère à thé (1 ml) de sel
- 1/4 tasse (65 ml) de beurre mou
- 1/2 tasse (125 ml) de sucre
- 3 œufs
- 1/2 cuillère à thé (2 ml) d'essence d'amande
- 3 cuillères à soupe (45 ml) de lait
- 1/2 tasse (125 ml) d'amandes tranchées

Garniture

- 1 tasse (250 ml) de purée de marrons vanillée
- 1/4 tasse (65 ml) de sucre à glacer, tamisé
- 2 cuillères à soupe (30 ml) de brandy ou de rhum
- 1 tasse (250 ml) de crème à fouetter 35 %

Préparation du gâteau

~ Mélanger la chapelure et 2 cuillères à soupe (20 g) d'amandes moulues.

~ Graisser deux assiettes à tarte de 20 cm, répartir le mélange et secouer pour étendre.

~ Dans un bol, mélanger le reste des amandes moulues, la poudre à pâte et le sel. Mettre de côté.

~ Dans un grand bol, défaire le beurre en crème avec la moitié du sucre. Ajouter les jaunes d'œuf un à la fois en battant bien. Ajouter le mélange d'amandes, l'essence et le lait.

~ Répartir dans les deux assiettes à tarte, couvrir et laisser refroidir 30 minutes.

~ Battre les blancs d'œuf jusqu'à l'obtention de pics mous. Ajouter ensuite le reste du sucre et battre jusqu'à l'obtention de pics fermes.

~ Répartir la meringue sur les gâteaux et parsemer d'amandes tranchées sur le dessus.

~ Cuire à 150° C pendant 40 minutes.

~ Détacher les bords et laisser refroidir.

Préparation de la garniture

Battre la purée de marrons jusqu'à onctuosité. Ajouter le sucre à glacer et le brandy ou le rhum.

Incorporer délicatement à la crème fouettée.

Mettre un premier gâteau dans une assiette de service, y étendre la moitié du mélange aux marrons, mettre l'autre gâteau sur le dessus et terminer avec le reste du mélange. Garnir d'amandes légèrement brunies.

Source : http://www.recettes.qc.ca/recettes/recette.php?id=692

Langoustines au gingembre et au miel

Ingrédients pour 4 personnes

- 4 langoustines
- 1 morceau de gingembre frais
- 4 cuillères à soupe (60 ml) de miel d'acacia
- 1 cuillère à soupe (15 ml) de vinaigre balsamique
- 1 cuillère à soupe (15 ml) d'huile de pépins de raisin
- 3 gouttes de Tabasco
- Poivre
- Fleur de sel de Guérande

1. Éplucher le gingembre. Décortiquer les langoustines et enfoncer dans chacune d'elle un bâtonnet de gingembre.

2. Faire chauffer une cuillère à soupe d'huile de pépins de raisin dans une poêle et faire dorer rapidement les langoustines. Réserver. Verser le miel dans la poêle et chauffer à feu doux.

3. Poivrer, ajouter le Tabasco puis remettre les langoustines dans la poêle pour bien les enrober de miel.

4. Déposer les langoustines dans un plat de service.

5. Ajouter le vinaigre balsamique dans la poêle, mélanger à feu doux puis verser la sauce sur les langoustines.

6. Parsemer de quelques grains de fleur de sel de Guérande et servir aussitôt.

*Source : http://www.cuisine-martine.com/recette-cuisine/entree-chaude/
bouchees-langoustines-gingembre.html*

Piments frits farcis au saumon de Norvège

Ingrédients pour 4 personnes

- 100 g de filet de Saumon de Norvège frais
- 8 piments forts
- 50 g de carottes
- 50 g d'oignon
- 10 g d'échalote
- 2 champignons shiitake
- 2 gousses d'ail
- Huile de cuisine
- Sel, poivre
- Huile de sésame
- 1/2 tasse (125 ml) de farine
- 1/2 tasse (125 ml) d'eau

Sauce soja aigre-douce

- 2 cuillères à soupe (30 ml) de sauce soja
- 2 cuillères à soupe (30 ml) de jus de poire
- 1/2 cuillère à soupe (7 ml) de jus de citron

Préparation

~ Couper les piments forts dans le sens de la longueur et jeter les graines.

~ Hacher finement et mélanger ensemble le saumon de Norvège, les carottes, les échalotes, l'oignon, l'ail et les champignons shiitake.

~ Assaisonner cette farce de sel, de poivre et d'huile de sésame.

~ Saupoudrer l'intérieur des piments de farine, puis les garnir avec la farce.

~ Mettre l'eau et la farine dans un bol et bien mélanger.

~ Y plonger les piments farcis et les faire frire aussitôt.

~ Disposer les piments coupés en deux sur un plat et accompagner de la sauce soja aigre-douce.

Source : http://recettes.doctissimo.fr/Piments-Farcis-au-Saumon-de-Norvege-Frit.htm

Nage de fruits à la menthe

Ingrédients pour 4 personnes

- 1 mangue
- 1 petite boîte d'ananas
- 1 kiwi
- 1 pomelo rose
- 1 orange
- 1 gousse de vanille
- 1 clou de girofle
- Le jus d'un citron
- 11 feuilles de menthe

Préparation

~ Dans une casserole, placer le jus d'ananas, le jus de citron, la gousse de vanille fendue en deux, le clou de girofle et trois feuilles de menthe ciselées. Chauffer doucement, arrêter avant l'ébullition, laisser infuser une heure.

~ Avant de passer à table, laver et peler les fruits. Découper la mangue en fines lamelles, l'ananas en cubes, le kiwi en rondelles. Peler le pomelo et l'orange à vif.

~ Mélanger délicatement tous ces fruits, et verser sur ceux-ci l'infusion à la menthe filtrée à l'aide d'un petit tamis.

~ Répartir dans quatre coupelles et décorer des feuilles de menthe restantes.

~ Servir bien frais.

Source : http://recettes.doctissimo.fr/Nage-de-fruits-a-la-menthe.htm

Passionnément givrée

Audrey Parily

lime et citron

ÉDITIONS DE MORTAGNE

NUL SI DÉCOUVERT
Roman
Martin Dubé
Éditions de M...

Les chroniques de Miss Ritchie
d'amour et de glamour
JUDITH RITCHIE
Préface d'Alex Perron

Une plus un égale trois
Martin Dubé
roman
ÉDITIONS DE MORTAGNE

Si tu t'appelles mélancolie
Mélanie Leblanc

L'envers de Catherine
Dominique Doyon
ÉDITIONS DE MORTAGNE

Dans la même collection

- *L'amour clé en main*, Marie-Claude Auger
- *Amour, chocolats et autres cochonneries…*, Évelyne Gauthier
- *Nul si découvert*, Martin Dubé
- *Une plus un égale trois*, Martin Dubé
- *La vie en grosse*, Mélissa Perron
- *La vie entre parenthèses*, Hervé Desbois
- *Les chroniques de Miss Ritchie*, Judith Ritchie
- *L'envers de Catherine*, Dominique Doyon
- *Si tu t'appelles Mélancolie*, Mélanie Leblanc